DE RODE ROZENKETEN

Vertaald door Gerda Baardman

Jeffrey Moore

De rode rozenketen

2002 Prometheus Amsterdam

Ter nagedachtenis aan mijn ouders

Oorspronkelijke titel *Red-Rose Chain*

Omslagontwerp Mariska Cock
Omslagillustratie Rommert Boonstra
www.pbo.nl
ISBN 90 446 0138 5

'Ik hield in rozenkeet'nen hem gevangen'

Venus en Adonis

I

1

(Yorkshire, jaren zeventig)

'Ha! daar ruik ik vervalst Latijn...'

– *Veel gemin, geen gewin*

'Ik heb een idee,' kondigde Gerard tweeëntwintig jaar geleden aan, en ik kreeg opeens het gevoel dat ik op het randje van een klip stond. 'Een schitterend idee, iets wat we nog nooit hebben gedaan – wat waarschijnlijk niemand ooit heeft gedaan...'

Ik keek op naar Gerards rode gezicht en hypnotiserende ogen. Ik zou alles doen wat hij vroeg, overal heen gaan waar hij heen ging.

'Ik ga je hiermee blinddoeken,' zei Gerard terwijl hij zijn das afdeed, 'en dan kies jij een boek, hier in de kamer, maakt niet uit welk boek, helemaal willekeurig. Maar je moet de ruggen en omslagen aandachtig bevoelen en naar je innerlijke stemmen luisteren. Als je iets voelt, als je wéét dat je het juiste boek hebt gekozen, laat het me dan onmiddellijk weten. Is dat duidelijk?'

Ik knikte. Gerard droeg een Afrikaans masker, zodat zijn stem gedempt en vreemd klonk.

'Kun je nog iets zien?' vroeg hij terwijl hij mijn blinddoek vastmaakte.

'Nee, alles is zwart.'

'Goed, begin dan maar.'

'Wat betekent "willekeurig"?'

'Dat betekent dat je ieder boek mag kiezen dat je wilt.'

'Goed.' Met mijn armen voor me uit stommelde ik door de kamer en snoof de geur van lang niet geopende koffers op, struikelde over voorwerpen, tastte naar boeken. Vaak aarzelde ik met een boek in mijn hand en wachtte op een 'gevoel'.

'Geduld, jongen. Je moet volkomen zeker van je zaak zijn. Anders kies je nog het verkeerde uit en dat mag niet gebeuren, hè?'

Ik schudde mijn hoofd. En voort ging ik weer met mijn queeste, in het donker, terwijl de planken vloer jankte onder mijn voeten. Ik pakte een paar boeken van de honderden die op de grond lagen en tegen de muren stonden, bang dat ik op de een of andere manier 'het verkeerde boek' uitkoos en oom Gerard teleurstelde. Misschien dit hier. Nee, ik vóelde niets. Wat moest ik eigenlijk voelen?

Van een plank helemaal onderaan pakte ik een zwaar boek, dat ik in mijn handen omdraaide. Het omslag voelde korrelig aan en er zaten ribbels op de rug. Eerlijk gezegd voelde ik niets bijzonders, maar toen ik kerkklokken hoorde (een bruiloft?) vatte ik dat op als een teken, een goed omen.

'Oom Gerard, ik heb het gevonden! Dit is het, ik weet het zeker!'

Ik hoorde gerammel van losse planken en het piepen van de rubber zolen van Gerards sloffen. Hij pakte het boek van me aan.

'Zullen we het nu openslaan en de toekomst binnenlaten? Nee, hou je blinddoek nog even om, Jeremy, we zijn nog niet klaar. Ik ga de bladzijden omslaan en jij steekt je vinger ertussen op het moment dat naar jouw gevoel het juiste is. Begrijp je?'

'Willekeurig bedoel je?'

'Precies.'

Ik hoorde geritsel van bladzijden die werden omgeslagen, ik rook de muffe lucht. Ik wachtte. Ja, nu voelde ik beslist iets! Ik werd iets gewaar! Ik stak snel mijn hand uit en voelde hoe het boek zich er als een val omheen sloot.

'De teerling is geworpen, het lot is bezegeld. Doe nu je blinddoek af, Jeremy, en kijk naar de bladzijde die je hebt gekozen – waarvan het was vóórbeschikt dat je hem zou kiezen.'

De bladzijde was dun als vloeipapier en de lettertjes waren heel klein. Ik kreeg het warm en voelde dat ik begon te trillen.

'Nu wil ik dat je die bladzijde uit het boek trekt,' zei Gerard. 'Toe maar, jongen, scheur hem er maar uit, niet bang zijn.'

Ik trok hem eruit, maar niet recht; het broze papier scheurde rafelig en scheef af. Ik had twee handen nodig om het weer goed te krijgen.

'Nu vouw je hem op en stopt hem in je borstzak. Goed zo. Zorg dat je die magische bladzijde nooit kwijtraakt, Jeremy, die is je *anting-anting*, je vliegende tapijt – hij zal je overal heen brengen waar je wilt. Maar je moet geduld hebben, want hij kiest zelf het juiste ogenblik, misschien pas over maanden, over jáeren. Ga nu. En vertel dit nooit, aan niemand. Je moet me beloven bij alles wat je heilig is dat het voor eeuwig ons geheim blijft wat er vandaag is gebeurd. Beloof je dat?'

'Ja oom, op mijn woord van eer. Dit blijft ons geheim – ik zal het nooit verraden, al leggen ze me op de pijnbank.'

Ik noemde hem altijd oom, al wist ik best dat we maar deden alsof. Gerard was de vriend van mijn moeder en was bij ons in York komen wonen toen ik een jaar of drie was. Hij was veel ouder dan mijn moeder en later hoorde ik dat hij door zijn wijsheid en ervaring had weten te voorkomen dat ze instortte toen mijn vader bij ons wegging. Ik weet niet hoe erg mijn moeder er precies aan toe was, want ik zat opgerold in haar buik toen het gebeurde. Abortus was nog niet zo gewoon als nu en zelfs al was het dat wel geweest, dan had mijn moeder me waarschijnlijk toch gehouden – zo was ze nu eenmaal, of misschien ontbrak het haar gewoon aan de nodige moed. Gerard hielp haar (hielp ons) de gespannen zwangerschap door en trok drie jaar later min of meer bij ons in, zoals ik al zei. Maar hij, Gerard Gascoigne, wilde niet met mijn moeder trouwen, hoe vaak ik het hem ook vroeg. 'Een rover eist je geld of je leven, het huwelijk eist allebei' en 'snelle vrouwen en trage paarden werden mijn ondergang' luidden zijn twee standaardantwoorden, die ik toen nog geen van beide begreep. Ze zouden trouwens allebei een mooi grafschrift zijn, bedenk ik nu.

Toen ik een jaar of zeven was leerde mijn moeder via de kerk iemand kennen die wel met haar wilde trouwen. Ralph Stilton heette hij, een asymmetrische bonenstaak met dunne wenkbrauwen, scheve tanden en een hoge stem die hij lager probeerde te laten klinken. Hij droeg alleen grijsbeige en donkerbruin, dat soort kleuren, en hij zong in het koor, met uitpuilende ogen en een bovenmenselijk wijd opengesperde mond. Kortom, ik mocht hem niet en hij mij niet – en Gerard al helemaal niet. 'Hij is je oom niet,' bracht hij me graag in herinnering, 'en hij is ook niet bepaald een lichtend voorbeeld voor je. Die man heeft een legendarisch losbandig leven achter de rug. Een schurk van het zuiverste water, die de politie altijd net één stapje voor wist te blijven. Jawel. De hemel mag weten hoe je moeder aan zo'n proleet komt, zo'n heiden...'

Legendarisch losbandig. Schurk van het zuiverste water. Wat een grandioze uitdrukkingen, zo... heroïsch. Dagenlang prevelde ik ze als mystieke runenspreuken voor me uit. En toen vroeg ik Gerard wat ze betekenden. Ik weet niet meer wat hij daarop antwoordde, maar ik herinner me wel dat hij in schaterlachen uitbarstte en dat ik met hem meelachte – we lagen in een deuk. O, ik begreep best dat losbandigheid en schurken niet deugden, maar dat kon me niets schelen. Gerard was mijn idool, mijn ideaal. Ralph, die naarstig andere, hogere objecten van verering voor me zocht, verbood me al snel alle omgang met hem.

Ik heb dagenlang gekrijst, gemokt en gedreigd me van kant te maken. En toen werd ik de dociele, plichtsgetrouwe zoon – 'een heel fatsoenlijk kereltje,' hoorde ik Ralph eens tegen iemand zeggen. Had ik het begrepen, zag ik mijn dwaling en Gerards legendarische losbandigheid in? Welnee, ik had gewoon de kunst der misleiding ontdekt. Als konijnen uit een hoge hoed toverde ik alibi's te voorschijn voor de zaterdagochtenden dat ik Gerard opzocht: vriendjes, uitstapjes van school, voetbaltraining, cricketwedstrijden op het veld van St Peter's. Gerard was mijn mentor ('Wat is een leugen anders dan gekostumeerde waarheid?' zei hij); hij leerde me liegen en na wat oefening werd ik er heel goed in.

'Jij en mama zijn uit elkaar,' zei ik soms, 'maar wij niet, hè oom?'

Onze laatste leugen was de meest vergezochte en desondanks, of juist daardoor, de best gelukte. We hadden er de medewerking voor nodig van een zekere meneer Dragonetti, die eens Ralphs zwager was geweest (hij was van Ralphs zuster gescheiden), een bleke, sprieterige man die altijd in vreemdsoortige kleren rondliep en onzin uitkraamde, zodat iedereen hem voor een geleerde hield. Misschien was hij dat ook wel (hij kende in elk geval Latijn). Gerard zei alleen dat hij 'van alcohol hield, maar dat betalen niet zijn sterkste punt was, en van paardenrennen hield, maar dat het voorspellen van de afloop niet zijn sterkste punt was'. Ten gevolge van die twee tekortkomingen was hij Gerard grote bedragen schuldig. Ons plan nu was als volgt: ik kreeg plotseling belangstelling voor Latijn en meneer Dragonetti bood aan me les te geven, op zaterdagmorgen, als ik hem in ruil daarvoor hielp met zijn achtertuin.

Mijn achterdochtige stiefvader bracht me, zeker in het begin, altijd tot de voordeur van meneer Dragonetti. Een keer vroeg hij zelfs of hij de tuin mocht zien. 'Alles op zijn tijd,' antwoordde Dragonetti, 'alles op zijn tijd. *Vincit qui partitur.* Ik zal je met alle plezier mijn... mijn delphinia en mijn eryngia laten zien als alles er mooi bij staat. De hulp van je zoon is van onschatbare waarde – die jongen heeft werkelijk groene vingers.' Als Ralph naar huis liep, kroop Dragonetti weer in bed en ik vluchtte de achterdeur uit.

Tussen de fantoombloemen door rende ik de betegelde tuin uit, over het hek en langs de Stadswallen, de Fishergatepoort, over de Skeltergatebrug en het chocoladebruine water van de Ouse naar de Micklegatepoort, waar in vroeger dagen de vorsten de stad binnenreden. Van daar was het maar een klein eindje rennen – en geen wervelwind was sneller dan ik – naar de etage van mijn onwettige voogd. Ik liet de deurklopper met de leeuwenkop drie keer op de deur neerkomen voordat ik mezelf binnenliet. De gebutste eikenhouten deur kraakte als de deur van een kerker, waarschijnlijk omdat Gerard het zo verkoos. Hij kon op slot, maar was dat nooit.

Met zijn schuine muren en balkenzoldering had het een heel aardig huis kunnen zijn, maar dat was het niet. Het was er te donker, te vuil, te vol ('Zeeën van ruimte,' betoogde Gerard altijd. 'Zeeën!'). De meubels, waarvan sommige met een stofhoes bedekt waren, leken niet zozeer uitgekozen als wel door iemand achtergelaten. Boeken in alle soorten en maten lagen verspreid tussen de lege kasten, overvolle valiezen, afgesloten hutkoffers, verbleekte kostuums en rekwisieten, onvoltooide doeken, de krioelende, wanordelijke stapel bric-à-brac en andere raadselachtige voorwerpen.

In de 'keuken' hing een prent van twee grote vogels op een tak (met tv-antenne) met een flink glas bier in hun poot:

De toekans, een gezellig tweespan,
weten: een GUINNESS doet je goed.
Dus een GUINNESS af en toekan
nooit kwaad – ontdek wat 't voor ú doet!

Geweldig vond ik die. Eronder, te midden van de exotische, met sellotape op de muur geplakte ansichtkaarten, hing een verkleurde gele kaart met cursieve letters en een rode sierrand. Die was niet zo geestig, al leek Gerard te vinden van wel:

Wat is uw huis zonder
Plumtree's Potje Paté?
Niets bijzonder.
Maar met, een hemel hierbenee.

In de badkamer, soms zelfs in het bad, stond een licht kreupel hobbelpaard dat Gerard ooit had beloofd te repareren. 'Het Toverstokpaardje' was uitgerust met koperbeslag en metalen stijgbeugels aan echt leren riemen; op zijn buik zat een koperen plaatje van het Britse Hobbelpaardgenootschap, het certificaat van raszuiverheid van beide ouders. In 'mijn' hoekje stond een speelgoedkist, waarvan de voortdurend aangevulde inhoud onder meer bestond uit een gasmasker, waterpistolen, katapulten, tinnen soldaatjes, een crèmekleurig speldje van Royal Ascot, een zakje van Barker and Dobson's Fruit Drops waar iets heel anders in zat (uniformknopen?), speelkaarten van het merk Happy Family, Moon Traveller-vuurpijlen en een Afrikaans masker waar ik elke keer weer van schrok, al had Gerard het nog zo vaak opgezet.

De zaterdagochtenden verliepen volgens een strak schema, misschien wel het enige in mijn jonge leven waar ik nooit van af wilde wijken. Gerard begroette me, als hij tenminste geen gasmasker of Afrikaans masker op had, met een grijns waarbij hij zijn ene oog verder dichtkneep dan het andere, en een handdruk die pijn deed. Daarna deden we het 'raamvertelspel' bij het enige venster van de woning, een grote dakkapel. Terwijl we uit het raam hingen te kijken naar de torens van de Minster van York vertelde Gerard altijd een fascinerend verhaal of een historische gebeurtenis uit de Middeleeuwen. Ik weet niet waarom hij zo geïnspireerd raakte door het uitzicht op de Minster – hij had niets met godsdienst. Dikwijls richtte hij zijn blik door de telescoop op een ander, door mensen bewoond stukje architectuur, dus misschien was het niet de kathedraal die hem inspireerde.

Ik heb eigenlijk nooit geweten wat Gerard voor de kost deed. De raamvertellingen die hij daarover ophing klopten niet altijd. De ene keer vertelde hij dat hij na van rugby te zijn getrapt op een schip naar Afrika was gereisd en in Zoeloeland vuurwapens had gesmokkeld. De andere keer zei hij weer dat hij na zijn eindexamen aan Eton College jockey was geworden. Weer een andere keer was hij van huis uit Shakespeare-acteur en had hij nooit op school gezeten. Ik geloofde alle drie die verhalen totdat Ralph me erop wees dat Gerard op een gewone openbare school in York had gezeten, dat jockeys zelden een meter tachtig lang zijn en dat Zoeloeland al sinds de negentiende eeuw bij Natal hoorde. Wat ik wel zeker weet, is dat Gerard veel had gereisd ('ik heb heel wat rondgetrokken,' zei hij altijd), vooral door Frankrijk, en dat hij zich met 'wiskundige' zaken bezighield. Mijn moeder zei dat hij ooit actuaris was geweest bij de verzekeringsmaatschappij Great Northern Life en ik weet dat hij geheime tekens gaf aan de beroepsgokkers op de renbaan in Pontefract bij Leeds, want dat had ik hem twee keer zien doen: dan gaf hij met handgebaren de veranderingen in de verhoudingen tussen de inzetten door. Hij had twee dozen met visitekaartjes, een met 'wiskundige' onder zijn naam en een met 'commissionair in weddenschappen'.

Na de raamvertellingen kwamen de Spelen, gewoonlijk woord- of gokspelletjes. Daar hield ik aantekeningen van bij in een boek met muziekpapier dat ik op mijn zevende verjaardag van Gerard had gekregen. Voor op het gemarmerde kartonomslag zat een etiket over de naam van iemand anders geplakt. Het was een groot boek, heel mooi, gebonden in groen changeant satijn dat glansde als je het schuin hield. Het Boek der Zaterdagen noemden we het. Het was helemaal leeg, alleen op de laatste bladzijde stond:

Soms maakten we anagrammen in dat boek – Gerard maakte aan de lopende band anagrammen, wat naar men zegt een teken van schizofrenie is – met willekeurige woorden uit de *Manchester Guardian* of de *Yorkshire Post*. Maar Gerard stond erop dat de anagrammen 'toepasselijk' waren – ze moesten iets met het woord in kwestie te maken hebben. Daar was ik niet goed in, al vond ik een keer LIEFDE: FIDEEL. Als mijn anagrammen niet toepasselijk waren, zei mijn oom: 'Onpasselijk!' en dan lachte ik zonder te begrijpen waarom. Gerard maakte altijd toepasselijke. Zo schreef hij op 11 maart 1972: KLEUR OGEN: LEUK GROEN; AFKOMST: FOKSTAM; NESTBOUW: ONBEWUST.

Op onze laatste zaterdag samen deden we een nieuw spelletje, een heel eenvoudig spelletje, dat Gerard met een voor zijn doen ongewone ernst benaderde. Misschien wist hij al dat het onze laatste keer was.

'Ik heb een idee,' zei Gerard. 'Een schitterend idee, iets wat we nog nooit hebben gedaan...'

Denk nu niet, zoals ik lang heb gedaan, dat de inhoud van de Bladzijde de daaropvolgende gebeurtenissen op de een of andere manier in gang heeft gezet. Zo is het leven niet. De loop daarvan staat niet gedrukt op een vel papier dat uit een willekeurig boek is gescheurd; zoiets geloven alleen mystici en kinderen.

Anders liep ik altijd traag naar huis, maar die laatste zaterdag rende ik snel zigzaggend in en uit het blikveld van de camera langs de Wallen en toen terug langs de sluizen in de Foss, ging meteen naar mijn kamer, kroop in bed en trok de dekens over mijn hoofd. Ik baadde in het zweet en mijn hart sloeg een roffel.

Ik hield de Bladzijde een ogenblik vast in het donker. *Zorg dat je die magische bladzijde nooit kwijtraakt. Die is je anting-anting, je vliegende tapijt.* Ik haalde diep adem, telde tot elf en knipte het lampje naast mijn bed aan. De Bladzijde was onregelmatig in vieren gevouwen; ik keek er strak naar, bang om er weer één geheel van te maken. Ik haalde nog eens diep adem en toen zwaaide de deur van mijn kamer wijdopen.

Ralph, die in de deuropening bleef staan terwijl ik de Bladzijde koortsachtig onder mijn laken frommelde, keek van mijn rode gezicht naar de dekens en dacht wellicht aan zelfbevlekking. 'Hoe gaat het met je Latijnse les?' vroeg hij. Ik bromde wat. Fijn dat je even klopt.

'Je moeder en ik willen je beneden spreken. En vlug wat.'

'Wat is een anting-anting?'

'Een wát? Is dat Latijn?'

'Laat maar. Doe je de deur dicht als je weggaat, Radulfus?' (Gerard had Ralph omgedoopt in het Latijn.)

'Sla niet zo'n toon tegen mij aan, jongeman. En ik heet geen Radulfus. Naar beneden – en snel.' Radulfus bleef me woedend staan aankijken en daagde me uit me tegen hem te verzetten. Of hij wilde zien wat ik daar onder het laken had.

Ik bleef in bed liggen wachten tot zijn voetstappen wegstierven en liep toen op mijn tenen naar de deur. Ik deed hem zachtjes dicht en rende toen weer naar mijn bed, sloeg de dekens terug en vouwde snel de Bladzijde open.

'Jeremy!' schetterde Ralph beneden. Ik wierp een haastige blik op de tekst, vouwde de Bladzijde voorzichtig weer op en liet hem in mijn borstzak glijden. 'Jeremy!'

In de voorkamer zat mijn moeder in haar blauwe lievelingsstoel, met een angora omslagdoek om haar schouders en mauve breiwol op haar schoot. Ze zag eruit alsof Ralph haar net een dreun had verkocht, al wist ik dat hij dat nooit zou doen. In de onheilspellende stilte ging ik zitten.

'Mama, weet jij wat een anting-anting is?'

'Dat heb je al aan mij gevraagd,' zei Ralph.

'En nu vraag ik het aan mijn moeder.'

'Wij weten geen van tweeën...'

'Is dat niet zoiets als een amulet?' zei mijn moeder. 'Iets om je tegen ongeluk te beschermen?'

Weer stilte. Mijn moeder telde haar steken, Ralph stond van zijn hakken op zijn tenen te wippen met zijn schouders naar voren, zodat zijn lichaam de vorm van een vraagteken had. Hij nam zijn bril af, poetste hem met zijn zakdoek schoon, zette hem weer op en bekeek me alsof ik een vreemde insectensoort was. Toen hees hij zijn broek op, schraapte zijn keel en deed een mededeling die nergens op sloeg.

'Wát gaan we?'

Ralph trok zijn kin in en probeerde zijn stem ook mee de laagte in te trekken. 'Je hebt me wel verstaan – ik zei dat we gaan verhuizen.'

'Maar... maar waarheen dan?'

'Naar North York.'

'Naar de hei van North York? Dáár helemaal?'

'Nee, daar helemaal níet.' Ralph glimlachte, ingenomen met zijn eigen snedigheid, en pauzeerde even voor het dramatische effect. 'We gaan naar het westen, jongeman, en heel wat verder dan de hei, vrees ik.'

Meteen dacht ik aan Gerard en onze geheime zaterdagen. 'Naar West-Yorkshire? Bedoel je Leeds? Bradford?'

'Nee zeg, wat moet een mens nu in Leeds of Bradford? We gaan veel verder weg. We gaan naar de Nieuwe Wereld – naar North York in Canada.'

Ik keek naar het fletse gezicht en de imbeciele grijns van mijn stiefvader. Ik keek naar mijn moeder, die nu als een bezetene zat te breien. (Vanaf dat moment ben ik begonnen met stotteren als ik van mijn stuk gebracht word, dat weet ik bijna zeker.)

'C-Canada?' riep ik. 'Wat moeten we daar? Ik wil niet naar dat stomme Canada en ik ga niet mee. Ik peins er niet over. Hoe moet dat dan met mijn Latijnse les?'

'Jouw "Latijnse les", zoals je dat durft te noemen, is nu juist een van de redenen dat we gaan verhuizen, jongeman. En kijk nu maar niet zo onschuldig. Je weet best...'

'Ik blijf hier,' antwoordde ik resoluut.

We verhuisden de zaterdag daarop (alles was duidelijk allang achter mijn rug bekokstoofd). Van North Yorkshire naar North York: Ralph, die boekhouder bij een opticien was, had iets met symmetrie. In het vliegtuig zette hij – van achter zijn vaktijdschriften – uiteen dat Toronto, waarvan North York een voorstad is, vroeger York heette. Is dat niet toevallig? En dat de ene stad een York University heeft en de andere een University of York. En dat in beide plaatsen het beroemdste hotel het Royal York Hotel heet en dat...

'Goh, wat toevallig zeg,' zei ik. 'Godverdomme, is me dat even toevallig.'

Ralph zweeg abrupt, keek met open mond naar mijn moeder en toen weer naar mij. 'De brutaliteit! Je kunt wel merken dat je niet mijn zoon bent!' barstte hij uit terwijl hij me met een tijdschrift vol tabellen om de oren sloeg. 'De brutaliteit!'

Ik hield mijn armen voor mijn gezicht als een schild tegen een pijlenregen. 'Liever helemaal geen vader dan zo'n vader,' mompelde ik.

'Jij kleine... Twaalf jaar en zo brutaal als een geharde crimineel. Geen wonder. Geen wonder als je de hele tijd maar met die... ontaarde kerel optrekt. Maar dat is nu goddank afgelopen! Gerard Gascoigne is geen lichtend voorbeeld voor jou, neem dat van mij aan. Een opportunist, een echte gladjanus. Er gaan geruchten over die man, Jeremy, over iets wat gebeurd is in...'

'Hou op,' zei mijn moeder tegen Ralph en ze legde haar hand op de zijne. 'Laat die jongen met rust.'

Ik maakte mijn veiligheidsgordel los en klom over Ralphs grote voeten naar het gangpad.

'Zeg, waar ga jij naartoe, jongeman? Jeremy, je moeder en ik willen graag antwoord...'

Ik wist eerlijk gezegd zelf niet waar ik naartoe ging. Een parachute zoeken soms? Ik liep naar de wc. Ik morrelde aan een deur, toen aan een andere deur, en kreeg een kop als vuur toen een stewardess me voordeed hoe ze opengingen. Toen ik binnen was, ging ik voor de spiegel staan, trillend, terwijl de tranen over mijn gezicht stroomden. Uit mijn borstzak haalde ik de Bladzijde en liet mijn mistige blik langs de regels dwalen, die regels die ik duizenden keren gelezen heb:

> en na de dood van zijn moeder werden alle zwangere vrouwen en hun mannen afgeslacht, evenals duizenden melkkoeien, opdat zelfs de kalveren zouden weten hoe het was hun moeder te verliezen. Begin 1828 slopen Shaka's stiefzoon en zijn verbannen dochter zijn kraal binnen toen hij sliep en staken hem dood met zijn eigen scharlakenrode assegaai.
> **Shakespeare, William**, ook wel geschreven als SHAKSPERE, bijgenaamd de BARD VAN AVON of de ZWAAN VAN AVON (23 april 1564-23 april 1616), Engels dichter, toneelschrijver en toneelspeler, algemeen beschouwd als de vorst der Engelse letteren en de grootste toneelschrijver aller tijden...

Het lemma over Shakespeare besloeg de hele verdere pagina en ging aan de achterkant verder, gevolgd door:

Shakespeare-apocriefen, werken die op dubieuze gronden aan William Shakespeare worden toegeschreven, zoals *Fair Em*, *The Passionate Pilgrim*, *A Lover's Complaint*, *A Yorkshire Tragedy*, *Love's Labour's Won*. Zie SHAKESPEARE.
Shakespeareaans sonnet: zie SONNET en DARK LADY.
Shakhtyorsk, stad , 51.000 inw. (1957), Oekraïne, USSR. Mijnbouwcentrum in het Donetsbekken, vermaard om de hoge kwaliteit van zijn antraciet. Staat in de Oekraïense folklore bekend als de Stad der Dwazen.
'shaking palsy', SCHUDDEN, BEVEN: zie PARALYSIS AGITANS en PARKINSON, ZIEKTE VAN.
Shakuntala, in de hindoemythologie de dochter van Visvamitra en Menaka, hoofdpersoon van het erotische drama *Shakuntala* (ca. 400 n.Chr.). In dit idealistische verhaal over verloren en herwonnen liefde, door velen beschouwd als het grootste meesterwerk van de klassieke Indiase literatuur, wordt Shakuntala als zuigeling aan de oever van de rivier de Malini te vondeling gelegd en opgevoed door de kluizenaar Kanva. Koning Dushyanta bespiedt tijdens een jachtpartij het meisje van achter een boom en wordt reddeloos verliefd op haar. Na dagen van besluiteloosheid en hartenpijn verleidt hij haar, vraagt haar ten huwelijk en geeft haar een ring als onderpand voordat hij terugkeert naar zijn paleis. Uit hun verbintenis wordt een zoon geboren en moeder en kind gaan op zoek naar de koning. Bij het baden verliest Shakuntala de ring en koning Dushyanta, die behekst is, herkent haar niet. De ring wordt

Daar eindigde de pagina, met het woord 'wordt'.

2

(Montreal, 1996)

'De deuren van het Lot staan overal open'

– *Shakuntala*

Jaren later verhuisde ik opnieuw, en opnieuw kon ik wel huilen: in een hete, stinkende colonne auto's was ik naar de verkeerde straat gebracht, in het verkeerde deel van de stad, en ik kreeg het angstige gevoel dat dat mijn eigen schuld was. Of de schuld van de Bladzijde.

'Stop!' riep ik toen ik een bordje zag.

'Hier ga je toch niet wonen,' zei de taxichauffeur terwijl hij bij een vervallen steeg stopte. Hij draaide zijn raampje omlaag en rochelde een fladderende klodder slijm op de stoep. 'In elk geval niet in dat huis.'

'Laat de rest maar zitten,' antwoordde ik. Ik sloeg het portier dicht, meed de fluim en liep naar het bordje om te lezen wat erop stond. SOUS-SOL À LOUER stond er. Nee, ik was niet van plan om onder de grond te gaan wonen. Ik keek om me heen. Ernaast, aan de andere kant van het steegje, zag ik nog een bord, of liever gezegd een stuk hout waarop met een dikke kwast kinderlijke letters waren geschilderd die als straaltjes bloed waren uitgelopen tot vlekken op de grond. Ik duwde het smeedijzeren hek open, struikelde een plaatsje van ongelijke flagstones op en belde aan.

En belde nog eens, en keek om me heen, en vroeg me af waar ik in godsnaam aan was begonnen. Een verweerde barbecue leunde aangeschoten tegen het hek en kwijlde een schuimende bruine vloeistof op de grond; aan de overkant stonden vlekkerige huizen schots en scheef te rotten als de tanden van Ralph. Ik zuchtte, dacht aan wat ik achterliet – een schitterende flat en dito vriendin – en vroeg me af hoe ik die ooit had weten te bemachtigen. Waarschijnlijk was ik op een leeftijd – groeien mannen daar eigenlijk ooit overheen? – waarop je alleen naar schoonheid kijkt. Die flat op de berghelling kon ik eigenlijk niet bekostigen, maar mooi was hij wel; met Sabrine had ik op geen enkel vlak contact, maar mooi was ze wel. Dat vonden anderen ook, en toen ik haar naakt in de armen van de nachtportier in het zwembad van de flat had betrapt, besloot ik dat het afgelopen was. Terwijl Sabrine naar Frankrijk was, naar huis, voor de vakantie (met de nachtportier), stapte ik in een taxi om een nieuw leven te gaan zoeken. Zelfs de chauffeur zei dat ik op de verkeerde plek zocht.

De deur ging open. Een gezette man met een stierennek, borstelige grijze wenkbrauwen en een trainingsbroek met manchetten bij de enkels gaf een vragend rukje met zijn hoofd, maar voordat ik mijn mond kon opendoen, draaide hij me zijn rug toe en riep iets in een vreemde taal. Na een poosje kwam er een gezette vrouw met een stierennek, een grijze snor en een vuil windjack te voorschijn, die me met een stuurs gezicht begroette. Ik nam aan dat zij als tolk zou optreden, want hij leek het Engels nauwelijks en het Frans helemaal niet machtig. Zij sprak echter Engels noch Frans. Een transcriptie van het gesprek dat volgde zou zonder choreografische aanwijzingen moeilijk te maken zijn. De bovenste verdieping, de tweede, stond blijkbaar leeg. Ik ging met hen mee naar boven om die te inspecteren.

Soms probeer je je geschoktheid te verbergen. Uit beleefdheid, of om je gezicht te redden (als je zojuist de belachelijk exorbitante prijs van een flat op een berghelling hebt vernomen, bijvoorbeeld). Toen de deur van het appartement op de derde verdieping openging, deed ik mijn best de indruk te wekken dat ik zoiets wel ongeveer had verwacht. 'Jaja, oké,' zei ik en ik knikte peinzend. Maar ik kon me niet goed houden, onmogelijk.

De houten vloer, met marsmannetjesgroene en bordeelrode glanslak geverfd – dezelfde kleuren als op het bord buiten – was bespikkeld met kruimels gevallen of uitgebraakt eten, verpletterde insecten, brandplekken, graffiti in onuitwisbare stift en versteende dierenstront. Overal lagen als door een cycloon in het rond gesmeten lege flessen of scherven daarvan – voornamelijk van merkloze gin of wijn van de *dépanneur* –, lege tubes en flesjes oplosmiddel, stapels vochtige tijdschriften en verwelkte stengels van stinkende dode bruine planten. De muren waren pokdalig van de schimmel en het roet en er zaten gaatjes in alsof iemand er met een machinegeweer op had geschoten. In de keuken hingen reisposters met Midden-Amerikaanse zeegezichten, op de muur geplakt met wit en zwart isolatietape. In de gootsteen stond een afwas van tien jaar in een grijsgroene vloeistof met de consistentie van pus. De ramen waren troebel van het vuil, alsof ze staar hadden. De badkamer herbergde een netwerk van koperen, stalen en plastic buizen van schier Byzantijnse complexiteit, aan elkaar gevoegd met U-stukken, Y-stukken en lussen en omwikkeld met anderhalve kilometer isolatietape. Zo te zien verbonden ze een roestig bruin zitbad met de afvoer van de wastafel, waarvan de kranen om niet voor het nageslacht vastgelegde redenen uit hun voegen waren gerukt. Met de wc was ook iets aan de hand: de pal van de doortrekker zat vast en het deksel van de bril was vreemd genoeg met ijzerdraad dichtgemaakt. Ik ging het balkon op om even bij te komen van de stank. De huisbaas kwam bij me staan. Hij legde schouderophalend in gebroken Engels uit dat de vroegere bewoners na een halfjaar spoorloos waren verdwenen. Het waren 'mensen uit het bos'.

Ik vroeg naar de prijs, zei dat ik er 'een nachtje over wilde slapen' en maakte zelf ook aanstalten om spoorloos te verdwijnen. Ik was natuurlijk helemaal niet van plan er een nachtje over te slapen, zelfs niet om ooit nog in deze buurt terug te keren, want afgezien van de smerigheid had de omgeving – en de etage – ook een naargeestige sfeer. Er zijn plekken waar je een onbehaaglijk gevoel van krijgt, en dit was er zo een. Er hing een ambiance van stormwolken, zwarte katten en gebroken spiegels, alles tegelijk.

De volgende dag kwam ik terug en zei: 'Ik neem het.' Waarom? Als je me dat toen had gevraagd, had ik iets gemompeld over de 'mogelijkheden' van het huis (die waren er niet), de belachelijk lage huur ('een schijntje', zoals we in York zeiden), de geschiktheid als pitstop, stoplap, *pied-à-merde*. Allemaal smoesjes. Want er was een veel sterkere reden.

Toen de huisbaas en ik op het balkon de leefgewoonten van bosmensen stonden door te nemen, had ik beneden in een flits een vrouw met zwart haar gezien die het hek van het buurhuis openduwde. Ze liep naar de deur van het souterrain dat te huur stond, nam een sleutel die aan een zilveren ketting op haar heup hing en stond even stil. In telepathische concentratie keek ik strak naar haar omlaag en dwong haar met mijn wil omhoog te kijken omdat ze net als ik duistere krachten voelde die zich in haar roerden. Ze ziet niet dat ik naar haar kijk, zei ik bij mezelf, maar ze voelt het wel, door haar hele lijf. Ze keek op. Ik knikte, rechtte mannelijk mijn schouders en wendde me opzij om mijn profiel goed te laten uitkomen. In die pose stond ik toen de deur achter haar dichtviel.

Begrijp me niet verkeerd. Dit was niet zo'n gewone, alledaagse onbeantwoorde liefde-op-het-eerste-gezicht. Het was onbeantwoorde liefde op het derde gezicht. Het eerste gezicht was kort na het zwembadincident, tijdens een Jane Campion-retrospectief op een vrouwenfilmfestival waar ik met Sabrine heen was.

We bleken ons in de tijd te hebben vergist (ík bleek me in de tijd te hebben vergist) en we waren precies een uur te vroeg. Om tenminste één van ons beiden aangenaam bezig te houden sprak Sabrine dat hele uur lang al haar gedachten uit. Af en toe riep ik iets van 'echt waar?' of 'o ja?' – misschien niet altijd op het juiste moment. Een van de definities van een ouwehoer is 'iemand die niets onuitgesproken laat': *L'art d'ennuyer c'est de tout dire.* Daar was Sabrine een ware kunstenares in. Geen detail, zelfs niet het allerbijkomstigste, werd weggelaten. Ze somde alle onderwerpen op en ging op niet één ervan dieper in. Ze stopte woorden en beelden in mijn hoofd die ik daar helemaal niet wilde hebben. Ze kankerde over alles, zelfs over de film die we nog niet hadden gezien.

Terwijl ze een ogenschijnlijk vermakelijk verhaal vertelde, begonnen er meer mensen binnen te druppelen. Het theater werd langzaam maar zeker vol en toen overvol; er zaten mensen op de klapstoelen in het gangpad en toen in het gangpad zelf. Toch bleef de stoel naast me leeg, zelfs toen ik mijn jas weghaalde. Dat vond Sabrine erg komisch en ze opperde eerst dat ik stonk en toen (implicerend dat zij zich een enorme opoffering getroostte) dat er op een vrouwenfestival niemand naast een man wilde zitten. Toen de film al zo'n twintig minuten aan de gang was, kwam er toch iemand naast me zitten.

Dat was de eerste keer dat ik Milena zag, en profil in het donker. Haar hoofd was een massa warrig haar, een nachtzwarte donderwolk die over haar ogen hing; haar neus was groot en een beetje gebogen, haar lippen waren vol en haar teint aan de donkere kant. Egyptisch? Siciliaans? Perzisch? Ze had een vleugje lichaamsgeur bij zich, een geur die aanlokkelijker was dan welk parfum ook – als hij tenminste door de juiste mensen wordt afgegeven. Ik keek naar haar – vanuit mijn ooghoeken, onmerkbaar – en draaide toen mijn hoofd naar haar toe om haar aan te gapen. Ik kon er niets aan doen; ze zond een straling uit, een verraderlijke straling die als zwakke trillingen door me heen ging. Het was de toekomst die het heden beroerde. Voor wat ík uitzond was zij duidelijk ongevoelig. Een paar minuten voor het eind van de film ging Milena weg terwijl Sabrine iets onbelangrijks in mijn oor fluisterde.

We gingen met de metro naar huis, Sabrine en ik, maar pas na een flinke ruzie: Sabrine wilde een taxi. Door mijn ijzeren wilskracht kreeg ik mijn zin – al werd ik wel uitgemaakt voor *grippe-sou*, vrek. Ik bood genereus aan haar kaartje te betalen. Terwijl we door de tourniquet gingen, merkte Sabrine op dat de film (*Sweetie*) een van de slechtste was die ze ooit had gezien, en ik merkte op dat het een van de beste was die ik ooit had gezien. Toen hoorden en voelden we het gerommel van een naderende trein. Als ik alleen was geweest of in ander gezelschap, was ik gaan rennen om hem te halen. Maar Sabrine was niet het soort mens dat gaat rennen om een trein te halen en dat respecteerde ik.

Vanaf de roltrap zag ik een lang, donker, knap iemand op het perron beneden staan wachten. Dat was het tweede gezicht. Ineens stopte de roltrap. Ik greep Sabrines hand en trok haar mee de stilstaande roltrap af terwijl zij protesterend piepte. Eenmaal op het perron sleurde ik haar voort als een tegenstribbelend, weerspannig kind of hondje. We haalden de trein, niet de wagon van de mysterieuze vrouw, maar de wagon erachter, en echt op het nippertje. Ik sprong erin net voordat de deuren dichtgingen; Sabrine sprong ook, maar niet van harte en net op het moment dat ze dichtgingen. Haar arm en rok kwamen ertussen. Ze vloekte, de deuren gingen weer open en er klonk een blikkerige stem door de luidspreker: '*Lache les portes, le beigne!*' (Letterlijk: 'Laat de deuren los, appelflap!') Er klonk gelach achter ons, waar ze alleen maar kwader van werd. Sabrine vond het toch al niet prettig om voor appelflap te worden uitgemaakt, en zeker niet in het openbaar en door mijn schuld. Terwijl ze me een en ander in een ziedende stroom Franse verwensingen uiteenzette, tuurde ik door het dubbele glas van de deuren moeizaam de volgende wagon in. Dit keer kon ik Milena, die in het genadeloze tl-licht stond, beter bekijken.

Ze was lang – zeker 1 meter 75 – en haast anorectisch mager, en ze stond in een lege wagon met een gebonden boek in haar ene hand en haar andere hand aan de stang boven haar hoofd. Ze had een oversized wit T-shirt met afgescheurde mouwen aan (zodat je haar ongeschoren oksels zag), een gescheurd zwartsatijnen vestje, een verwassen zwarte jodhpur met de veters tot onder de knie dicht en bruine enkellaarsjes. Haar lange zwarte haar zat in de war alsof ze net uit bed kwam of had gevochten – sommige mensen doen dat expres, maar zij waarschijnlijk niet. Minuten later, hoeveel minuten zou ik niet kunnen zeggen, duwde Sabrine me naar de deur, het perron op, waar ik verbijsterd en betoverd ('kwijlend,' zei Sabrine) bleef staan terwijl mijn donkere Julia verder reed. Ze keek niet één keer op van haar boek.

En zo zag ik, net als Newton, die jarenlang een nabeeld van de zon op zijn netvlies hield doordat hij zo onvoorzichtig was geweest er door een telescoop naar te kijken, nog maanden het nabeeld van Milena voor me doordat ik de onvoorzichtigheid had begaan lang naar haar te kijken.

3

'Neen, ze zit bij je in den neus,
je bent de Ridder van de Brandende Lamp'

– *Falstaff*

Dat de bosmensen hun nest hadden bevuild was tot daar aan toe, maar ze hadden de boel ook verbouwd terwijl ze stoned waren. De eerste paar dagen van mijn nieuwe leven besteedde ik aan het ontvuilen van het nest en het ongedaan maken van wat zij hadden gedaan – als ik tenminste niet op jacht was naar de Dark Lady. Ik begon met de meest voor de hand liggende taak: het ijzerdraad van de wc-bril afhalen. Daarbij deed ik een nogal onaangename ontdekking: een geheel met water doortrokken drol, auteur onbekend, verwonderlijk goed geconserveerd. Hij had precies de vorm van een onderkast letter j met punt. Ik repareerde de stortbak en trok door, niet zonder trots.

De rondkolkende inhoud kwam omhoog en begon voor mijn ogen over te stromen, en ik riep heel hard een paar lelijke woorden, waaronder – niet ontoepasselijk – '*Shiiiit!*' Bij wijze van antwoord hoorde ik een boerend kotsgeluid: de bel. Ik sloeg de badkamerdeur dicht, sjokte de trap af, deed de deur open en moest omhoog turen om iemand aan te kunnen kijken die tweeënhalve meter lang was. Ik had tussen zijn benen door kunnen lopen. 'Raphael,' zei hij. 'Ik kom voor Raphael.' Hij zag eruit alsof hij griezelig weinig had geslapen. Ik knorde en sloeg de deur voor zijn knieën dicht – dat probeerde ik althans. Als een slangenmens glipte hij naar binnen door een kier die ongeveer net zo ruim was als mijn opvattingen over onaangekondigd bezoek.

'Eh, pardon, maar ik weet niet wie Raphael is... ik ben de nieuwe huurder...'

'*Tengo mucha hambre*,' zei hij dof.

Dat leek me boven alle twijfel verheven: zijn ogen schitterden alsof hij hallucineerde van de honger. 'Ja, ik wil best geloven dat je honger hebt, maar ik woon hier pas sinds gisteren en eerlijk gezegd heb ik zelf nog geen eten in huis. Ik kan je alleen wat zout aanbieden. Of misschien een hapje zuivelvrije koffiecreamer... Hé, wacht even, wat ga je doen?'

Hij liep de trap op. '*Tengo mucha hambre*,' antwoordde hij en hij haalde zijn schouders op. Ja, dat zei je al. Hij liep de keuken in alsof hij daar vaker was geweest, trok een kast open en pakte er een blikje Brunswick-sardientjes uit. 'Ik eten?' vroeg hij beleefd.

'Eh, nou goed, ik... was vergeten dat ik dat had.'

Voordat ik een blikopener kon pakken begon hij het blikje al te mishandelen met iets rood-met-metaalkleurigs: een Zwitsers zakmes. Walgend keek ik toe terwijl hij zijn hoofd naar achteren hield, de olie in zijn mond goot en de laatste flintertjes vis met een graatmagere wijsvinger uit het blik schraapte. Hij draaide zich om en keek me aan.

'*Hueles a mierda*,' sputterde hij met zijn gezicht onder de vis, als een zeehond.

'Wat zeg je?'

'*Hueles a mierda.* Je stinkt naar stront.'

'Ja, ik... ik heb wat problemen met het sanitair en...'

'Ik pitten?' informeerde hij. Er zaten stukjes vis op zijn wang en de olie droop langs de acneputten op zijn kin.

Ik besloot resoluut te zijn. 'Nee, je kunt hier niet "pitten",' antwoordde ik met alle manhaftigheid die ik bij elkaar wist te rapen, niet veel dus. 'Ik weet niet wie jij bent, ik ken geen Raphael, behalve de schilder dan, ik heb niets met de vorige huurders te maken en...'

Met zijn vettige vingers knipte hij zijn zakmes open en deed een stap dichterbij; ik maakte mijn zin af in zijn wollige borstkas.

'...en dus kan ik je hier niet echt... ontvangen.'

'Ik ga me wassen,' zei hij. 'Oké?'

Prima. Ga je gang. Ik wacht hier wel tot je klaar bent. Losjes fluitend dweilde ik een olievlek op. Ik schonk mezelf een beker appelsap in. Hij was wel erg stil. Wat voerde hij toch uit daarbinnen? Ik hoorde geen kraan lopen. Op mijn tenen liep ik naar de badkamerdeur en wilde net aankloppen toen ik ritmisch zuigende geluiden hoorde. Waar had hij in vredesnaam een plopper vandaan getoverd? Ik ging terug naar de keuken om nog wat sap te drinken.

Het was nu doodstil in huis. Wat was hij aan het doen? Ik liep weer naar de badkamer en klopte zachtjes op de deur, die een halve centimeter openstond. Geen reactie. 'Hallo-o?' Ik gluurde naar binnen. De vloer was nu schoon en droog, maar hij stond er niet op. Hij lag als een blok te slapen in de badkuip, zijn dunne benen gebogen en zijn hoofd met de open mond begraven in een kussen van handdoeken.

Mijn eerste gedachte was dat ik die handdoeken net had gewassen; mijn tweede gedachte was dat ik medelijden met hem hoorde te hebben. En dat had ik ook. Arme stakker. Ik liet hem dus maar slapen en ging naar mijn slaapkamer om hetzelfde te doen. Ik lag te woelen en te draaien, urenlang leek het wel, en probeerde te bedenken wat mijn rol in deze goedkope klucht, dit absurde stuk theater wel kon zijn. Waarom moest ik medelijden met hem hebben? Omdat hij moe en dakloos was en honger had. Goed, een soort zwerfkat dus, een heel grote, en nu woont hij hier. Ik zal hem vis voeren.

Ik kleedde me weer aan en ging de kamer uit, de gang op, om de situatie te overdenken. Met mijn hoofd in mijn handen zat ik daar te wachten tot er een plan oprees uit de bagger in mijn hoofd. Ik keek naar beneden, naar de overkant van het steegje, naar de ondergrondse kamer van de Dark Lady. Zou ik aanbellen, een kopje suiker lenen, vragen of ze weet wat je een giraffe te eten moet geven? Ik ging bij mijn nieuwe huisgenoot kijken.

Die niet meer in de badkuip lag. En ook nergens anders te bekennen was. De keukendeur stond op een kier, zag ik, dus hij was hem duidelijk via de achterdeur gesmeerd, de brandtrap af – nadat hij zich had gerealiseerd met wie hij te maken had. Ik deed de deur op de grendel, schoof een stoel onder de deurkruk en deed de voordeur op slot. Ik haalde de handdoeken uit het bad, spoelde het uit met de handdouche en liep een inspectierondje door het huis. Er leek niets weg te zijn, er was zelfs iets bij gekomen: een Zwitsers zakmes, glibberig van de olie.

De volgende twee dagen zwoegde ik gestaag voort en deed allerlei mannelijke klusjes. Toen tot me doordrong dat zelfs de meest elementaire beginselen van het doe-het-zelven een gesloten boek voor me waren, belde ik een loodgieter, een stoffeerder en een elektricien. De plotselinge erkenning van mijn beperkingen kwam in de vorm van een soort openbaring, een flits van inzicht die ik boven op een trapje kreeg nadat er een stroomstoot door mijn arm was gegaan die me op mijn kont op de grond deed belanden.

Ik belde ook de man van de kabeltelevisie, die bijna direct kwam en de dikste pens had die ik ooit had gezien. Terwijl ik toekeek hoe hij de kabel langs een plint legde, waarbij zijn enorme broek afzakte en de gleuf tussen zijn enorme billen zichtbaar werd, moest ik aan een uitspraak van oom Gerard denken: 'Alles waar "te" voor staat, is niet goed – kijk maar naar te-levisie, of nee, doe maar niet.' Toen de kabelman weg was besloot ik eens te kijken of Gerard gelijk had, en zo bleef ik bijna vierentwintig uur televisiekijken. Ik herinner me vooral een infomercial van een telefonisch te raadplegen medium, een dikke oplichtster in een sprookjesprinsessenjurk, en een kanaal dat Télé-Rencontres heette, een relatiebemiddelingsbureau met foto's en postbusnummers en een lijst met alle kenmerken die een mogelijke toekomstige partner moest bezitten. De meest gevraagde eigenschap, ontdekte ik al snel, was 'gevoel voor humor'. Hij of zij 'moet gevoel voor humor hebben'. Ik vroeg me af wat dat betekende. Bestaat er een generiek 'gevoel voor humor'? Ik heb gemerkt dat mensen die om alles lachen als gekken in een inrichting, gewoonlijk worden omschreven als 'iemand met veel gevoel voor humor'. Maar ik begreep wel wat erachter zat. Iedereen heeft iemand nodig om mee te lachen; in je eentje is alles gewoon minder leuk. Sabrine lachte veel, maar nooit op het juiste moment.

Ik herinner me nog een andere reclame, waarin een slechte acteur zijn gehoor verbeterde door middel van een versterker die je als een walkman droeg en die in drie prettige termijnen van 39 dollar kon worden betaald. 'Wat zegt u? Ik-ik versta u niet' werd gevolgd door 'Ik ontvang u luid en duidelijk!' De potentiële kopers waren velerlei: hardhorenden, natuurliefhebbers, afluisteraars. De eerste paar keer dat ik het spotje zag, moest ik er steeds om lachen. Toen belde ik het gratis nummer en bestelde er een. De telefoniste, die desgevraagd uit Utah bleek te komen, deelde me mee dat ik nog beperkte tijd gebruik kon maken van een speciale aanbieding: een tweede Supersound 2000 voor de helft van de prijs en een gratis *mood ring*. Ik lachte weer, mijn beste spottende lachje. En nam het aanbod aan.

Op de zevende dag in mijn nieuwe huis rustte ik en lag urenlang halfnaakt op het balkon te zonnebaden. Ik was van plan die avond uit te gaan en indruk op de vrouwen te maken met mijn egaal diepgebronsde lichaam. Plan B was: die avond uit te gaan en indruk op de vrouwen te maken met mijn egaal dieprode neus. Voordat ik de deur uit ging besprenkelde ik me met Andron, een eau de toilette met synthetische androsteron, dat normaal wordt aangetroffen in mannenzweet in oksels en kruis, en in urine. Gerard zei dat ze bij de Royal Shakespeare Company bepaalde stoelen in de zaal met dat spul bespoten en dat de meeste vrouwen op de geur afkwamen en op die stoelen gingen zitten. Toen ik met Sabrine samenwoonde heb ik het ook eens gekocht; zij zei dat ze er misselijk van werd.

Op de 'Boulevard' (de hoofdstraat) begon ik met een rondje ritueel etalages kijken – bij de Oekraïense bakker, de joodse grafsteenhouwer, een Belgische fietsenzaak die De Trappist heette, een Griekse kapper met een klassieke kapperspaal, naar Retouches Chez Harry, een soort kledingzaak waarvan de eigenaar, Harry Därt, uit een van de Baltische staten kwam. De etalage van Harry, met zijn ruit vol strepen van de opgedroogde zure regen, was leeg, afgezien van wat vergeelde kranten en een dode nachtvlinder in een spinnenweb. Ik drukte mijn gezicht tegen de ruit om te zien of er binnen iets was veranderd. Niets, niets sinds de jaren zeventig: een rij gebloemde overhemden met boorden met lange punten – allemaal in dezelfde kleur en met hetzelfde patroon – en een rij jongensski-jacks van rood vinyl met een Miss Havisham-achtige laag stof erop. Tussen die rijen zat meneer Därt half verborgen achter de kleren twaalf uur per dag aan een gebutste eikenhouten tafel te werken, met de hand of op anachronistisch aandoende machines, tot hij erbij neerviel. Op de deur, achter een overbodige sticker van Provost Alarmsystemen, hing een handgeschreven bordje waarop zacht en verdrietig TE KOOP stond.

Ik liep door – langs nog meer kwijnende zaakjes van oudere immigranten wier zoons hen niet opvolgden en wier winkels de toekomst in werden gebulldozerd – naar het kattenantiquariaat. De zeldzame keren dat die naamloze winkel open was, werd de ingang versperd door hoge stapels boeken. Als dat je er niet van weerhield naar binnen te gaan, deed de lucht dat wel. Die stond stijf van het stof en de haren en rook sterk naar de bak waarin de vele uitwerpselen van een stuk of zes vrij rondlopende katten zich als abstracte sculptuurtjes ophoopten. De eigenaar, een norse, introverte man met grijs stekeltjeshaar en een ziekenfondsbrilletje, leek dat niet te merken; hij merkte trouwens überhaupt weinig. Zijn ogen waren altijd gericht op een stuk of wat Duitse boeken over filosofie die allemaal open op zijn bureau lagen, met een plastic bekertje, een brandende sigaret of een spinnende kat bij wijze van bladwijzer. Slechts met de grootste tegenzin reageerde hij als iemand iets wilde weten, kopen of stelen. Nu was de winkel dicht, maar de katten waren er wel, slapend en schijtend. Achter het raam hing een nieuw bordje met A VENDRE/TE KOOP.

Mijn laatste rituele halteplaats was een pandjeshuis, Rumrich's. Tenminste, het skelet ervan: alleen de letters op het raam waren er nog (de apostrof was verwijderd, zoals de nieuwe tweetalige spellingsregels vereisten). Ik was er maar één keer binnen geweest – Sabrine wilde een armbandhorloge bekijken – en toen heb ik uiteindelijk dat horloge en een staande klok gekocht. Die klok was niet goedkoop, al beweerden Sabrine en de eigenaar van wel.

'Hij is van het uurwerkmuseum,' zei meneer Rumrich. 'Ongelogen.'

Ik knikte. Alleen een museum kon zich zoiets veroorloven.

'*Elle est superbe*,' zei Sabrine.

'*Oui, elle est superbe*,' stemde meneer Rumrich in. '*Comme toi, ma belle*.' Het leek wel alsof hij zijn lippen aflikte.

'De prijs is wel aan de hoge kant,' merkte ik op.

'En volgende maand is hij nog hoger. Alleen een mens wordt met de dag minder waard. Zal ik eens wat zeggen? *Voulez-vous un conseil?* Zo'n ding eet geen brood – gewoon laten liggen. Dat zeg ik altijd. Vasthouden – vroeg of laat komt er iemand die er een smak geld voor overheeft. Zo'n ding eet geen brood – gewoon laten liggen.'

‘Zo dacht mijn oom er ook over,’ zei ik.

‘Zeker een echte verzamelaar, hè? Zeker een echte verzamelaar! Die zal nu wel rijk zijn?’

‘Nou nee... ik bedoel ja, inderdaad.’

‘Dat verbaast me niks. Dat verbaast me helemaal niks. Alleen een mens wordt met de dag minder waard. Maar wat denken jullie dat in mijn winkel het meeste waard is? Raad eens! Is raden een misdaad? Er is nog nooit iemand gearresteerd en in de boeien geslagen omdat hij had geraden, toch? Kom! *Devinez!* Wat is hier het meeste waard?’

Ik raadde de staande klok en Sabrine een mahoniehouten commode in de stijl van Chippendale.

‘Nee,’ zei hij met een brede grijns, ‘ik – Herman Rumrich!’ Daar lachten we allemaal recht hartelijk om. Meneer Rumrich vond het zo’n goede grap dat hij hem nog eens herhaalde. ‘Vat je ’m?’ vroeg hij. Volgens de tekst op het raam zou meneer Rumrich worden opgevolgd door een death-metalclub die Nail heette.

De yuppificerende, zachtjes creperende Boulevard. Met zijn schilderachtige etnische winkeltjes en pre-Bauhausgebouwen die nu door handenwrijvende onroerendgoedbaronnen werden getransformeerd tot bistro’s en disco’s voor vrouwen met volumineuze Floridakapsels en mannen met coltruien en kettingen. Een negentiende-eeuws gebouw met kapitelen, frontons en pilasters was leeggesloopt, van glamoureuze verlichting voorzien en omgebouwd tot Joie de vivre, een drie verdiepingen tellende disco voor gescheiden mensen. Een jaren-veertigachtige joodse kantoorboekhandel waar alles goedkoop en BTW een onbekend begrip was, hadden ze veranderd in een betonnen kerker met vergunning, Transaxion, een minimalistische gelegenheid waar jongeren uit de buitenwijken het geld van hun ouders in cocaïne konden omzetten.

Ik zuchtte en vroeg me af of ik een antimodernist aan het worden was, een ouwe sok die de slag bij Verdun nog had meegemaakt en nu in het geweer kwam voor de oude waarden. Ik begon ook te zweten; het was een tropische nacht, benauwd en zwaar. Ik liep in kringetjes rond, pronkend en lonkend, geilend en kwijlend, ik wist dat het een zielige vertoning was en ik deed het toch. Ik was niet meer voor rede vatbaar, ik bevond me praktisch in *musth*, de potentieel gevaarlijke razernij die olifanten soms in de paartijd overvalt. Mannetjesolifanten.

Er fietste een vrouw met een kort rokje langs en ik botste tegen een bord VERBODEN TE PARKEREN op. Het deed geen pijn en niemand had het gezien. In een straat met terrasjes en namaak-Victoriaanse kinderhoofdjes en lantaarnpalen las ik een poster voor een evenement dat allang voorbij was en keek ondertussen naar een serveerster die zich bukte om een tafeltje schoon te vegen. Ze had een wit mannenoverhemd aan waarvan ze de slippen rond haar middel had vastgeknoopt en een rode panty. Maar geen rok. Terwijl ik me aan haar stond te vergapen, hoorde ik een stem. '*Monsieur Davenant, ça va bien?*' vroeg ze. O verdomme.

Arielle was een vroegere studente van me, een enthousiast, knap, sociabel meisje met grote witte tanden, grote blauwe ogen en honingblond haar. Ze zat in het bestuur van een of andere studentencommissie – iets met ethiek, dacht ik. '*Ça va bien,*' antwoordde ik, '*et vous, Ariane?*'

'Arielle. Wat is er met uw neus? Hebt u een bloedneus gehad?'

'Nee nee, gewoon... ik ben tegen een... waarschijnlijk de luchtvervuiling.'

'En hij is ook helemaal verbrand.'

'Ja, ik ben... ik heb getennist...'

'Hij glimt. Het lijkt wel een dikke rode knol.'

Ik knikte.

'Net als Rudolph...'

'Ja, ja, ja.'

'...*the red-nosed reindeer.*'

'En, hoe gaat het nou?' vroeg ik.

Terwijl Arielle dichterbij kwam, plaatste ik enige korte doch rake meteorologische observaties. Zij bette mijn neus met een papieren servetje en beaamde dat het inderdaad een warme avond was. Ik vroeg of ze meeging iets drinken als ze klaar was en ze zei ja. Ik ben over een uur klaar. Gezellig, tot straks.

En toen liep ik weer over straat te slenteren om de tijd te doden en vroeg me af waarom ik de dingen doe die ik doe. Ik keek naar een verlepte ouwe tang die met haar lippen langs een mondharmonica gleed, heen en weer, op en neer, kriskras, holderdebolder. Zij keek naar mij door dikke brillenglazen waarachter haar heen en weer schietende ogen zo groot als golfballen leken. In een rubberen douchemuts, alvast voorgevuld met centen en monopoliegeld, gooide ik een dollar in de hoop dat ze dan ophield met spelen. Ze hield op met spelen, keek omlaag en lachte naar me, met tanden als van een lijk. Toen ik teruglachte voelde ik een hand op mijn schouder en ik maakte een schrikbeweging alsof ik door een wesp gestoken was; ik draaide me om en keek in het knolneuzige gezicht van een zwerver met ogen als van de Ancient Mariner die vanuit holle kassen naar buiten tuurden. Haar beschermer? Toen ik in mijn zakken naar kleingeld wroette, maakte hij een wegwuifgebaar en legde uit dat hij de Profeet van Pluto was, een volgeling van Kulla, de Sumerische god van de baksteen. Ik knikte en hij rende weg om een langsrijdende taxi aan te houden; toen die stopte, bulderde hij van het lachen. Hij hield er nog twee aan, waarschijnlijk om mij aangenaam bezig te houden, en grijnsde me telkens toe. Ik knikte waarderend.

Op de afgesproken tijd ging ik terug naar het restaurant en keek vanaf een barkruk toe terwijl Arielle haar geld telde. Ja, ze is aantrekkelijk. Nee, ik ga geen domme dingen doen. 'Ik ben zo klaar,' zei ze met een oogverblindende lach.

We liepen de Boulevard weer op, stonden stil bij mijn lievelingswinkels (waar Arielle niet erg van onder de indruk leek), en gingen naar een Portugese bar die Dame de Pique heette. Het yang-interieur met opgezette hertenkoppen en uilen, goedkope landschapjes, oude reclameborden, affiches voor biermerken en gebeitst hout was onbedoeld hip, zo compromisloos uncool dat het van de weeromstuit juist weer cool werd. Aan een tafeltje bij het gangpad vernam ik dat Arielle tolk bij de Verenigde Naties wilde worden en dat ze dol op Engelse uitdrukkingen en moppen was. Ik heb altijd moeite met kant-en-klare confectiemoppen, maar ik deed mijn best en liet op het juiste moment mijn ingeblikte gelach horen. Mijn gezichtsspieren begonnen pijn te doen. Ik vertelde een mop die oom Gerard me eens had verteld toen ik een jaar of vijf was, de enige die ik kan onthouden. Misschien klinkt hij bekend. 'Het is wit en het hangt aan de muur in een Chinees restaurant.' (Dan moet je zeggen dat je het niet weet.) 'Witte lijst.' Arielle lachte uitbundig.

Haar gezichtsspieren zullen ook wel pijn hebben gedaan.

Terwijl zij naar de wc liep, sloeg ik de *Cosmopolitan* die ze onder haar idioomboek op tafel had laten liggen, op een willekeurige plaats open. In een artikel met de titel 'Voor het eerst samen uit – ben jij leuk gezelschap?' kregen vrouwen het advies

- uitbundig te lachen om zijn geestige opmerkingen.
- minstens één keer te zeggen 'wat fascinerend!'

Terwijl ik de geparfumeerde bladzijden omsloeg en langoureus naar lingerie keek, ging Arielle weer zitten met een glimlach op haar gezicht en lippenstift op haar lange voortanden. Ze zei dat ze dol was op Magic Mountain en op Homer (het videospel en Simpson, bleek ze te bedoelen) en de pest had aan wc-papier waarvan het eerste velletje zo vastgeplakt zat dat je het niet los kon krijgen. 'Ja, ik begrijp wat je bedoelt,' zei ik. 'Op het laatst scheur je de hele rol los, maar alleen het middelste deel, aan de zijkanten blijft het papier gewoon vastzitten. Dat deed ik als kind altijd, en soms deed ik het expres – mijn stiefvader kon daar razend van worden.'

Arielle lachte. 'Wat fascinerend!'

Na nog een rondje en nog wat anekdotes van ongeveer hetzelfde gehalte stelde ik voor op te stappen. 'Schone woorden maken de kool niet vet,' antwoordde ze.

'Wát zeg je?'

'De kool. Die maken schone woorden niet vet.'

Ik knikte bij deze diepe wijsheid. Soms verbeter je een niet-moedertaalspreker, maar soms ook niet. Bovendien begreep ik niet precies wat ze bedoelde.

'Woorden,' ging ze verder, 'vullen geen zakken.'

We liepen weer zwijgend langs de boulevard. Een paar meter verderop, voor een restaurant, was een oploop, misschien een vechtpartij. Nee, het was geen vechtpartij. Een groepje oversized T-shirts en afgezakte broeken was een meisje met vlammend rood haar aan het jonassen onder het in koor roepen van '*Un!… Deux!… Trois!…*' Bij *dixhuit* doken ze allemaal tegelijk op haar af en bedolven haar onder de kussen – achttien per persoon, dacht ik. Dat zijn een heleboel kussen. Het was een mooi, aangrijpend moment. Wat had dat kind het getroffen. Zo jong, zo veel vrienden.

'Ik wou dat ik weer achttien was,' zei ik. 'Hoe oud ben jij, Arielle?'

'Achttien.'

We liepen zenuwachtig ratelend verder. De enige Engelssprekende 'knul' met wie Arielle ooit uit was geweest, had gezegd dat ze een 'droogstoppel' en een 'minkukel' was. 'Wat betekent dat?' vroeg ze. Dat betekende, zei ik, dat ze een goed zakelijk inzicht en een mooie stem had. Het leek haar plezier te doen. 'Hij zegt ook dat ik op een walrus lijk.' Hoezo een walruslijk? vroeg ik me af. Ik keek naar haar naar voren stekende snijtanden. 'Walrussen zijn leuke beesten,' zei ik. 'Waar gaan we nu naartoe?' vroeg ze.

Op weg naar mijn huis, dat op de route naar het hare lag, zag ik aan de overkant een bekend donker silhouet over de stoep glijden. Mijn hartslag versnelde. Ik stelde voor over te steken. Arielle bracht daar iets tegen in en ik keek haar verwilderd en wanhopig aan. Ik kan niet alleen, dacht ik, je móet mee. Ik greep haar hand, deed me aangeschotener voor dan ik was en trok haar mee naar de overkant, een luchtig liedje op de lippen. Arielle, sportief als ze is, lachte de hele tijd. Maar voordat we aan de overkant waren, wist ik dat het niet mijn Dark Lady was; het was een luchtspiegeling, ontstaan uit eenzaamheid, begeerte, rode wijn. Ik sloot mijn ogen. Ik deed ze weer open en zag hetzelfde fijnbesneden beeld, maar nu aan de andere kant van de straat, naderend als een belofte, als een geest uit een fles.

'*Regarde, c'est Milena,*' zei Arielle. '*Salut, Milena!*'

Milena, die er schitterend verfomfaaid uitzag, keek recht voor zich uit als iemand die niet afgeleid wil worden, iemand die te diep verzonken is in de problemen van haar eigen leven of van de wereld om te beseffen hoe ze eruitziet of zich daar druk over te maken. Ze was een vleesgeworden paradox, tenminste in mijn ogen: haar lange, hoekige gestalte deed aan die van een fotomodel denken, maar hoe langer je keek, hoe duidelijker je een soort woede in haar lichaam zag, en een diepte in haar blik die fotomodellen zelden bezitten; haar gezichtsuitdrukking leek een mengeling van angstige spanning en verveling, opgeladen energie en geblaseerdheid, sensualiteit en kilte. *Milena*, zei Arielle; het rijmde op *arena*. Het was de eerste keer dat ik haar naam hoorde; sindsdien is die de basso continuo van mijn leven. Met donkere, onheilspellende ogen glimlachte ze eerst naar Arielle en toen naar mij, maar ze zei niets en ze stond niet stil. Ik draaide me om en keek met open mond hoe ze langszweefde. En toen vroeg ik nonchalant met een heldere castratenstem wie dat was.

'Een vriendin – ze is bevriend met mijn zusje. Een beetje bizar, maar heel aardig.'

'Waar komt ze vandaan?'

'India, geloof ik. Oost-India. Of een van haar ouders tenminste. Hoezo?'

India! *Shakuntala*. De *Dark Lady*. 'Zomaar. Ik... ik heb haar al eens eerder gezien. Je moet me aan haar voorstellen.'

Op de hoek, een blok voor Arielles huis, waar we afscheid namen – een concessie aan een jaloers vriendje – lachte Arielle haar lach van duizend watt en zei dat ze een heerlijke avond had gehad. 'Ik heb ook een heerlijke avond gehad,' zei ik en ik trok haar dicht tegen me aan. 'Dat doen we nog eens over.'

Toen ik thuiskwam, brandde er licht in Milena's souterrain.

4

'Mijn gedachten willen zich niet van haar losmaken,
als water in een moeras'

– *Shakuntala*

Het hele voorjaar ging voorbij en het werd zomer, en ik zag er nooit meer licht branden. Toch ging er geen dag voorbij dat ik niet aan haar dacht, niet op het balkon naar haar uitkeek, niet trillend besefte dat zij degene was op wie ik al mijn hele leven wachtte.

Ik had de hoop al bijna opgegeven toen er iets gebeurde waardoor mijn leven in een andere baan terechtkwam: mijn huisbaas ging dood. Dat bedoel ik niet onaardig – Wolodko Golash was een goed mens en ik was erg op hem gesteld. Ik vond zijn innige toewijding aan zijn vrouw sympathiek, de manier waarop hij luisterde, om haar gaf, na al die jaren nog. Zoals ze elkaars hand pakten als ze de deur uit gingen: strijdmakkers, bondgenoten tegen de buitenwereld.

Twee keer had Wolodko me uitgenodigd om een borrel te komen drinken (cherry brandy gevolgd door een onbekend soort bier dat Champlain heette en warm werd geserveerd), en onder het drinken vertelde hij fascinerende verhalen die, begreep ik, bedoeld waren als voorbeelden voor een spiritueel leven. Ze eindigden altijd als een gelijkenis: 'Jij bidt tot God, jij geloof tot God, God help jou. Ik geloof tot God, God help mij. Jij aarrrdig voor mensen, zij ook aarrrdig voor jou – jij slecht voor mensen, zij ook slecht voor jou.' Als jongeman, in de Oekraïne, had Wolodko een oproep voor militaire dienst bij het Poolse leger gekregen, hij werd naar de frontlinie gestuurd ('ik gheb nooit op iemand geschoten want ik ken die mensen niet') en door de Duitsers krijgsgevangen genomen. Hij zat twee jaar in een gevangenkamp en was bijna van honger omgekomen. Na de oorlog had hij op een boerderij in Niedersachsen en later op een boerderij in Lincolnshire gewerkt ('Engelsen ghele beleefde mensen, net als jij, Tsjeremy... Jij geloof tot God, jij bidt tot God, God help jou.') Toen Wolodko naar Canada kwam, hielp God hem aan een baan bij Woolworth's, waar hij, blij dat hij een baan had, onzichtbaar zwoegde, sloofde, schoonmaakte, de voorraden beheerde en dat zevenendertig jaar lang volhield.

De avond na ons laatste gesprek dacht ik in bed terug aan wat Wolodko had gezegd, aan zijn absurd zware leven en mijn eigen makkelijke bestaan. Ik kon niet in slaap komen.

De volgende dag hoorde ik het geloei van een sirene, steeds harder, angstaanjagend hard. Toen het ophield, maakten de zwaailichten van de ambulance wilde patronen op mijn muren en plafond. Ik sloot mijn ogen, intens verdrietig; ik wist waarvoor ze kwamen en had het ook ergens wel verwacht.

Ik keek naar het digitale 7:45 AM dat in het halfdonker groen opgloeide. Dat moest natuurlijk PM zijn, dacht ik. Ja, het is kwart voor acht 's avonds. Ik heb alleen maar even een dutje gedaan. Ik sloeg op de uitknop, deed mijn ogen weer dicht en draaide me op mijn andere zij om verder te slapen. Maar mijn geweten wilde er niet aan: mijn geweten wist best dat het kwart voor acht in de ochtend was, dat mijn huisbaas vandaag begraven werd en dat ik daarnaartoe moest. Ik protesteerde niet echt. De totale afhankelijkheid van Wolodko's vrouw ging me aan het hart en bovendien was ik ervan overtuigd dat het mijn lot was – hun geboorteplaats stond natuurlijk op de Bladzijde.

Ik drukte twee keer op de sluimertoets en stond ten slotte om vijf over acht met fluitende oren op. De rouwdienst begon op het onchristelijke tijdstip van negen uur. Ik plensde water in mijn ogen, duwde een handdoek tegen mijn gezicht en strompelde naar mijn kleerkast. Toen ik de deur opendeed, wachtte me een onaangename verrassing, bijna even erg als een emmer ijswater: een stortvloed tijdschriften viel in razendsnelle opeenvolging van de bovenste plank en trof me eerst op mijn hoofd en daarna, toen ik opkeek om te zien wat daar naar beneden kwam, in mijn gezicht. Het was de bovenste helft van een stel complete jaargangen *Hustlers* van 1992-1995 en wat losse polaroids die ertussen hadden gezeten. Ze waren van de vorige huurders, die ze elk moment konden komen ophalen. Alleen daarom had ik besloten ze te bewaren.

Wat moet je aan naar een begrafenis? Ik haalde een wit smokinghemd te voorschijn dat in zoverre ongewoon was dat de fabrieksvouwen nog in de manchetten zaten terwijl er toch vuil van een jaar op zat. Ik trok het aan. Met een jasje en wat tipp-ex zag je er niets meer van. Ik zocht een zwarte das en vond er een die ik nog nooit had gezien en die eruitzag alsof iemand hem een jaar lang om zijn middel had gedragen. De telefoon ging. Ik nam op en hoorde alleen de kiestoon. Ik ramde de hoorn weer op het toestel. Ik strikte mijn das, griste mijn jasje en de tipp-ex mee en roetsjte de trap af.

Het was zo'n wonderlijk moment vlak voor een onweer, als het op klaarlichte dag ineens donker wordt en de windvlagen en de regen ieder ogenblik kunnen losbarsten – als de natuur zijn adem inhoudt. Onder normale omstandigheden vind ik dat prachtig. Terwijl ik de trap weer op ging om mijn paraplu te pakken, realiseerde ik me dat mijn sleutels nog binnen lagen. Van frustratie en ergernis sloeg ik keihard met mijn hand tegen de deur en er kwam een barst in het glas. Ik stond naar de breuklijn te kijken en kon haast niet geloven wat ik had gedaan. Waarom had ik zo hard op het glas geslagen? Slaapgebrek? Ergernis omdat het huis zo'n puinhoop was? De zelfmoordgedachten opwekkende liefdeloosheid van mijn leven? Ik drukte met mijn beide handen tegen het glaspaneel, steeds harder, totdat het meegaf, en vloekte toen mijn rechterpols langs de breukrand kwam. Ik stak mijn linkerarm door het gat, maakte de deur open en stommelde haastig de trap op om iets te pakken waarmee ik het bloeden kon stelpen. Het was maar een klein straaltje, maar ik was ervan overtuigd dat ik flauw ging vallen. Zou ik weer naar bed gaan? Een ambulance bellen? Als ik zo naar de begrafenis ging, konden ze mij straks ook onder de grond stoppen. Ik wikkelde een min of meer witte sok om mijn pols en maakte hem vast met een elastiekje, dat in mijn handen knapte. Als een razende bond ik er een nieuw omheen en vloog de trap af en de deur uit, die ik zo hard achter me dichtsloeg dat er nog meer stukken glas uit vielen.

Inmiddels was het buiten nog donkerder geworden en daardoor

bedacht ik dat ik mijn paraplu weer vergeten had mee te nemen. Nou ja, krijg de pest dan maar, wat maakt het uit. Nee, niks ervan, ik laat me niet kisten. Ik begon terug te tellen van tien naar nul en beklom opnieuw de trap. De telefoon ging, maar toen ik opnam was de lijn dood. Ik daalde wederom de trap af, met mijn paraplu in mijn hand, en sloeg voor de derde maal de deur dicht. Mijn Poolse en Italiaanse buren stonden intussen op hun balkon en vroegen zich waarschijnlijk af of ze het alarmnummer niet moesten bellen. Een van hen tikte tegen zijn voorhoofd en riep iets toen ik langs kwam rennen.

De regen stortte omlaag, niet recht maar in schuine gordijnen en zijdelingse vlagen. Mijn paraplu was al snel binnenstebuiten geklapt. Op de Boulevard moest ik achteruitlopen om tegen de wind op te tornen en zocht ondertussen de horizon af naar het gele baken van een taxi. Niets. Ik vloekte hardop, en toen zag ik haar aan de overkant in het portiek van een restaurant staan. Haar. Ze praatte in de telefoon, maar keek naar mij. Ik liep naar haar toe.

'Waar zat je toch?' vroeg ik, wetend dat ze alleen mijn lippen maar zag bewegen. 'Ik zoek je al eeuwen.'

Milena wees met vragende blik op zichzelf, zei iets in de telefoon en hield haar hand over de microfoon. Door de geopende deur riep ze de regen in: 'Heb je het tegen mij? Ik versta je niet.'

Ik hapte naar adem, mijn hart sprong uit de groef en ik blaatte iets ongearticuleerds.

'Kom even droog staan,' zei ze.

Ik klapte de paraplu dicht, een gebloemde 'damesparaplu' met gebroken baleinen, en kwam in het portiek staan. Wat doe ik nou? Dit is helemaal niets voor mij. Ik ken haar niet eens. Milena, gehuld in een mannenregenjas en met een verwonderde uitdrukking op haar gezicht, wachtte op mijn uitleg. Ik probeerde zenuwachtig mijn haar glad te strijken (als het regent komen er golven in), schraapte mijn keel en sloeg nog meer wartaal uit.

'Wat zeg je?'

'I-ik heet Jeremy jij woont naast me je kent Arielle je heet Milena en je komt uit India.' Een veilingmeester had het niet sneller kunnen zeggen.

Er trok een niet-begrijpende glimlach over Milena's gezicht. 'Ik weet niet... ik weet niet of ik dat allemaal wel goed heb verstaan. Ik ken Arielle. Ik kom niet uit India. En... wat zei je nog meer?'

'Je heet Milena en je woont naast me.'

'Ja en nee. Heb je dat van Arielle? Wat is er met je pols gebeurd?' Ze vroeg het langs haar neus weg, met dezelfde halve glimlach en een accent dat ik niet kon plaatsen.

Er sijpelde bloed door mijn sokverband heen. 'Gewoon... gewoon een ongelukje, heel stom.' Ik stak mijn pols omhoog en verschoof het elastiekje.

'Ze zeggen dat je je polsen het best verticaal kunt doorsnijden in plaats van horizontaal,' zei Milena zonder een spier te vertrekken. 'En liefst in een warm bad.'

Ik glimlachte en pijnigde mijn hersens af voor een gevat antwoord, iets droogs en geestigs, maar er kwam alleen geknor uit. Ik ben niet ad rem, ik ben het nooit geweest en ik zal het ook nooit worden. Nee, dat is niet helemaal waar: één keer heb ik als kind volgens Gerard een riposte gegeven van een verbijsterende snelheid en diepte, een onvergetelijke kwinkslag die voortkwam uit een flits van begrip die aan geniaal inzicht grensde; helaas wist hij niet meer wat ik had gezegd. Ik sloeg mijn ogen neer naar de regenplas die bij mijn voeten ontstond en keek toen weer omhoog naar de telefoon. 'Ach, sorry... ik vergat dat je aan het bellen was...'

'Geeft niet. Het is mijn zusje maar – en zij praat ook met iemand anders. En waar ga jij op zaterdagmorgen zo deftig aangekleed naartoe?'

Ik dacht 'waterdagmorgen' en probeerde de aandrang te bedwingen het hardop te zeggen. Als ik zenuwachtig ben, dringen de woordspelingen zich vanzelf aan me op (polysemie heet dat). Bovendien ga ik stotteren. 'Ik moet naar een begrafenis, in de stromende regen. Het is dus eigenlijk waterdagmorgen. *Water*-dag...'

'Ach, wat naar.'

'O, het is niet iemand die... die me erg na stond.' Ik keek langzaam omhoog, van het plasje op de grond naar haar gezicht. Zij keek onderzoekend naar mijn verband, met ogen die eruitzagen alsof ze te lang of juist helemaal niet had geslapen. Op haar ene wang had ze een litteken in de vorm van een halvemaan. Ze zag dat ik ernaar keek en ik wendde mijn blik af.

'Nou, m-misschien zie ik je nog eens,' toeterde ik als een saxofoon. 'Ik bedoel, als... misschien.' Er viel weer een stilte, eindeloos.

'Ik werk hier op maandag, dinsdag en woensdagavond,' zei ze ten slotte.

'Nou, misschien kan ik... kunnen we... ik kom wel eens langs en... misschien als.'

Milena glimlachte terwijl er een donderslag tussen ons in viel. 'Wil je mijn paraplu?' vroeg ze luid, met een knikje naar een zwarte opvouwparaplu naast de telefoon.

'Nee hoor, hoeft niet, deze gaat nog wel, bedankt.' Ik klapte mijn skeletparaplu uit en stortte me weer in de slagregen, in de hoop dat het me lukte een taxi aan te houden. Perfecte timing. Taxi in zicht. Ik floot snerpend en klapte de paraplu in terwijl de taxi voorbijschoot. Gelukkig zat er een andere vlak achter. De chauffeur zag me niet meteen, maar toen kwam hij met gierende remmen tot stilstand en slipte in de plas waar ik in stond. Ik sprong angstig achteruit, maar toen was er al een golf water van onder de banden over me heen gegutst, tot in mijn kruis. Ik was met stomheid geslagen. Ik kon haast niet geloven dat dit echt gebeurde, dat het leven zo slapstickachtig kon zijn, en dan uitgerekend op dit moment. Welja. Straks smeet de chauffeur me ook nog een taart in mijn gezicht. Maar misschien had Milena het niet gezien. Ik keek achterom. Ze praatte in de telefoon en lachte. 'Stond te schudden van het lachen' komt waarschijnlijk meer in de richting. Ik sprong in de taxi en zwaaide vrolijk door de achterruit alsof ik de hele vertoning speciaal had opgezet om haar te amuseren. Haar en haar zus.

De kerk stond in het *lower east end*, in een trieste arbeiders/bijstandsbuurt die zichtbaar leed onder fabriekssluitingen en bezuinigingen. Ik voelde me er vaag onbehaaglijk en stelde me alleenstaande moeders, nalatige vaders en bijgevolg woedende nakomelingen voor, die zich allemaal stukken beter zouden voelen als ze mij een klap op mijn bek mochten verkopen. L'Église Orthodoxe Saint-Nicolas, een Oekraïense Grieks-orthodoxe kerk uit de jaren vijftig, stond er weinig toeschietelijk middenin als een verlaten vesting.

In de inmiddels lichte motregen bleef ik een beetje opgelaten bij de hoofdingang staan. Er ging nog niemand naar binnen en voor de deur stond een handjevol mensen, allemaal oud. Ze stonden in kleine groepjes onder een paar paraplu's zachtjes te praten. Niemand keek zelfs maar naar mij. Achter de ramen aan de overkant gingen de gordijnen opzij en verschenen hoofden in afwachting van de zoveelste rouwstoet. De hunne zou ook snel genoeg komen, dacht ik, en de mijne.

Nadat ik had gedaan alsof ik belangstelling had voor de arabesken op de voorgevel zag ik mijn huisbazin, die zich uit een zwarte limousine wrong, in weduwedracht en met een rouwsluier die haar rode gezicht, haar opgezette ogen en haar tranen maar gedeeltelijk verborg. Ik was ontroerd, maar moest toch steeds aan een uitspraak van Jimi Hendrix denken: 'Rouw is alleen maar zelfmedelijden – de doden huilen niet.'

Lesya werd de kerk binnengeleid en de anderen volgden langzaam en zwijgend. Ik ging als laatste naar binnen, met enige aarzeling: als afvallige protestant en bekeerde heiden had ik nooit een katholieke dienst bijgewoond, laat staan een Grieks-orthodoxe. Werd ik geacht mee te doen? De aanblik van de knielbanken stond me niet aan, dus koos ik een bank achterin zonder zo'n plank. Ik voelde me niet op mijn gemak. Ik hield niet van rouwdiensten. Bovendien werd ik misselijk van de wierookwalm, mijn pols was vochtig, mijn broek was drijfnat en mijn flesje tipp-ex was in mijn jaszak gaan lekken.

Ik keek naar de weinige aanwezigen. Ik was waarschijnlijk de enige onder de negentig. Wat zou er met de kerk gebeuren als al die oude Oekraïners dood waren? Terwijl de priester de aanwezigen in een vreemde taal toesprak, dreef ik af naar Milenaland. Ik had niet bepaald een schitterend figuur geslagen. Ik leek wel een schutterige verliefde puber. Maar wacht eens – wat had ze gezegd? 'Ik werk hier op maandag, dinsdag en woensdag.' Ja, dat had ze toch gezegd? Verbijsterend! Heel bemoedigend. Heel direct! 'Wil je mijn paraplu?' God. Heeft dat geen dubbele betekenis...?

Er begon nu een onverstaanbaar gejodel met hier en daar een echo van de parochianen. We gingen staan en weer zitten, zitten en weer staan. Het duurde veel te lang. Op het laatst bleef ik gewoon zitten en deed mijn ogen dicht. Beelden van de begrafenis van mijn moeder stroomden als lava door mijn gedachten en ik probeerde ze tegen te houden, probeerde aan iets te denken om ze tegen te houden. Ik keek omhoog naar het gebrandschilderde raam, maar ontkwam niet aan de zachte blik en het donkere neerhangende haar van mijn moeder.

'*Van wie houd je het allermeest van de hele wereld?*' vroeg ze, over me heen gebogen, voordat ik in slaap viel.

'*Van jou, mama.*' Dan stak ik mijn hand uit om haar haar aan te raken, haar als gepolijst ebbenhout dat overal om me heen glinsterde en glansde, en zij lachte haar spottend-spijtige glimlach. Ze wist dat ik loog. Had ik maar meer van haar gehouden!

'*En wat ga je worden, Jeremy, als je groot bent?*'

'*Dan word ik zigeuner en scharensliep en dan ga ik raspaarden trainen en dan blijven we altijd bij elkaar, jij en ik en oom Gerard...*'

De mensen stonden weer op terwijl ik naar het gebrandschilderde raam keek, naar een paneel met witte en rode rozen. Ik sloot mijn ogen en zag het opgloeiende roosvenster van de York Minster, en het beeld vloeide over in de stoet van de haan en de vos, de begrafenis van de aap en de apendokters... Eva verscheen in het Grote Oostelijke Venster, met gezwollen borsten en stijve tepels... De beelden werden geschud als kaarten totdat de gedachten aan mijn moeder nog feller oplaaiden, als vlammen. Ik probeerde ervoor weg te vluchten, iemand te vinden om naartoe te vluchten.

'*Jij bent de allerslimste van de hele wereld,*' zei ik in de kathedraal tegen Gerard terwijl buiten de regen bij bakken uit de lucht viel.

'*Dat is wat overdreven, m'n jongen, zo ver zou ik niet willen gaan.*'

'*Ben je dan de op een na slimste?*'

'*Dat denk ik niet – al sta ik wel tamelijk hoog op de ranglijst.*'

'*Wie is dan de allerslimste van de hele wereld?*'

'*Dat is een hele moeilijke vraag, dat weet ik eigenlijk niet precies.*'

'*Maar als je zo hoog op de ranglijst staat...*'

'*Ja, ik begrijp wel wat je bedoelt. Wacht even. Bedoel je van de nu levende mensen?*'

'*Ja.*'

'*Jouw moeder. Omdat ze mij als allerbeste vriend heeft uitgekozen, voor haarzelf en voor jou...*'

Het geluid van schuifelende voeten verdreef me uit dat verloren rijk. Er vormde zich een rij voor de met zwarte stof gedrapeerde katafalk, nu omringd door fel brandende kaarsen. Terwijl de rij er langzaam omheen liep kusten allen een voor een de gesloten kist. Met tegenzin stond ik op, ging er ook heen en drukte als laatste mijn lippen op het koude, glimmende hout. Terwijl ik dat deed vroeg ik me af of je eigenlijk wel geacht werd zo ver te gaan dat je het hout met je lippen aanraakte. Ik ging snel en met een opgelaten gevoel terug naar mijn verlaten bank achter in de kerk. Alle Oekraïense ogen waren nu op me gericht.

Buiten stonden de lijkwagen en de volgauto's met de ruitenwissers aan te wachten. Mijn blik kruiste die van Lesya en ik ging naar haar toe om haar te condoleren en afscheid te nemen, maar voordat ik een woord kon zeggen, greep ze met haar zwartgehandschoende hand mijn arm als een bankschroef vast en stortte een stroom Oekraïens over me uit, want in haar verdriet was ze vergeten welke taal ik sprak. Ze keek me recht in mijn niet-begrijpende gezicht in afwachting van mijn antwoord en begon toen opnieuw in het neo-Esperanto: 'Oké, stapt in, vous...' Ze wees naar de lucht en toen naar de volgauto's.

De begraafplaats, begreep ik, lag op de heuveltop. 'Ja, goed,' zuchtte ik. Ik liep naar de stoet lange zwarte limousines en aarzelde, omdat ik niet wist in welke auto ik moest gaan zitten. Uit het niets verscheen een spinachtige man die op Vincent Price leek; hij wenkte en hield een portier voor me open – van een auto helemaal achteraan, die nauwelijks groter was dan een ijskast. Vincent glimlachte heel flauwtjes, maar keek me niet aan. Ik wurmde me naar binnen naast een volumineuze vrouw met een nertshoed en een besnord, stuurs fronsend gezicht, die de hele rit lang bleef zwijgen, zelfs als ze me in een scherpe bocht zowat verpletterde.

De begraafplaats leek regelrecht afkomstig uit een verhaal van Poe. Het was nog geen twaalf uur, maar het was al donker en de regen was een ondoordringbare mist geworden die de bergtop deed vervagen. We parkeerden schuin in een greppel. Na de kettingreactie van dichtslaande portieren en openklappende paraplu's liep ik het kerkhof op.

Er volgde nog meer requiemgezang, waarna men de kist in een diepe regenplas liet zakken. We gooiden allemaal, een voor een, een handje as in het drassige graf. Toen ik aan de beurt was, als laatste vóór de weduwe, stond ik tot mijn enkels in de modder.

Toen we weer bij de kerk kwamen probeerde ik opnieuw afscheid te nemen, en opnieuw pakte Lesya mijn hand en kneep erin tot hij helemaal wit werd. De randjes van haar ogen waren rauwrood en ze trok met haar mond alsof ze nog meer tranen wilde terugdringen. Ze leek op het punt te staan om iets te zeggen, maar er kwamen geen woorden; toen ik haar probeerde te troosten, overstemde ze mijn Engels met Oekraïens. Ik knikte en deed alsof ik het begreep, terwijl ze me langzaam meetrok naar een zandkleurig gebouw naast de kerk. CENTRE COMMUNAUTAIRE UKRAINIEN stond er op het bord over een Engelse tekst heen, die net niet helemaal werd afgedekt.

Arm in arm gingen we naar binnen, samen over het middenpad als bruid en bruidegom, naar de lange, gedekte tafels op schragen die helemaal vol stonden met eten. Te veel eten, te veel stoelen: iemand had een ernstige rekenfout gemaakt. Mijn instinct zei me te vluchten, maar ik had nog niet gegeten en toen ik de jonge Oekraïense zag die dit feestmaal opdiende, ging ik zitten toen me dat gezegd werd. Lesya liep door naar de hoofdtafel, naar haar plaats naast de priester.

Niemand kwam bij me aan mijn tafel zitten en niemand zei iets tegen me, behalve Daira, de serveerster. Door haar aangemoedigd at ik als een zwijn en dronk ik helemaal in mijn eentje twee karaffen wijn leeg. Ik werd steeds verdrietiger – *vin triste* – terwijl ik naar de diepbedroefde weduwe naast de priester keek. Wat ging er door háár heen terwijl ze at en dronk en haar blikken over haar in het zwart geklede gasten liet glijden?

Die avond, toen ik languit op mijn bed naar het bewegende plafond lag te kijken, merkte ik door de dranknevel heen dat er in mijn binnenste iets was veranderd. Ik had Wolodko nauwelijks gekend en toch had zijn dood tot de geboorte van een morbide obsessie geleid. Toen ik de volgende dag – en de dagen erna – naar mensen keek, zag ik het lijk in hen al op de loer liggen. Ook het lijk in mijzelf, in alle spiegels. Mijn dode moeder, die ik toch bepaald niet vergeten was, verscheen me nu op de meeste uren van de meeste dagen in een explosie van licht. Bijgeloof had tot dan toe maar een kleine rol in mijn leven gespeeld, in mijn volwassen leven althans, maar nu werd mijn hele bestaan erdoor bepaald. Ik klopte het af als ik aan de dood dacht of het woord hoorde, of iets wat ermee te maken had; ik raapte centen op, ik deed wensen bij bollen distelpluis; ik voelde me gedwongen tegen blikjes, sigarettenpakjes, stokjes of stenen te schoppen – deed ik dat niet, dan werd ik door een knagend gevoel gedwongen terug te lopen, soms wel honderden meters, om alsnog te schoppen tegen datgene waartegen geschopt diende te worden of op te rapen wat moest worden opgeraapt; ik sliep alleen op mijn rechterzij, net als vroeger in York (om met mijn gezicht naar de Minster en Gerard toe te liggen); ik had flitsen van voorgevoel en opflakkeringen van bovennatuurlijk inzicht. Er stond iets te gebeuren. Er stond iets verschrikkelijks, of iets prachtigs, te gebeuren.

En de Bladzijde – wat nam die nu een orakelachtig belang aan! Er was een tijd geweest, vooral in North York, dat ik had geprobeerd de Bladzijde in mijn leven in te passen, hem erin klem te zetten als een wig tussen een deur, maar toen ik eenmaal in Montreal woonde, had ik die deur achter me dicht laten vallen. Ik was tenslotte volwassen; ik was geen mysticus, ik was geen kind meer. Maar nu ik Milena had ontmoet en Wolodko had achtergelaten, herkreeg de Bladzijde zijn macht; zijn honderden woorden en talloze beelden weergalmden in me als een gong.

5

'Onverzorgde lokken, zweetdruppels op haar vermoeide gezicht,
de slanke armen moedeloos neerhangend...
de lippen bleek en niet opgemaakt.'

– *Shakuntala*

'Ik werk op maandag, dinsdag en woensdag.' Ja. Ik ging terug naar het restaurant, ik ging terug om mijn stumperige vertoning, mijn smadelijke aftocht goed te maken. Ik zou ernaartoe gaan, maar dan wel na een alcoholische hartversterking. Ik zou, om geen al te gretige indruk te maken, pas woensdag gaan.

Ik ging Milena maandag al opzoeken, een paar minuten voordat ze moest beginnen. Ze zat op een barkruk te lezen en keek niet op van haar boek. Ik ging schichtig achter haar staan, mijn oksels brandden en ik probeerde me de twee openingszinnetjes te herinneren die ik onderweg had gerepeteerd. Toen ik mijn keel schraapte, draaide ze zich om, glimlachte en sloeg het boek dicht. 'Hoi, hoe gaat het nu?' vroeg ze.

'Prima,' improviseerde ik. 'En hoe gaat het met jou?'

'Best.' Stilte. 'Wat kwam je toen eigenlijk doen? Dat heb ik me zitten afvragen. Wie ben je trouwens?'

Dat was een van mijn openingszinnetjes. 'Ik ben... ik heet Jeremy Davenant, ik woon hier sinds kort in de buurt en ik zie je vaak lopen... en ik heb nog nooit iemand zoals jij gezien.' Ik kromp ineen, want dat klonk niet best.

'Hoe was de begrafenis?'

'Prima.'

'Hoe is het nu met je pols?'

'Prima.'

Ze knikte en trok het cellofaan van haar pakje sigaretten af. 'Waar woon je?'

Hoe was het mogelijk dat ze zich die beslissende dag niet herinnerde? 'In de Rue Valjoie.'

Milena pulkte snel een sigaret uit het pakje en stak hem in haar mond. Ze brak een lucifer uit het mapje maar streek hem niet af.

'Ik geloof zelfs,' ging ik verder, 'dat je me hebt gezien op de dag dat ik hier kwam wonen.'

'Daar staat me niets van bij...'

'Ik stond op het balkon. Jij keek omhoog en ik lachte naar je.'

Milena haalde haar schouders op, stak haar sigaret aan. 'Wil jij er ook een?'

Ik schudde mijn hoofd. 'Ik heb je een paar dagen geleden ook nog op straat gezien, toen Arielle je gedag zei.'

'Arielle? O ja, dat weet ik nog wel, geloof ik. Wil je iets drinken?'

'Je zat ook naast me bij *Sweetie*,' hield ik vol.

'Niet te geloven. Wil je iets drinken?'

Ik vroeg een biertje en zij boog zich over de bar om het te tappen. Het kon toch niet dat ze zich dat alles niet herinnerde? Het kon toch niet dat ze zich de elementaire deeltjes niet herinnerde die tussen ons heen en weer hadden geschoten?

'"O m'n geliefde" is een anagram van "'ne goede film",' zei ik misschien iets te snel. Dat was ook een van de zinnetjes die ik had gerepeteerd.

'Wát?' vroeg Milena, die opkeek van de tap.

'Een anagram van "'ne goede film" – "o m'n geliefde". Het was toch een goede film?'

Milena keek me uitdrukkingsloos aan.

'Hoe lang werk je al als serveerster?' vroeg ik.

'Ik werk niet als serveerster.' Ze zette een glas lichtbruin bier voor me neer.

'Nou ja, ik bedoel, hoe lang doe je al... wat je hier doet?'

'Ik werk in de keuken. Nog niet zo lang.' Ze keek me recht aan; ik wendde mijn blik af.

'Doe je verder nog iets... daarnaast?' vroeg ik.

'Nee, dit is mijn enige bezigheid.'

'Ik bedoel, studeer je, of...'

'Nee. Ik schilderde vroeger.'

'O ja? Echt? Cool. Wat maakte je? Postdeconstructivistisch werk? Techno-cyber?'

'House. Waar ken je Arielle van?'

Op dat moment werden we onderbroken door een blondine van in de vijftig met donkere haarwortels en geëpileerde wenkbrauwen, die Milena vroeg een Grieks gerecht te maken.

'Ik moet aan de slag,' zei Milena.

'Ik ook.'

Ze keek naar mijn onaangeroerde glas. 'Oké.'

Daar stond ik, wankel op de benen als een verweesd jong hondje, en keek in haar ogen. Neem me mee, neem me mee.

'Wilde je nog iets zeggen?' vroeg ze.

'Nee, eigenlijk niet. Nee. Of ja, eigenlijk wel. Heb je zin om zaterdag mee te gaan naar een concert van de Virginia Wolves?'

'Nee, dank je.'

'O.'

'Maar we kunnen wel iets anders gaan doen.'

'Wanneer?'

'Zaterdag. Kom woensdag maar even langs, dan spreken we iets af.'

'Ik kom woensdag even langs.'

Milena was al halverwege naar de keuken. Ik keek hoe het kuiltje in de verende zitting van haar kruk langzaam weer omhoogkwam, goot mijn bier naar binnen en liet een fooi achter waar je twee nieuwe biertjes voor had kunnen kopen. Op weg naar de uitgang keek ik even naar haar boek: het was *Valentine,* van George Sand.

Ik ging dinsdag weer naar het restaurant. De blonde brunette deelde me na enig aandringen mee dat Milena die dag niet kwam werken.

Woensdag ging ik weer. De blonde brunette schudde haar hoofd toen ik binnenkwam.

Donderdag zag ik Milena evenmin, maar ik zag wel een vriend van haar die in de buurt woonde, op een steenworp afstand, schuin tegenover me. Ik stond boven aan de trap met mijn (voorgangers) vuilniszak toen hij in zijn kersrode joggingpak als een sjirpend vogeltje fluitend en neuriënd in het eerste ochtendgloren naar buiten kwam om zijn planten water te geven. Toen ik de groene zak op de stoep zette, riep hij iets wat ik niet verstond.

Ik was alweer op weg naar boven toen hij nog iets zei. Hij stak over, pakte de zak en bracht hem naar me toe. 'Ik wil niet de Boze Buurman Bemoeial uithangen hoor, maar de vuilnisman komt morgen pas. Jij bent de N.J., hè?'

'De wát?'

'De nieuwe jongen. Hoe is je nieuwe huissie?'

'Breek me de bek niet open.'

'Opknappertje?'

'De droom van de doe-het-zelver.'

'Hulp nodig? Ik heb ooit als loodgieter gewerkt.'

'Nee, dank je, ik ben... al klaar.'

'Je bent wel vroeg op.'

'Ik ging net naar bed.'

Hij kwam de trap op en stak me zijn hand toe. 'Victor is de naam.' Hij hield mijn hand vast terwijl hij vroeg hoe ik heette en maakte van de handdruk een *soul shake*. Zijn hand voelde net zo slap en vochtig aan als de sla in de vuilniszak.

'Wat doe je voor de kost, Jeremy? Sorry dat ik zo nieuwsgierig ben – mijn moeder is ook nieuwsgierig en het is heel goed mogelijk dat ik het van haar heb. Misschien vind je het interessant om te horen hoe ze heet. Je kunt het misschien zelfs wel raden.' Hij hield nog steeds mijn hand vast.

'Eh...'

'Aagje. Snap je waarom dat interessant is?'

'Ja.'

'Nieuwsgierig Aagje. En dat is ze ook, net als ik. Ik vraag altijd aan iedereen wat hij voor de kost doet. Maar het gaat me natuurlijk niets aan.'

'Ik geef les.'

Victor liet mijn hand los maar bleef staan, knikte en keek me gênant lang aan. 'Als je ergens goed in bent, ga je het doen. Ben je er niet goed in, dan ga je er les in geven. Dat zei mijn moeder altijd. Misschien heb je het wel eens gehoord. Maar ik bedoel het niet beledigend, hoor.'

'Zo vat ik het ook niet op. Ik bedacht alleen dat je het laatste stukje weglaat.'

'O ja? Hoe gaat dat dan?'

'En ben je daar ook niet goed in, dan word je universitair docent.'

Victor vertrok zijn gezicht alsof hij ergens pijn had. 'Da's een goeie.' We bleven elkaar staan aankijken. Zijn oren leken wel violen. Zijn haar had de kleur en de structuur van een afgekloven maïskolf. Op zijn kin groeide de bleke schaduw van een sikje. Moest ik nu vragen wat hij voor de kost deed?

'Wat doe jij voor de kost, Victor?'

'Ik werk bij een undergroundblad. *Barbed-Wire*.'

Je kon *Barbed-Wire*, een wekelijks verschijnend straatkrantje met een weinig evenwichtige verhouding tussen nieuws en advertenties, alleen met een heel vette knipoog 'underground' noemen. Ik wachtte tot hij ging vertellen wat hij daar deed. Waarschijnlijk bezorgen of zoiets.

'Ik voer de pen,' ging hij verder. 'Misschien heb je mijn column wel eens gezien.'

'Je column? Wat is je achternaam dan?'

'Toddley.'

Ik geloof dat mijn mond openviel. Victor Toddley was beroemd – hij was de plaatselijke Gevoelige Man en hij schreef Ann Landersachtige columns voor de Man van het Nieuwe Millennium, zo'n opgetogen columnist die vreselijk van schrijven houdt en er tranentrekkend slecht in is.

'Ken je mijn werk?' vroeg hij.

'Jazeker. Indrukwekkend.'

'Dat hoor ik vaker, ja.' Hij lachte weer. 'Waar geef je les?'

Ik knikte in de richting van de berg.

Victor knipoogde. 'Ik studeer zelf ook aan de universiteit. Raad eens welke?'

'Welke?'

'De UdL.'

'De UdL?'

'De Universiteit des Levens.'

'Juist ja.'

'Wat doceer je?'

'Shakespeare, voornamelijk. Vertalingen...'

'De Bard!'

'...en verfilmingen. Ik bluf gewoon...'

'De Bard! Bijlo! Voorwaar. Over indrukwekkend gesproken. Hoe ben je zo bij de Bard terechtgekomen? In ons computertijdperk bedoel ik.'

'Dat was waarschijnlijk mijn lot.'

Victor keek me aan alsof hij me wilde knuffelen. 'Zeg eens iets van Shakespeare? Iets Elizabethaans. Iets toepasselijks.'

Naar het mij voorkomt, zijt gij een algemeene ergernis en moest iedereen u afranselen. 'Tja, hij heeft zoveel geschreven... ander keertje misschien.' Met mijn vuilniszak beklom ik snel de laatste treden. 'Ik moet nu echt slapen. Leuk je even gesproken te hebben.'

'Het ironische is,' zei Victor, die achter me aan klom, 'dat ik momenteel ook met literatuur bezig ben. Ik leg mijn dromen vast. Ik dateer ze en vul de witte plekken in met mijn fantasie. Het is een dromenboek, een nachtboek zou jij het waarschijnlijk noemen – Graham Greene hield ook een nachtboek bij.'

Ik keek naar Victors ernstige, bezwete gezicht en voelde me even week worden. Het is vast een aardige jongen, hij heeft vast een onvoorstelbaar groot hart. Hij is volslagen lijp, maar hij hoort bij de kleurrijke figuren op het schouwtoneel des levens. 'En denk je dat de lezers in jouw dromen geïnteresseerd zijn?' vroeg ik.

'Beloof je dat je mijn idee niet inpikt? Ik vertel al mijn dromen in de tweede persoon, tegenwoordige tijd. Twéédé persoon, snap je wel, je, jij, jou. Je gaat dit of je doet dat...'

'Juist ja.'

'Twéédé persoon. Tegenwóórdige tijd. Dat is een techniek uit de reclame. Wil je het zien? Alles zit erin – tragisch, komisch, tragikomisch, noem maar op.' Victor stond nu van opwinding te trillen als een chihuahua. 'Zo heb ik hier bijvoorbeeld een kostelijk stukje waarin...'

Ik deed eerlijk echt mijn best om het scenario te volgen, maar ik moest het al snel opgeven. Er kwamen ballonnen in de vorm van poedels in voor. Toen hij in lachen uitbarstte, lachte ik mee. 'Ja, leuk,' beaamde ik.

'Misschien vraag je je af hoe ik aan dat idee kom.'

Nee hoor.

'Nou, dat is een lang verhaal...'

Dat was het zeker. Toen het uit was, greep hij mijn hand en zwaaide hem als een pompzwengel op en neer. Ik veegde mijn hand af aan mijn shirt, hij ging joggen en ik ging naar bed.

Ja, ik weet het. Dit klinkt allemaal nogal eenzijdig – er ontbreken wat dimensies, het is zelfs een boosaardige karikatuur. Misschien is dat wel een beetje zo. Een beetje, meer niet. Toddley is zo iemand die nooit volwassen wordt, hij is de onverwoestbare radio uit de tekenfilmpjes die zich niet laat uitzetten. Hij is zo iemand die hard praat met een walkman op en in zijn handen klapt als het vliegtuig waar hij in zit, landt. Hij is het soort jongen dat op de middelbare school in gestreken spijkerbroeken met een vouw liep en daarom met zijn hoofd in de wc werd geduwd, waar zijn haar met de pleeborstel werd geschrobd. Dat ik moorddadig jaloers op hem was (waarover later meer) heeft daar niets mee te maken.

Die vrijdag liep ik de Boulevard op en neer en lette met één oog op donkere, slordig uitziende vrouwen terwijl ik met het andere naar mijn spiegelbeeld in etalageruiten en autoraampjes keek. Ten slotte realiseerde ik me dat ik idioot bezig was en werd ik berustend en realistisch. Als Milena zin heeft in onze afspraak voor zaterdag, weet ze waar ze me kan vinden. Als ik thuis ben tenminste. Er zijn zo veel leuke mensen op de wereld. Ik ga niet thuis zitten wachten op iemand die ik niet eens ken.

Omdat ik nog het een en ander voor te bereiden had voor dat najaar besloot ik die zaterdag de hele dag thuis te blijven. Ik installeerde me in de badkamer, waar het raam uitkeek op een zeker souterrain. Om een uur of drie kreeg ik weer zowat een hartaanval van de bel. Sinds de episode met de sardientjes had het geluid de bijklank van een melaatsenratel gekregen; ik was niet van plan ooit weer open te doen. Maar als het nou Milena was? Ik ging het balkon op en keek naar beneden. Het was Milena niet; het was een man met witte handschoenen en een ruit in zijn handen. Een glaszetter. Ik ging naar beneden en instrueerde hem te doen wat er moest gebeuren en de rekening naar mij te sturen in plaats van naar mijn huisbazin. Terwijl hij de scherven uit het kozijn peuterde, ging ik weer naar boven, naar de badkamer. URGHHH! zei de bel. Ik ging weer op het balkon staan. Daar stond mijn huisbazin, in een zwarte jurk en met een gepermanente pruik die haar waarschijnlijk een maatje te klein was, naar me te zwaaien, op en neer, heen en weer, als een dolgedraaide dirigent. Ik rende naar beneden.

Na een onbegrijpelijke mimevoorstelling (gaf ze me op mijn kop voor dat kapotte glas?) en wat koeterwaals met het woord 'tv' erin, zei ik: 'Ik snap het niet.' Lesya fronste om mijn domheid en wenkte dat ik haar moest volgen. Ik volgde haar.

Lesya legde altijd de rode loper voor je uit: letterlijk. Haar lopers en kleden waren allemaal signaalrood, net als het plasticbrokaten lopertje op het dressoir en het tafelkleed. De muren waren bijna overal roze. Alle kamers hingen vol iconen en overal had ze kleedjes, antimakassars, prulletjes van Woolworth en verbleekte sepiakleurige foto's uit Oekraïne – waaronder een heel mooie van haar te paard. Tegen de ene wand had ze een rij boeken die bijna allemaal ondersteboven stonden en aan beide kanten overeind werden gehouden door stapels 78-toerenplaten en tegen de andere, boven de antieke radio en de Russische naaimachine, hing een vergeelde, te vaak gevouwen kaart van Oekraïne.

Lesya wees op het lege scherm van haar kleurentelevisie, een oude Westinghouse met monogeluid in een tv-meubel met deurtjes. Als ik bij een kapotte tv word geroepen, zeg ik altijd: 'Het ligt waarschijnlijk aan de transistor.' Maar voordat ik de kans kreeg dat te zeggen, begon Lesya op handen en knieën over de grond te kruipen. Wat moest dit voorstellen? Had ze mijn leeftijd wat verkeerd ingeschat? Moest ik nu op haar rug gaan zitten? Zuchtend en steunend zocht ze het snoer van de tv en stak het in het stopcontact.

Toen het toestel warm werd en tot leven kwam, werd ik bijna tegen de muur gesmeten door de kracht van het geluid. Dat was dus kennelijk het probleem. Ik deed haar voor hoe ze het geluid kon afstellen. Ze schoof de knop heen en weer en glimlachte. Toen liet ik haar zien hoe de aan-uitknop werkte en zwaaide afkeurend mijn wijsvinger heen en weer bij het stopcontact tegen de plint. Ze glimlachte weer en ik voelde dat ik een brok in mijn keel kreeg. De televisie was duidelijk het domein van haar man geweest. 'Daank, Tsjeremy, daank,' zei ze. Ik draaide mijn gezicht naar het beeldscherm en stond er bijna een volle minuut naar te kijken voordat ik me realiseerde dat de kleuren verkeerd stonden ingesteld: de gezichten waren felroze en citroengeel. Toddleykleuren. Ik deed haar voor hoe ze de kleur kon bijstellen. Toen ze de kleuren zag veranderen, begon ze te giechelen. Lesya's lievelingsprogramma (vernam ik later) was aan de gang: *General Hospital.* Tussen drie en vier wilde ze niet gestoord worden, dus liet ze me nu uit. Bij de deur gaf ze me twee in aluminiumfolie gewikkelde pakketjes. 'Pirogi,' verklaarde ze. Ik bedankte haar en zij wees op een scheur in mijn zwarte spijkerbroek. 'Ik doen?' vroeg ze en ze maakte naaibewegingen met haar handen. 'Eh... nee, bedankt.' Ze wees naar de plek waar een knoopje van mijn shirt ontbrak. 'Ik doen?' 'Nee... eh, nou, graag, ik kom het wel langsbrengen... binnenkort.' Ik legde mijn hand op haar schouder en kuste haar op de wang. Ze glimlachte als een verlegen schoolmeisje. Ik glimlachte ook en voelde een onbenoembaar soort treurigheid. Ik zal echt proberen je te helpen, zei ik bij mezelf.

Die zaterdag laat, al na twaalven, ging de bel weer – maar dit keer met een lieflijke, veelbelovende klank. Milena! Dat moest Milena zijn! Ik keek naar beneden vanaf het balkon, maar zag alleen donker. Ik vloog de trap af – nadat ik voor de spiegel in de gang mijn haar had gefatsoeneerd – en deed open. Op de buitengang stonden, of liever wankelden, twee schimmige gedaanten, arm in arm. De ene was de honingblonde Arielle. De andere, die groter was en met het hoofd tegen Arielles schouder rustte, had kort donker haar. Haar vriendje? Ze hadden duidelijk een slokje op en dat was nog onverantwoord zwak uitgedrukt.

'Salut, Jérémie,' zei Arielle, *'j'ai une surprise pour toi.'*

'Dat is inderdaad een verrassing,' zei ik lauwtjes, 'maar ik kan... ik kan jullie momenteel helaas niet ontvangen. Ik verwacht ieder moment...'

'Un rendez-vous galant?'

'Nou nee, hoewel, in zekere zin wel, ja.'

'Iemand die ik ken?'

'Nee, nee, dat denk ik niet. Ik bedoel, misschien ken je haar wel... ze is wat aan de late kant...'

Arielle lachte. Het hoofd van haar metgezel kwam langzaam omhoog. Mijn hart begon te bonken. Het hoofd was niet van een vriendje maar van een vriendin, en ze had geen kort haar; ze had een donkere haarband om, die Arielle misschien wel in haar haar had gedaan. 'Kom binnen,' piepte ik op hondenfrequentie. Zelfs in beschonken toestand zond Milena die straling uit, die dodelijke straling.

'Nee, we kunnen niet binnenkomen,' zei Arielle. 'We kwamen hier toevallig langs. Ik wilde jullie presenteren. Ga je mee iets drinken?'

'Kom binnen,' herhaalde ik.

We gingen de trap op, ik achter Milena, Milena's achterste voor mijn neus. Op het overloopje viel ze bijna achterover, maar met een zekere schutterigheid slaagde ik erin haar overeind te houden, waarbij ik mijn handen misschien langer dan strikt noodzakelijk op haar heupen liet rusten. Het was de eerste keer dat ik haar lichaam onder mijn handen voelde. Arielle leidde Milena de woonkamer in, waar ze tegen mijn staande klok aan leunde en haar hoofd opzij liet hangen. Er verscheen een spasmodische grijns op haar gezicht terwijl ze de beweging van de slinger volgde. Toen mompelde ze iets over 'piraten en profiteurs' en zou daar wellicht nader op in zijn gegaan, ware ze niet omgevallen en op de bank buiten westen geraakt.

'Wat dachten jullie van een gezellig glaasje?' stelde ik voor.

'Dat zou ik heerlijk vinden,' zei Arielle, 'maar als dat het juiste uur is, kan ik niet blijven. Ik heb tegen Ramon gezegd dat ik een uur geleden thuis ben. Hij zal furieus zijn. Milena, we moeten weg...'

'Wacht even,' zei ik toen ze op de beschonken Schone Slaapster af koerste. 'We moesten haar maar niet wekken... ik bedoel, is ze... Hoe zijn jullie... hier terechtgekomen?'

Arielle gaapte. 'Ik loop voor de Dame de Pique langs en ik zie Milena en haar zusje die de indruk maken dat ze iets gedronken hebben. Dus zij wuiven en vragen mij bij hen te voegen, ja? Dus wij kletsen wat en bla bla bla en toen haar zusje ging naar de toilette en komt niet meer terug, *hein*? Dus ik denk dat zij is vertrokken met een jongen – Milena noemt hem Macbed – die haar de hele avond al zat te fiksen, ik bedoel fixeren. Ik geloof dat hij is muzikant of zoiets. Goed, en toen Milena vraagt haar ik bedoel vraagt mij over een man die zij in de regen heeft ontmoet en die mij kent en van wie zij de naam niet meer weet, dus wij praten over jou. En zij heeft afspraak met jou, zij denkt. Zij begint over jou de hele tijd dus ik zeg: "We gaan." Maar toen kon zij al niet meer zien. En hier zijn we dan. Had je niet gevraagd je te presenteren? Ben je niet op de wolken om ons te zien?'

Arielles ogen schitterden en ze gaf bijna licht van triomf. Ik kon haar wel in mijn armen sluiten. 'Het is *in* de wolken,' zei ik, 'en *voorstellen*, niet presenteren. Maar ik ben inderdaad blij jullie te zien. Heel blij.' Ik draaide me om naar Milena. Ik trilde een beetje en dat probeerde ik te verbergen. 'Weet je zeker dat dit niet gevaarlijk is? Ze heeft toch niets anders gebruikt of...'

'Alleen wijn. *Red red wine, stay close to me-e...*'

'Oké. Woont Milena hiernaast? Arielle, woont Milena hiernaast?'

'*Don't let me be alone...* Nee, een vriend van haar woonde vroeger hiernaast. Hij heet Denny. Misschien vertelt ze je nog wel eens over hem.'

Een vriend? 'Een vriendje?' vroeg ik.

'Milena?' zei Arielle, die deze belangrijke vraag niet gehoord leek te hebben.

'Is Denny haar vriend?' herhaalde ik.

Arielle schudde zacht aan Milena's schouder. 'Mie-lee-na. Mie-lee-na. Ik denk niet dat ze weg wil. Misschien kun je eh, een taxi bellen als zij wordt wakker. Ik weet niet precies waar zij woont – niet ver, vlak bij het park. Of wij kunnen proberen haar te dragen naar mijn huis. Alleen waarschijnlijk Ramon slaapt nu wel...'

Ramon was Arielles vriend, nam ik aan. 'Komt Ramon misschien toevallig uit Latijns Amerika?'

'*I was lo-ost...*'

Ik herhaalde de vraag.

'Dat kan je wel zeggen ja,' antwoordde ze.

'Houdt hij van vis?'

'*Now I'm fou-ound...* Wat? Ja, ik geloof wel hij houdt van vis.'

'Is hij lang en mager?'

'Nee. Hoezo?'

'Zomaar. Zeg, volgens mij is het eigenlijk niet zo'n goed idee om... om Milena te verplaatsen. Op dit moment. Ik bedoel hier en nu en zo. Momenteel. Misschien moeten we... ik bedoel, ze is nu niet... en bovendien zou Ramon dan zeker wakker worden en dan wordt hij waarschijnlijk kwaad en... en zo.'

'*C'est ça*,' zei Arielle en ze knikte. Toen kreeg ze ineens om onduidelijke redenen de slappe lach. 'Oké,' zei ze ten slotte. 'Bel straks maar een taxi. Ik moet nu weg. Ik moet ertussenuit knijpen.'

'Sorry, wat zeg je?'

'Ik moet knijpen. Ertussenuit.'

'O, je moet weg.'

'Precies. Ik bel je morgen, oké? Het beste, *hein*.'

Ik liet de zingende Arielle uit en sloeg een arm om haar schouders. Toen ze beneden was, riep ik haar na: 'Wacht even, Arielle!'

'*Oui?*'

'Bedankt... bedankt voor eh... je weet wel, voor het voorstellen. Ik zal zorgen dat Milena veilig thuiskomt, echt. Je bent de geweldigste meid van het westelijk halfrond.'

Arielle lachte en stommelde naar buiten. Ik snelde terug naar Milena, viel op mijn knieën en wist niet goed wat ik nu moest doen. Daarom keek ik maar naar haar terwijl ze sliep. Afgezien van de blauwe haarband en een speld met een soort miniatuurassegaai erdoorheen, had ze ongeveer hetzelfde aan als op die lotsbepalende dag in de metro: een verwassen zwarte jodhpur met de pijpen van de enkels tot de knieën dichtgeregen met schoenveters met knopen erin (en nu met een scheur bij de knie), korte bruine laarsjes met ronde punten, een verfomfaaid T-shirt en een gekreukt vest. De onopgemaakt-bed-look. Ze had piepkleine spatjes van iets wat op rode verf leek op haar wimpers en voorhoofd, een schoonheidsvlekje op haar wang, een klein verticaal litteken op haar pols (zelfmoordpoging?) en een geur van wijn, tabak, zweet om zich heen. Op haar slanke bruine armen had ze iets wat eruitzag als prikken, naaldwondjes. *Ik heb jou eerder gezien*, zei ik bij mezelf.

'Milena, Milena,' fluisterde ik. Haar naam resoneerde in mij als een mantra. 'Milena.' Ze bewoog. 'Wil je koffie?' Ze deed haar ogen open. 'Wil je iets?' Ze schudde haar hoofd. 'Wil je naar huis?' Ze sloot haar ogen. 'Wil je slapen?' Stilte. Met krampachtig bonkend hart nam ik haar in mijn armen; instinctief, als een vertrouwend kind, sloeg ze haar armen om mijn hals. Duizelig, dronken van haar nabijheid droeg ik haar met knikkende knieën naar mijn slaapkamer en legde haar voorzichtig op mijn bed neer. Als ze was komen schuilen voor het onweer, dacht ik bij mezelf, en als dit een film was, dan zou ik haar uitkleden en haar met afgewende blik mijn pyjamajasje aantrekken. Maar het onweerde niet, ze kwam niet schuilen, het was geen film en ik had geen pyjama.

Die nacht sliep ik op de bank – dat was tenminste net als in de film. Ik lag uren wakker van Milena's stralende aanwezigheid, haar verontrustende nabijheid. Ik voelde, daar en toen, dat er iets was wat ons scheidde, niet alleen de golf van dronkenschap en slaap en de afstand tussen onze bedden, maar iets fundamentelers, iets wat ik toen nog niet begreep. Om haar middelpunt te kunnen bereiken zou ik, dat voelde ik, eindeloze beproevingen moeten doorstaan, mijn weg vinden te midden van gapende kloven, langs de rand van vulkaankraters die op uitbarsten staan, door vlammen en ondoordringbare duisternis. *Ik heb jou eerder gezien*, fluisterde ik nog eens terwijl de tijd achterwaarts door mijn hoofd raasde.

Toen ik een jaar of twaalf was, kwam er een gezin uit Dublin – een alleenstaande moeder met twee of drie kinderen – in een van de flatgebouwen bij ons in de buurt wonen om na een maand of twee, drie weer weg te gaan. Een van de kinderen was een donkerharig meisje dat bijna precies even oud was als ik (ze was één dag jonger) en dat ik niet zomaar kon aanspreken, want ze was heel knap en slim en zelfverzekerd. Op een dag zagen mijn moeder en ik door het keukenraam dat ze met gebogen hoofd op de grond voor ons huis zat; zo te zien huilde ze. Mijn moeder zei: 'Zou er iets zijn? Toe, wees eens lief en ga kijken.' 'Ze redt zich wel,' zei ik zenuwachtig. 'Kijk maar, het gaat alweer, en bovendien weet ik niet wat ik tegen haar moet zeggen.' 'Ga nou even, schat.' Ik ging naar buiten, waar ik zonder iets te zeggen om haar heen drentelde en af en toe naar het keukenraam keek. Net toen ik wilde vragen wat er was, veegde ze haar tranen af met de zoom van haar rok, en ik zag in een flits van een microseconde het wit van haar onderbroek. Ze zei dat haar hond zich had losgerukt en was weggelopen. Ze wees naar de tuin van onze buurvrouw. Hij had zich onder het hek door gewurmd, legde ze uit, en toen zij eroverheen wilde klimmen, begon er een oude dame (juffrouw Adams-Vaughan, die twee huizen bij ons vandaan woonde) tegen haar te schreeuwen. Nu was ik onder normale omstandigheden ook bang voor juffrouw Atoom-Bom, maar vandaag niet. Zonder een moment te aarzelen trok ik eropuit om het beest, en bij uitbreiding ook zijn eigenares, te vangen.

Toen ik terugkwam – met bemodderde schoenen en broekspijpen – en haar de riem aangaf, kuste ze de grijnzende, ronddansende hond op zijn snuit, telkens weer. Toen kuste ze mij, waarbij ze een klodder hondenspuug over mijn wang uitsmeerde. Ze was heel dankbaar, want ze 'was zowat doodgegaan van angst' dat Crab onder een auto zou komen. Ik zag niet in hoe hij dat vanuit de tuin van de buurvrouw voor elkaar had moeten krijgen, maar stemde toch in dat dat had kunnen gebeuren. Ik wilde net weer wegslenteren toen ze met haar geruststellend zangerige Ierse accent vroeg of ik morgenavond bij haar langskwam. Ze moest op haar kleine zusje, of zusjes, passen. Kom even buurten! Ik wilde niets liever dan haar weer zien, maar ik zei: 'Ik weet niet.' Ze zei waar ze woonde. 'Weet ik,' zei ik.

Toen ik de volgende avond aan tafel zat, met vlinders in mijn buik die me de eetlust benamen, deelde Ralph, die echt in vorm was, me mee dat ik pas van tafel mocht als mijn bord leeg was. Ik gaf geen antwoord. 'Je zit te dromen,' zei Ralph. 'Je let tegenwoordig totaal niet op.'

'Hij voelt zich niet lekker,' kwam mijn moeder tussenbeide. 'Hè schat?'

'Ik wil gewoon even wat frisse lucht,' mompelde ik.

'Je kunt wel zoveel willen,' zei Ralph met zijn nepbariton. Mijn moeder zei dat ik van tafel mocht en Ralph verzekerde me dat zijne excellentie bij zijn terugkeer alles onaangeroerd zou aantreffen. Heel vriendelijk, dank u wel.

Ik sprong op mijn fiets en reed wat rond terwijl ik moed verzamelde om – zacht, verontschuldigend – op Bernadettes voordeur te tikken. Ik draaide me alweer om en wilde weggaan toen de deur openging en de beeldschone Bernadette in een diepblauwe nachtpon, haar haar een stormachtige zee van donkere golven, glimlachend voor me stond. Ik kon nauwelijks een woord uitbrengen toen ik haar privé-wereld binnenstapte.

Gelukkig verscheen weldra haar kleine zusje, een welkome afleiding. Ze hield het ene eind van een stuk touw vast terwijl Crab met zijn tanden aan het andere eind trok. Met een zijdelingse blik op mij hield Crab vast terwijl hij met zijn enorme staart door de lucht zwiepte.

'Naar bed, Violet, vooruit!' zei Bernadette.

'Nee. Geen zin. Wie is dat? Mama zei dat je niemand mocht binnenlaten.'

'Ik tel tot tien.'

'IK TEL TOT TIEN.'

'Ik meen het.'

'IK MEEN HET.'

'Hou asjeblieft op met dat banale spelletje. Als je soms denkt dat je leuk bent...'

'HOU ALSJEBLIEFT OP MET DAT NALE SPELLETJE. ALS JE SOMS DENKT DAT JE LEUK BENT...'

'Ik zei niet "dat nale spelletje".'

'IK ZEI NIET "DAT NALE SPELLETJE".'

Crab liet het touw los. 'Woef woef woef raff raff raff...'

'Crab, hou op!'

'CRAB, HOU OP'

'Violet is de vervelendste meid van de hele wereld.'

'VIOLET IS DE VERVE... BERNIE IS DE VERVELENDSTE MEID VAN DE HELE WERELD.'

'Jij... je bent een monsterlijk verwend kreng.'

'JIJ... JE BENT EEN MONSTER VERWEND KRENG.'

'Ik zei geen "monster".'

'IK ZEI GEEN "MONSTER".'

'Woef woef woef raff raff raff...'

'Crab, hou je kop!'

'CRAB, HOU JE KOP!'

De rest van het gesprek werd in Violets kamer gevoerd, buiten gehoorbereik (behalve de opmerkingen van Crab). Toen Bernadette terugkwam – met de dansende hond naast zich – vroeg ze zonder inleiding wanneer ik jarig was. Ze leek ingenomen met mijn antwoord. Toen gingen we een potje dammen aan de keukentafel, en daarna deden we boter-kaas-en-eieren, al vond ik dat allebei vreselijke spelletjes. Toen Bernadette vroeg of ik het leuk vond, zei ik: 'Ja nou.' Zij zei dat ze er een gruwelijke hekel aan had, maar dat ze niets anders wist. Ik zei dat ik er ook een gruwelijke hekel aan had en we begonnen allebei te lachen. Ze vroeg of ik wel eens had gedronken – 'je weet wel'. Ik zei dat ik 'best vaak' champagne had gedronken. Bernadette stond op om een fles zonder etiket te pakken, waaruit ze twee glazen volschonk met een gelige vloeistof. Het was zelfgemaakte wijn, denk ik, en lauw alsof hij de hele dag in de zon had gestaan. Na twee glazen, die we leegdronken alsof het een wedstrijd was, stelde Bernadette voor te gaan kaarten – pokeren, om precies te zijn.

'Wat is dat?' vroeg ik.

'Dat is een spelletje dat ik in Dublin altijd met mijn neefjes deed. Ik heb geen echte kaarten, dus het moet maar met deze.'

Ze begon een stel vreemde kaarten te delen en had het over de Grote en de Kleine Arcana en de vier kleuren: zwaarden, staven, kelken en munten. Wie in een bepaalde situatie de Geliefden of de Gehangene kreeg, moest zich uitkleden – of zoiets. Het bleek te ingewikkeld om uit te leggen of misschien was ik te zenuwachtig of te aangeschoten om me te kunnen concentreren, dus ze zei dat zij gewoon haar kleren zou uittrekken als ik het ook deed. Ik knikte en mijn hart ging als een razende tekeer. Ik keek even naar haar diepblauwe nachtpon met de roze anjers en vroeg me af wat daaronder zat.

'Ik rol hem zeven slagen om, maar verder ga ik niet,' zei ze. Met een uitdrukking van intense concentratie op haar gezicht sloeg ze de zoom van haar nachtpon één keer om. Ze keek me aan en herhaalde het procédé: ze rolde de zoom op als een rolgordijn, waarbij ze hardop tot zeven telde. Toen liet ze de zoom weer los en streek hem glad met haar handen.

'Maar ik heb niks gezien,' zei ik beverig. 'Tien slagen.'

'Ik ga tot acht.'

'Minstens negen.'

'Ik ga tot acht.'

Toen Bernadette bij zeven was, nadat ze weer alle slagen heel precies had afgemeten, wachtte ze even en keek me met een lichtelijk opgelaten glimlachje aan. 'En de laatste.' Ze vouwde de zoom nog een fractie van een centimeter, zei 'acht' en liet toen weer los.

'Wacht even,' zei ik, 'dat is niet eerlijk, die laatste slag was maar heel klein. Je moet het wel goed doen. Nog eentje!'

'Ik doe er nog eentje, maar daarna ben jij.'

Ik knikte vaag.

'Durf je niet?'

Hoe had iemand van mijn leeftijd en sekse kunnen toegeven dat hij niet durfde? 'Natuurlijk wel.'

'Beloof je dat jij het dan ook doet?'

'Erewoord.'

'Goed, dan ga ik tot negen.'

Dit keer klonk haar stem berustend. Ze gooide haar hoofd in haar nek en keek naar het plafond terwijl ze snel tot negen telde, waarbij ze grote, ongelijke slagen rolde. Ze bleef doorgaan, zonder te tellen, tot boven haar platte borst. Toen rolde ze het nachthemd snel weer naar beneden.

'Nu jij,' zei ze met een hevige kleur.

'Nou goed, maar eerst moet ik naar de plee.' Ik had ook een kleur.

'Een na laatste deur – links.'

In de badkamer schikte ik mijn ongeoefende geslachtsdelen in mijn onderbroek en keek in de spiegel, terwijl ik probeerde te bedenken hoe ik me hieruit moest redden. Wat verwachtte ze eigenlijk precies? Ik plenste koud water in mijn gezicht en trok de ongebruikte wc door. Op de terugweg schopte ik tegen de deur van Violets kamer. Binnen enkele seconden liet ze zich zien.

'Ga naar bed, nu meteen!' riep Bernadette.

'Er klopte iemand op mijn deur.'

'Dat lieg je!'

'Nietes, jij liegt!'

'Ik niet, jij!'

'Niet waar!'

'Welles.'

'Nietes.'

'Welles.'

'Nietes.'

'O Viol, in godsnaam!'

'O VIOL, IN GODSNAAM!'

'Ga naar bed, nu meteen!'

'GA NAAR BED, NU METEEN!'

'Woef woef woef...'

Enzovoort. Violet liep stampend terug naar haar kamer, na een paar woorden te hebben gezegd die ze niet eens hoorde te kennen.

'Dat kind heeft zo'n grote bek,' zei Bernadette toen Violet haar deur had dichtgesmeten. Ze ging zitten, drapeerde haar benen over de armleuningen van de stoel en nam me op. Mijn afleidingsmanoeuvre had duidelijk niet gewerkt, want ze eiste onmiddellijk dat ik mijn deel van de overeenkomst nakwam. 'Doe niet zo schijterig, Jeremy,' giechelde ze.

'Ik bén niet schijterig.' Maar dat was ik natuurlijk wel. Ik bleef stom staan en voelde me opgelaten en belachelijk.

Bernadette zette de fles aan haar mond. 'Nou, komt er nog wat van?' En voordat ik wist wat me overkwam, sprong ze uit haar stoel, liet zich voor me op haar knieën vallen en trok de rits van mijn broek omlaag. 'Wacht even, ik weet niet of...' Ik trilde van opwinding, van... ik weet niet wat. Het bloed schoot van mijn hoofd naar mijn lendenen toen haar hand langs mijn opgerichte jongetjeslid streek. Ik kwam onmiddellijk klaar, in mijn broek.

Een stroom gemompelde excuses later sloop ik heel mak de trap af, waarbij ik dit keer op mijn tenen langs Violets deur liep en de deur van de badkamer geruisloos open- en weer dichtdeed. 'Gefeliciteerd,' fluisterde ik tegen de spiegel, 'nu hoor je bij de club. Eindelijk weet je hoe echte seks voelt.'

Bernadette had op de draagbare pick-up '21st Century Schizoid Man' van King Crimson opgezet toen ik terugkwam, en dat draaiden we steeds opnieuw terwijl zij Crab over zijn buik wreef. Het was Crabs lievelingsnummer, verklaarde ze. Ze begon in haar eentje te dansen en zei toen: 'O verdomme.' Met overdreven grimassen wees ze naar het raam, greep mijn hand en rende met me naar de deur. 'Hopelijk tot gauw, Jeremy. Misschien morgen, of anders overmorgen.' Ze kuste me op mijn lippen en duwde me naar buiten. Maar de volgende dag kwam het er niet van, van uitstel kwam afstel en een week later was ze weg.

Ik zakte weg in een nacht vol gekwelde, lakenomwoelende dromen, waarvan de laatste eindigde met het doortrekken van een wc. De deur van de badkamer ging open en er stond iemand naast.

'Bernadette?' fluisterde ik. 'Ben jij dat?'

'Zei je iets?' antwoordde de geestverschijning.

Ik deed mijn ogen open. 'Nee. Ik geloof dat ik... Hoe gaat het nu?'

'Wat doe ik hier?' vroeg Milena.

'Arielle had je meegebracht.'

'O.' Milena staarde in de ruimte. 'Waarom had Arielle me meegebracht?'

'Nou, ik denk... dat weet ik eigenlijk niet.'

'We hadden... in de Dame de Pique gezeten, hè? Ik had zaterdag een afspraak met jou, toch? Wat is het vandaag? Ik heb er weer een zootje van gemaakt.' Ze praatte een beetje zangerig en had een accent.

'Je hebt er helemaal geen zootje van gemaakt. Je bent er toch?'

'God, wat moet ik ontzettend dronken zijn geweest. Sorry. Het gaat... niet zo best allemaal. Ik drink nooit. Haast nooit.'

'Geeft niet.'

'Ik heb zelfs je bed ingepikt.'

'Geeft niks, echt niet.'

'Maar nu kun je er zelf weer in. Ik moet weg. Hoe laat is het?'

'Weet ik niet. Vroeg. Wacht, ik kijk even.' Ik haalde mijn zakhorloge uit de zak van mijn spijkerbroek, die in spagaat op de grond lag. 'Het is pas vijf... enzeventig minuten over negen.'

'Wat voel ik me kut.'

'Wil je een ontbijtje?'

'Ik ontbijt nooit.'

'Wil je nog wat slapen?'

'Nee.'

'Zal ik je naar huis brengen?'

'Ik ben geen klein kind meer,' antwoordde ze en het was alsof ze een elastiekje in mijn gezicht schoot.

'Wil je dan koffie?' vroeg ik kleintjes.

'Ja.'

'Goed, ik kleed me even aan en dan ga ik koffiezetten.'

Ik bleef in bed liggen wachten tot Milena de kamer uit ging, maar dat deed ze niet, dus was ik gedwongen het zich spannende en ontspannende spierenspel van mijn bovenlijf en buik te laten zien. Snel ging ze de badkamer weer in, waar ik haar voor het porselein hoorde knielen. Ik begon me aan te kleden en wachtte tot ze klaar was met haar gebed. Eindelijk ging de deur open en kwam er een bleke Milena te voorschijn, die weer naar de slaapkamer liep.

'Gaat het?' riep ik vanuit de huiskamer.

Er steeg een gesmoorde onderwatergrom uit de dekens op.

'Kwam dat door de aanblik van mij in onderbroek?'

'Mm.'

Ik wierp een snelle blik in de badkamer en toen in de slaapkamer, waar Milena wijdbeens en met gespreide armen op het bed lag met haar gezicht naar beneden en het laken over haar hoofd. 'Gaat het wel goed met je?' vroeg ik.

Ze draaide zich om, trok het laken van haar gezicht en keek me door haar verwarde haar aan. 'O god, ik geloof dat ik heb vergeten door te trekken.' Weer dat zangerige accent.

'Geeft niet. Zal ik koffiezetten? Of zullen we ergens heen gaan? Of wil je nog wat slapen?'

'Heb je sigaretten?'

'Nee.'

'Laten we dan maar ergens heen gaan.'

In de badkamer trok ik de wc door en spoot een halve bus lysol leeg. Ik plaste (tegen de zijkant van de pot om geen geluid te maken), pleegde een kattenwasje met mangozeep, maakte met zorg mijn haar in de war, druppelde Murine (dat betekent ratachtig – wie heeft die naam bedacht?) in mijn ogen, goot mondwater met mirregeur in mijn mond en deed frambozenbalsem op mijn lippen. Mijn deodorant lag in de slaapkamer, dus smeerde ik kwistig Andron onder mijn oksels. En op de rand van de wc. Toen ik de badkamer uit kwam, stond Milena op het punt binnen te komen. 'Even mijn gezicht wassen,' zei ze.

'Nee, wacht, ik... pak even een schone handdoek voor je.'

'Hoeft niet.' Ze ging naar binnen en deed de deur dicht. Ik hoorde water in de wastafel klateren, hard, gevolgd door hyperventilerend gehijg. Terwijl ik haar stond af te luisteren en me afvroeg wat ik nu moest doen, ging de deur open, die tegen mijn hielen sloeg. Milena merkte het niet eens en slaapwandelde naar de slaapkamer. Ik kleedde me verder aan, bekeek mezelf kritisch in twee spiegels, nam twee vitamine E-tabletjes en ging toen op mijn tenen achter haar aan. Dit keer lag ze op haar rug en zo te zien was ze diep in slaap. Weer had ze het laken over haar gezicht getrokken, zoals bij de geliefden van Magritte. Ik trok de deur dicht en ging op sigarettenjacht.

In de buitenwereld was het zondagmorgen, stil en leeg als een spookstad. De straten waren door de regen schoongewassen, de beelden en kleuren waren prerafaëlitisch in hun levendigheid; uit de voortuinen stegen bloemengeuren op, zo zoet als jonge liefde. Zo had ik mijn buurt nooit ervaren en zo zou ik hem ook nooit meer ervaren.

Bij de nieuwe Franse *charcuterie* maakte ik een praatje met de eigenaar, die uit Nancy kwam. In een ander decennium was ik ooit een weekend in Nancy geweest, maar om de een of andere reden rekte ik die twee dagen alsof het jaren waren geweest. Ik had het over de rivier de Meurthe, die ik me niet eens herinnerde. De man keek me aan alsof hij wist dat ik maar wat kletste. Nadat ik zes croissants, vier bekers koffie en zeven lootjes had afgerekend, liep ik naar de *dépanneur*, twee straten verderop.

Het was wel lastig dat ze daar geen vaste openingstijden hadden: die hingen helemaal af van wat de eigenaars hadden geslikt, stimulerende of kalmerende middelen. De koopwaar was ook altijd moeilijk te vinden, want alles zat nog in de oorspronkelijke dozen, die langs de muren stonden. Niettemin leken ze heel goede zaken te doen, want de voornaamste pluspunten van de winkel waren het soepele opschrijfbeleid, de gesmokkelde Mohawk-tabak en de alcohol. Terwijl ik in de rij stond en naar de hoog opgetaste pakjes sigaretten keek, bedacht ik dat ik niet wist welk merk ik hebben moest. Export A, Craven A, Matinée, Du Maurier... Bestond er een officiële coole manier om naar de contrabande te vragen? Een knipoog, met gevouwen armen als een indianenopperhoofd?

De deur ging luidruchtig open en er kwam een man van een jaar of vijftig binnen, met een beige hoed en kennelijk erg slechte ogen, want hij leek de lange rij voor hem niet te zien. Hij liep meteen door naar de toonbank en vroeg, of liever gezegd eiste, een *sloof* Lucky Strike. Nee, hij had geen geld bij zich. Ja, hij stond op de lijst. De eigenaar keek in een verfomfaaid notitieboek met ringband en gaf hem een pakje Lucky Strike. 'Nee, nee, een *sloof*!' zei de man terwijl hij met een vinger die bruin was van de nicotine aan een open zweer bij zijn mond krabde. 'Komt er nog wat van?' voegde hij eraan toe. De eigenaar gaf hem heel bedaard een slof sigaretten en keek de volgende klant aan. 'Hé! Ik was nog niet klaar!' riep de man met de hoed. 'Lucifers! Meer! Schiet op!' Hij stampte met klikkende hakken de winkel weer uit; van die schoenen zullen we nog meer horen.

Toen ik langs het huis van Victor Toddley kwam, waar Victor in zwembroek in de voortuin zat, besloot ik dat een behaarde rug en een paar flinke tieten geen gelukkige combinatie vormen. Die lichaamsdelen kon hij eventueel afzonderlijk laten zien als hij erop stond, maar niet allebei tegelijk. De buurt ging toch al zo achteruit en de onroerendgoedprijzen kelderden al genoeg.

'Gegroet, heer buur!' zei hij met een stemmetje dat ik nog niet kende. 'Hoe is 't met u gesteld?'

Ik keek hem koeltjes aan. Een brede grijns trok zijn mondhoeken uit elkaar. 'Dat was Elizabethaans,' legde hij gniffelend uit.

'Juist.'

'Hoe gaat-ie?'

'Prima.'

'Zo mag ik het horen.' Hij wreef in zijn handen op een manier die honger moest aanduiden, deed het deksel van een kartonnen doos omhoog en haalde een halve pizza te voorschijn, die slap over zijn hand heen hing. Victor at dagelijks tweemaal zijn eigen gewicht, net als een kolibrie. 'Wil jij ook wat? Vegetarische pizza.'

'Nee, dank je, ik... ik ga zo eten.'

Hij hield een kartonnen beker omhoog. 'Slushpuppy light?'

'Nee, er... er zit iemand op me te wachten.'

Victor knipoogde. 'Man of vrouw? Of ben ik nu weer te nieuwsgierig, ik weet wel dat het me niets aangaat. Het maakt me ook niets uit.'

'Vrouw.'

Victor knikte. 'Je levenspartner? Je vaste wip?'

'Als dat zou kunnen.'

Victor lachte. 'Heb je ooit in het huwelijksbootje gevaren, Jeremy? Ik weet wel dat het me niets aangaat...'

'Ik ben niet getrouwd. Nog niet.'

Mijn hospita, van goede boerenafkomst, stond kromgebogen in de voortuin haar grond te bewerken, haar beige polyester romp als een gigantische paddestoel in een wilde tuin vol onkruid, Japie-en-de-bonenstaakachtige slingerplanten en twee meter hoge stengels zonder bloemen. Ze glimlachte breed toen ik haar op weg naar boven begroette met een zelfverzekerd '*Dobry den!*' Ik zei er nog iets bij, zoals 'Alles goed?' of 'Werk je niet te hard?' en zij zei: 'Jij zelfde.' Al zei je 'Welgefeliciteerd', of 'Mooie jurk heb je aan', dan zei Lesya nog 'Jij zelfde'. Ze wees naar iets in de lucht, een satellietschotel op een dak (geloof ik). 'Problemen,' vertrouwde ze me op gedempte toon toe. 'Zij maak problemen.' Voor Lesya bestond de mensheid uit twee soorten: degenen die voor problemen zorgen en degenen die dat niet doen, en de overgrote meerderheid hoort tot de eerste categorie. 'Problemen. Zij maak problemen,' herhaalde ze. Ze rolde de r.

Boven wachtte me een schok: Milena lag niet meer in mijn bed. 'Milena? Ben je daar nog?' Geen reactie. 'Milena?' Ik rende zoekend alle kamers door. Ze was verdwenen. Ik liep naar de slaapkamer om nog een laatste keer te kijken en tilde zelfs de lakens op. Verlaten, ontroostbaar plofte ik op de rand van het bed neer. 'Natuurlijk, ik wist het wel, ik wist dat dit zou gebeuren. Kreng!'

'Zei je iets?' vroeg Milena, die van het balkon naar binnen kwam.

'Nee. Ik bedoel ja, ik dacht dat je... ik praatte gewoon hardop, ik zat hardop te denken bedoel ik, hardop te neuriën eigenlijk. Ik ben koffie gaan halen en toen...'

'Ja, en toen?'

'Ben ik sigaretten gaan kopen.'

'Hoe laat is het?'

'Een uur of halfelf, denk ik.' Ik keek op mijn horloge. 'Ja, zoiets.' Het was over elven.

'Ik ga ervandoor. Ik moet om halftwaalf beginnen.' Daar dook het rudimentaire accent – Iers? – weer op.

'Hier.' Ik gaf haar de zak en zij keek erin.

'Kanawuckie Strikes. Een slof? Ik weet niet of ik daar wel genoeg geld voor heb. Rook jij?'

'Eh... eigenlijk niet, nee. Ik bedoel, ik heb wel eens gerookt. Maar je mag ze allemaal hebben. Ze waren spotgoedkoop.'

'Doe niet zo achterlijk. Ik betaal het je gewoon terug. Heb je ook lucifers?'

'Ja, ik zal ze even pakken. Ik wist niet welk merk ik moest kopen!' riep ik uit de keuken. 'Ik hoop dat dit goed is.'

'Prima. Je krijgt geld van me...'

'Welnee, laat maar zitten.'

Milena kwam met een hand in haar achterzak de keuken in en groef wat verfrommelde biljetten op. 'Doe niet zo stom,' zei ze. 'Pak aan, de rest krijg je nog.'

'Nee, echt, dat hoeft niet...'

'Pak aan en hou je kop.'

Ik pakte het aan. Milena glimlachte flauwtjes toen ik haar een mapje lucifers gaf. 'Je bent veel te aardig,' zei ze, 'aardiger dan ik verdien. Wat is dat trouwens voor een godsgruwelijke stank in de badkamer?'

'Stank? O, dat. Ik heb waarschijnlijk... aftershave gemorst.'

Milena keek naar mijn ongeschoren stoppels. 'Zullen we op het balkon gaan zitten?'

Op krakkemikkige kantoorstoelen uit de smerige nalatenschap van de bosmensen keken we uit over de stralende morgen. Victor vervuilde het uitzicht niet meer. Ik at snel vier croissants en rookte op ondeskundige wijze twee Lucky Strikes; Milena nam er respectievelijk nul en drie. Ze was niet in een spraakzame bui en zat voornamelijk met gebogen hoofd, wat ik eerst toeschreef aan verlegenheid en toen aan ondervoeding en de gramschap der druiven.

'Zijn die van jou?' vroeg ze vermoeid.

Ik volgde haar blik naar de lootjes die ik onder haar koffiebeker had gelegd. 'Ja, ik heb een paar lootjes gekocht. Je weet maar nooit.'

'Ik heb de pést aan loterijen. Ik vind het stompzínnig dat mensen hun hele leven van het toeval laten afhangen. Ik heb de pest aan alles wat met gokken te maken heeft en aan wat dat met mensen doet. De armen worden altijd het zwaarst getroffen – dat weet iedereen. En minderheden en vrouwen en pubers.'

De verandering van toon, van houding, had het effect van een haal over mijn gezicht. Ik had een paar seconden nodig om me te herstellen en na te denken over wat ze had gezegd. Hoe kun je nu de pest hebben aan loterijen? Ik formuleerde net een diepzinnige

vraag toen Milena me in de rede viel. 'Dit moet genaaid,' zei ze.
'Wat zeg je?'
Ze legde haar lange, sierlijke vingers op de gescheurde knie van haar jodhpur (en blote huid). 'Dit moet genaaid.'
'Zit die scheur daar dan niet omdat dat in is?'
'God nee, ik heb er last van. 's Winters is het koud. En als je op je knieën ligt, doet het pijn.'
'Kun je niet naaien?'
Milena fronste.
'Ik wil het wel voor je doen,' zei ik.
'Kun jij dan naaien?'
'Ja, en ik heb ook wel een lap die erop kan. Geef maar.'
'Uittrekken, bedoel je?'
'Ja.'
'Nee.'
'Ik heb wel even een joggingbroek voor je.'
'Nee.'
Ik ging een joggingbroek voor Milena halen. Ze rolde met haar ogen toen ik hem aangaf, maar begon toen tot mijn verwondering haar broek uit te trekken. Ze bleef zitten en nam niet de moeite de joggingbroek aan te trekken, ze legde hem alleen nonchalant over haar bovenbenen heen. Ik hapte naar adem. En rende toen zo snel als een reebok de slaapkamer in, waar ik een grote lap uit een zwart denim overhemd knipte. Het was toch een oud hemd. Ik zei tegen Milena dat ik even de naaimachine van mijn hospita ging lenen, zo terug.
Lesya lachte toen ze de kapotte broek zag en legde zonder een woord te zeggen haar tuingereedschap neer. Ik liep met haar mee naar binnen, naar haar tsaristische naaimachine, waar al zwart garen op zat (reparatiewerkzaamheden in verband met de begrafenis?). Ze ging op een telefoonboek zitten, zacht neuriënd, en keek af en toe op omdat ik zo zenuwachtig op en neer zat te wippen, alsof ik moest plassen. In een paar minuten zette ze deskundig de lap op de broek. Ik gaf haar een zoen op haar wang en ze zei: 'Thee, Tsjeremy?' 'Eh, nee, ander keertje...' 'Oké?' vroeg ze met een gebaar naar mijn verbonden pols. 'Ja hoor, prima, niets aan de hand.' Ik haalde een bankbiljet uit mijn portefeuille en zij schudde haar wijsvinger

en haar hoofd. Dus vroeg ik haar mee uit eten. Weer schudde ze haar hoofd. 'Niet restaurant, vind niet fijn.' Ze wenkte me mee naar de keuken, waar ze haar vinger op een muurkalender met een foto van tulpen legde. Ik bekeek het vierkantje op de kalender. 'Dinsdag?' vroeg ik. 'Wil je aanstaande dinsdag afspreken?' Ze schudde weer haar hoofd, alsof we een raadspelletje aan het doen waren. 'Ben je dinsdag jarig?' Lesya fronste haar voorhoofd bij zo veel traagheid van begrip. 'We eten elke dinsdag samen? Bedoel je dat?' Lesya knikte. 'Hier?' vroeg ik. Lesya knikte weer. 'Graag, Lesya, dat lijkt me leuk. Dan... neem ik de wijn mee of... wat jij drinkt. Wodka misschien. Wodka?' Lesya begon te lachen. 'Heel erg bedankt, Lesya, je bent een schat.' 'Jij zelfde,' antwoordde ze. Ik kuste haar op beide wangen en draafde toen weer terug naar Milena als een hond die een stok apporteert.

Milena leek onder de indruk. Wil je nu met me trouwen? dacht ik terwijl ik keek hoe ze haar nieuwe knie inspecteerde. 'Wil je nu met me trouwen?' vroeg ik.

Milena keek met een stalen gezicht op. 'Heb je nog lucifers?' Ze stapte in haar jodhpur terwijl ik om me een houding te geven nog twee Lucky Strikes opstak en me tot het uiterste inspande om kalm te blijven. Ze ritste haar gulp dicht en goot haar derde kop koffie naar binnen terwijl ik me aan de balustrade vasthield met mijn hoofd omlaag, duizelig van de tabak en de aanblik van Milena's blote dijen en de weerbarstige krullen donker schaamhaar die uit haar witte onderbroek waren ontsnapt. Ik kneep mijn ogen stijf dicht. Een geluid van beneden: er bewoog iets in de tuin, misschien een dier. Lesya. Ik draaide me om naar de souterrainflat van het huis naast het mijne, waar de jaloezieën nu dicht waren. Zou het indiscreet zijn als ik naar de bewoner vroeg? Waarschijnlijk wel.

'Wie is Denny?' vroeg ik.

Milena hief abrupt haar hoofd op en haar gezicht betrok dramatisch. Ik keek in haar diepe donkere ogen, haar twee rouwende ogen. Ik had me duidelijk op verboden terrein begeven. Ze keek weg en zette haar plastic beker neer, die omviel.

'Hoe weet je van Denny?' vroeg ze zacht terwijl ze keek hoe de lege beker in een boog over de tafel rolde.

'Arielle zei dat hij hiernaast woont en dat hij een vriend van je is.'

'Wat zei ze nog meer?'

'Niets.'

Ze tikte de as van haar sigaret en keek naar beneden, naar de tuin. 'Ik heb nu niet zo'n zin om erop door te gaan. Andere keer misschien. Ik moet weg.'

'Wanneer is die "andere keer"?' vroeg ik terwijl ik achter haar aan naar de deur liep.

'O, dat weet ik niet. Moet het? Weet je zeker dat je het aankunt?'

'Ja.'

'Goed, dan hoop ik maar dat je er geen spijt van krijgt. Wanneer kun jij?'

'Ik ben de rest van het millennium nog vrij.'

Er flitste een glimlach om Milena's lippen terwijl ze een pen uit haar tas haalde. 'Je bent wel populair dan. Wat is je telefoonnummer?' Ze schreef mijn nummer in een groot boek, een agenda of dagboek (tenminste, ze deed alsof ze het opschreef) en krabbelde toen iets op het mapje lucifers dat ik haar had gegeven. 'Hier,' zei ze en ze gooide het me toe.

Ik bekeek haar schuine, dansende cijfertjes. 'Heb je al iets als je straks klaar bent op je werk, Milena?'

'Ja, ik eh, ik heb met mijn zusje afgesproken... en ik moet een recept ophalen.' Twee excuses zijn, zoals Milena zich misschien niet realiseerde, altijd minder geloofwaardig dan één. 'Ik bel je. Echt. En nog bedankt. Ik hoop dat we elkaar volgende keer onder... gunstiger omstandigheden zien.'

'Is dit een nul?' vroeg ik.

Met een onpeilbare glimlach knikte Milena en boog zich toen naar me toe om me op beide wangen een luchtkus te geven. Ze had een lange, sierlijke hals en al haar bewegingen waren vol gratie. Een donkere zwanenkoningin. Ze zweefde de trappen af en sloeg de deur dicht.

Verdoofd, roerloos bleef ik even op de overloop staan voordat ik naar het balkon rende, waar ik Milena nakeek tot ze steeds kleiner werd, als een speelgoedfiguurtje, een luciferpoppetje, te klein om waar te zijn. Ze keek niet meer om. Ik keek naar de andere kant, naar beneden, bij Denny. De jaloezieën waren nu open.

Die avond begon ik aan een dagboek, in de laatste helft van mijn Boek der Zaterdagen. Veertien woorden (onleesbaar geschreven): *Ik hou van Milena. Ik hou van Milena. Ik kan niet zonder haar leven.* Terwijl ik zat te schrijven werd alles me duidelijk: ik had de drempel naar een andere wereld overschreden; mijn ontmoeting met Milena was het begin van mijn leven, of het eind.

6

'Een pad ware ik veel liever,
Die leeft in vunzen kerkerdamp, dan dat ik
Van 't wezen dat mij 't liefst is, 't kleinste hoekje
Met and'ren deel.'

– *Othello*

De politie kwam de volgende dag – niet bij mij, maar aan de deur van Denny's souterrain, naast me. Ik stond op mijn balkon en zag de agenten steeds weer aanbellen en toen om het huis heen lopen om op het zijraam te kloppen. Er werd niet opengedaan. Wat was er aan de hand? Moest ik Milena bellen? Ik haalde het lucifermapje dat ze me had gegeven uit mijn linkerborstzak en draaide het nummer dat ze erop had gekrabbeld.

Er werd niet opgenomen, ook niet na twintig keer. Toen draaide ik een ander nummer, dat van Arielle, om meer over Denny te weten te komen. Toen ze meteen vroeg of ik even kon wachten, legde ik de hoorn neer en liep naar de badkamer, waar ik zag dat Milena iets had laten liggen: een halfleeg flesje pillen waarop Zoloft stond.

Ik pakte de hoorn weer en wachtte. Een hard raspend geluid – de bel – maakte me zo aan het schrikken dat ik een halve meter de lucht in sprong. Milena! Dat moest Milena zijn! Ik rende de badkamer in om mijn haar goed te doen, stoof de deur uit en tikte met de behendigheid van een stuntman met mijn neus de overloop beneden aan nadat ik de trap af was gerold. Ik sprong weer op, ongedeerd, en deed mijn best om mijn coole houding te herstellen. Ik trok het gordijn opzij. Een tegen het glas gedrukte hand deed me weer een halve meter omhoogstuiteren – de hongerige Zuid-Amerikaan was terug, met een nieuw rood mes! De hand op het glas zakte naar beneden.

Hij was niet van de Zuid-Amerikaan, maar van Jacques de Vauvenargues-Fezensac, die vroeger mijn beste vriend was. Die aristocratische achternaam is tekenend voor hem (hij had zijn oorspronkelijke achternaam, Dion, officieel laten veranderen). Ik zal hem maar even beschrijven, dan hebben we dat gehad.

Op mijn eerste docentenvergadering maakte Jacques zijn grootse entree in mijn bestaan. Hij kwam te laat binnenslenteren met het air van een landheer, ging naast me zitten zonder naar me te kijken, voerde welsprekend het woord over alles wat er op de agenda stond, nam iedereen geestig en stijlvol in beide officiële talen op de hak en nodigde me toen, nog voor het eind van de vergadering, uit om iets met hem te gaan drinken. Waarom hij juist mij die eer aandeed, waarom hij mij zijn vriendschap waardig keurde, weet ik werkelijk niet – normaal werkte Jacques' geest als een uitsmijter die niet iedereen binnenliet, die geloofsbrieven controleerde en mensen eruit gooide. Misschien had de uitnodiging iets te maken met de alcohol waar zijn adem naar rook, of misschien met het feit dat ik een Brits paspoort had, dat we bijna landgenoten waren. Want ondanks zijn naam was Jacques de Vauvenargues-Fezensac een Brit van het zuiverste water; zijn moeder kwam uit Upminster, hij had op Winchester gezeten en aan King's College in Cambridge gestudeerd, en hij had de stem en de manier van doen van een gedegenereerde edelman.

Behalve alcoholisch geïnclineerd was Jacques ook lijdende aan een probleem met zijn immuunsysteem – dat zei een van de medewerkers althans, later. Jacques en ik waren al snel goede vrienden geworden, onafscheidelijk zelfs, en ik was er kapot van toen ik het hoorde. Maar toen ik hem schutterig mijn medeleven wilde betuigen, begon Jacques te lachen en zei dat het een boosaardig kletspraatje was, in de wereld gebracht door een collega, een zekere Haxby. 'Ik had in *Barbed-Wire* zijn vertaling van een toneelstuk van Ducharme de grond in geschreven,' verklaarde Jacques, 'en toen heeft de brave prof me bij wijze van wederdienst met een dodelijke ziekte opgezadeld. Daar komt bij dat Haxby denkt dat ik homo ben – een kwalijke zaak.'

Was Jacques homo? Nu weet ik het, maar toen nog niet. Toen beschouwde ik hem als tamelijk seksloos, misschien omdat hij zichzelf eens had omschreven als 'biseksueel met aseksuele neigingen'.

Hij spitte echter wel graag in andermans seksleven (met name in het mijne) en hij bezat een aanzienlijke collectie op foto vastgelegde verdorvenheden uit het Midden-Oosten. Maar er deed nog een ander gerucht de ronde, een duister schandaal van seks-in-ruil-voor-hogere-cijfers dat zich tussen Jacques en een van zijn studenten zou hebben afgespeeld. Misschien zat er een kern van waarheid in, want Jacques kreeg het al snel aan de stok met Crépin, onze toenmalige directeur, die hem prompt ontsloeg.

Zelfs na zijn ontslag (of juist toen, leek het) gaf Jacques geld uit als een sultan, meer dan hij kon hebben verdiend met zijn toneelrecensies voor de alternatieve pers. In zijn lange overjassen, dassen, sjaals en hoge laarzen, allemaal van wat hij 'nobele' stoffen noemde, was hij de demonische dandy van de boulevards. Sommigen vonden zijn manier van kleden pretentieus, een artistieke pose, maar ik vond dat het hem goed stond. Jacques was een estheet, een dienaar van de schoonheid, een briljante mislukkeling die niet in staat was iets te creëren, afgezien van zichzelf, maar heel goed in het beoordelen van een decor of van het vinden van de juiste toon...

'Dat werd tijd, verdomme,' zei hij toen ik opendeed. 'Leg de volgende keer een spel kaarten klaar. Dan kan ik op de stoep een patience leggen.'

'Wat moet je?'

Zonder antwoord te geven ging Jacques naar binnen en keek in het halfdonker omhoog, naar de trap. 'Hoe moet je hier naar boven, Davenant – met klimijzers en een touw?' Hij besteeg de trappen en ging de badkamer in. Ik wachtte.

De wc maakte gorgelende geluiden en de deur ging weer open. 'Dit,' zei Jacques terwijl hij om zich heen keek, 'is een volmaakt walgelijk huis.' Hij trok een gezicht alsof hij in een varkensstal stond. 'Jouw badkamer, als je het zo kunt noemen, stinkt als een Turks bordeel. Je telefoon ligt ernaast. En doe het licht eens aan – ben je soms een vleermuis?'

Ik deed het licht aan. En vertelde toen in kort bestek wat er die nacht en ochtend was gebeurd. Jacques sloot zijn ogen en schudde zijn hoofd. 'Wat leid jij toch een lachwekkend erbarmelijk bestaan, Davenant. Er stond toch wel iets tegenover, mag ik hopen? Een nieuwe bedgenote wellicht?'

'Sodemieter op. Weet jij wat Zoloft is?'

'Een antidepressivum. Hoezo?'

'Zomaar.'

Hij maakte een hoofdbeweging in de richting van mijn verbonden pols. 'Spelen we soms met de gedachte aan zelfmoord? Hielp de Zoloft niet?' Hij keek weer naar mijn gezicht. 'Of heb je geprobeerd er een eind aan te maken door je neus in brand te steken?'

'Nee, de zon... mijn pols, ik...'

'Leg die hoorn eens op de haak.'

Ik legde de hoorn op de haak.

'En hoe ziet dat nieuwe vriendinnetje van je eruit, die Milena? Is het weer zo'n wilde zigeunerin met ravenzwart haar? Jeremy, die Dark Lady-fantasieën van je worden echt een beetje...'

'Ze is inderdaad donker, ja. Indiaas.'

'Uitstekend – net als de echte Dark Lady, Lucy Negro, de meest gevierde hoer van het Engeland van Elizabeth I.'

Ik zuchtte. 'Ja, en jij bent Shakespeares "fair young man", Southampton, de narcistische edelman die jonge jongetjes pakte.'

'Een vleiende vergelijking, dank je. Maar ga door. Hoe ziet die Oost-Aziatische Dark Lady eruit? Lijkt ze op Mahatma Gandhi?'

'Lang, slank, een beetje een zeeroverskoningin, met wild haar.'

Jacques knikte. 'Een soort gek, bedoel je. Ik weet wel wie het is.'

'Dat weet je helemaal niet. Het is een donkere schoonheid – een schoonheid die haars gelijke niet kent. Een zwarte diamant.'

Jacques rolde met zijn ogen. 'Jaja, dus tegenpolen trekken elkaar aan. Had ze niet een zusje? Zo'n kleedkamersletje? Beetje de plaatselijke pornoster?'

'Haar zusje, een pornoster? Je hebt waarschijnlijk iemand anders in gedachten. En wat bedoel je met "kleedkamersletje"?'

'Een groupie.'

'Geen idee, ik heb haar nooit gezien.'

Jacques krabde zijn oksel. 'Milena. Juist. Ex-junk, grote snavel. Een kreng, stapelgek, tropische oksels, zo groot als een zoeloe, dat is haar toch?'

'Waarom zeg je dat ze gek is?'

'Dus je geeft toe dat het een kreng is?'

'Ik geef helemaal niets toe...'

'Ze is stapelgek en altijd kwaad: een paranoïde marxiste die kwaad zijn als een dagtaak ziet, altijd gespitst op een belediging.'

'Volgens mij denk je echt aan iemand and...'

'Een militante dieselpot, een feministische terroriste. Was zij niet degene die Cinéma La Chatte in brand wilde steken? Niet dat dat zo'n slecht idee is...'

'Ja zeg, straks eist ze nog kiesrecht ook.'

Jacques zweeg en keek me aan. 'Jeremy, gaat dat soort opmerkingen in Yorkshire voor geestig door?'

'Ik weet niets over haar politieke opvattingen – over haarzelf trouwens ook niet. We hebben het nog nergens over gehad. Het enige wat ik haar heb zien lezen was een boek van Sand.'

'George Sand? Welk boek? Die roman waarin ze champagne aanbeveelt voor de plasseks?'

'Jacques, waarom gaat het bij jou altijd meteen over...'

'En het was natuurlijk liefde op het eerste gezicht?'

'Ze hééft iets. Ze... ze straalt iets uit, ik weet niet. Ze is uniek.'

'Alle vrouwen zijn hetzelfde.'

'Doe niet zo achterlijk.'

'Dat wordt nooit wat. Ze heeft een harnas aan.'

'Wat weet jij daar nou van? Misschien zit er een zwakke plek in.'

'Niet voor mannen.'

'Je zou best met haar kunnen opschieten – ze is heel slim, heel aardig, heel natuurlijk. Daar hou ik van, meisjes die minder cosmetica gebruiken dan ik.'

'Als je haar een "meisje" noemt, schroeft ze je ballen eraf. Denk eraan: als zij niet als eerste verliefd wordt – en het hevigst – wordt het niks.'

'Doe me een lol. Hoe ken je haar trouwens?'

'Ik ken haar niet... goed. Maar ik weet wel dat jij haar type niet bent.'

'O ja? En wat is dan als ik vragen mag...'

'Als je geen underdog bent, Jeremy, als je niets met de derde wereld hebt, kom je niet in aanmerking. Als je niet bij een minderheid hoort...'

'Ik hoor wél bij een minderheid. Jíj, kleine Fransoos, hoort bij de m-meerderheid, weet je nog?'

'Dat je stottert werkt misschien in je voordeel, dat geef ik toe.'

'S-sodemieter op.'

'Als je niet zwart bent, of lesbisch, of een guerrillero...'

Ik stopte mijn oren dicht, als een kind. Ik had geen zin om hiernaar te luisteren. Jacques is een zak. Milena is in alle opzichten volmaakt. Onze verbintenis is voorbeschikt. Als het moet, ga ik wel bij een andere minderheid, een betere minderheid, dan ga ik bij de Canadese Marxistische Partij, dan ga ik soep uitdelen in Mozambique. Waarom doet Jacques zo giftig? Heeft hij soms een blauwtje gelopen? Is hij jaloers? Wil hij mij zelf hebben? Hoor ik de telefoon?

'Niet opnemen,' zei Jacques.

Ik liep naar de telefoon. 'Waarom niet?'

'Omdat we midden in een verheffend gesprek zitten en omdat je een antwoordapparaat hebt, godverdomme. Je bent toch niet het hondje van Pavlov, zodra je een belletje hoort...'

'Ja?'

'*Jérémie? C'est moi, Arielle.*'

'Arielle! Wat fantástisch dat je belt.'

'O, eh... bedankt, ik... Sorry dat ik je zo lang liet wachten. Ik had *Maman* aan de lijn, in Trois-Pistoles. Is alles goed met Milena, heb je haar nog thuisgebracht?'

'Ja, ik bedoel nee. Ik bedoel, ze was niet in staat om... ze was min of meer buiten westen. Ze is hier vannacht gebleven.'

'Is ze gebleven? Is ze daar nog?'

'Nee, ze moest werken.' Ik keek even naar Jacques, die voor mijn boekenkast naar de ruggetjes stond te kijken. 'Wie is ze eigenlijk precies?' vroeg ik aan Arielle.

'Hoe bedoel je, wie is ze precies?'

'Is haar zusje een groupie?'

'Nee, nou ja, in zekere zin misschien. Hoezo?'

'Zou jij zeggen dat ze een kreng is, of stapelgek?'

'Haar zusje?'

'Nee, Milena.'

'Nee, helemaal niet. Jeremy, waar heb...'

'Is ze een militante feministe?'

'...je het over? Ja, ze is feministisch, van de Nieuwe Golf. Wat zou dat? Je hebt toch niets tegen feministen?'

'Nee. Iedere intelligente vrouw is feministisch. Jij bent toch ook feministisch?'

'Nee, niet echt.'

'O. Sorry. Wat is de Nieuwe Golf?'

'Dat moet je aan haar vragen.'

'Is ze een paranoïde marxiste?' Ik keek Jacques aan terwijl ik hem citeerde. Hij had die grijns op zijn gezicht waar hij het patent op had.

'Dat… dacht ik niet. Het klinkt alsof het niet zo best is verlopen tussen jullie.'

'Nee hoor, het ging prima. Het ging… prima allemaal. Ik wil haar graag weer zien. Vertel eens wat meer over die gast van hiernaast, die Denny.'

'Daar weet ik niet zoveel van. Het is een vriend die…'

'Is hij haar vriend?'

'…nu dood is. Hij heeft een paar weken geleden zelfmoord gepleegd.'

'O jezus.'

'Het heeft haar erg aangepakt. Vile zegt dat ze nu al een hele tijd verdwaasd rondloopt.'

'O god. Shit. Wat… triest. Wie is Vile?'

'Haar zusje. Violet. Die groupie, weet je nog?'

'Was Denny Milena's vriend?'

'Dat weet ik niet. Ik dacht van niet. Dat moet je aan haar vragen.'

'Dat zal ik doen. Trouwens, nog bedankt dat je… je weet wel, dat je gisteravond langskwam, dat was echt… cool.'

'Val je op haar, Jeremy?'

'Ik? Ach, ik zou niet… Zo ver zou ik niet willen… Ja.'

'Heb je haar in het vizier van je liefdesgeweer?'

'Hoe kom je aan die uitdrukking?'

'Uit *The Young and the Restless.*'

'Zul je dat nooit meer zeggen?'

'Ik word gebeld.'

Ik legde neer en draaide me om naar Jacques. 'Zij was het,' zei hij, alsof hij haar aanwees vanuit de getuigenbank. 'Ik had weer eens gelijk, zoals gewoonlijk. Je bent toch niet van plan om…'

'Een vriend van haar, ene Denny, heeft hiernaast zelfmoord gepleegd.'

'Denny? Was dat een vriend van haar? Dennis Tyrell? Dat heb ik gehoord, ja. Ik kende hem wel – zo'n geldjongen, altijd van die dikke pakken bankbiljetten in zijn zak, bood me altijd rondjes aan. Ik was de enige die hem kon bijhouden. Ik heb ook gehoord dat het geen zelfmoord was. Ik zou maar bij haar uit de buurt blijven.'

'Jacques, waarom doe je zo...'

'Jij begaat de klassieke fout, Jeremy, dat je verliefd wordt op iemand die je helemaal niet kent. Zoiets moet in de kiem worden gesmoord, verzopen als een nest blinde jonge katjes. Neem dat nu aan van iemand die het weten kan.'

'Jij? Ik kan me jou totaal niet verliefd voorstellen. Jij houdt van niemand, verdomme, afgezien van jezelf dan...'

'O ja, en jij zeker wel. Sorry, ik was even vergeten dat ik een van de grote minnaars tegenover me heb, een van de aartsengelen dezer wereld. Geef nu maar toe, Jeremy: de bevolking van Yorkshire bestaat uit kleingeestige mensenhaters...'

'God, wat ben ik dat fabeltje zat...'

'Ze stammen allemaal af van plunderaars, paardendieven en schapenneukers. Ik ken Milena niet goed, dat geef ik toe, maar ik heb geleerd op mijn eerste indrukken af te gaan, want die kloppen altijd. Jij mag ze natuurlijk best naast je neerleggen. Zoals Auchincloss al zei: "Een relatie met een sekreet kan best leuk zijn".'

'Wat kwam je hier eigenlijk doen als ik vragen mag?'

'Jouw sanitair vuilmaken. En je een inspirerende middag bezorgen.'

Ik zei dat ik geen zin in een inspirerende middag had.

'We gaan biljarten. Ik heb geld nodig.'

Ik zei dat ik geen zin had om te gaan biljarten of voor geldschieter te spelen. 'En zeker niet voor zo'n daverende zak als jij, Dion.'

Stilte. Jacques trok een wenkbrauw op en draaide zich langzaam naar me toe. 'Ik heet geen Dion meer. En ik bespeur – zo ik mij niet bedrieg – een ondertoon van animositeit in je stem.'

'God, wat een speurder ben jij.'

'Hoe wijzer de raad, hoe verspilder de moeite.' Jacques zette koers naar de deur.

'Wacht even,' zuchtte ik.

In de biljartzaal behoorde Jacques, net als op de meeste andere gebieden, tot een klasse die ver boven de mijne verheven was. Zo rond zijn vijfde driedubbele wodka brak er bij Jacques tot mijn hevige ergernis doorgaans een fase van behendigheid en precisie aan die een sterveling slechts zelden vergund is. En dat terwijl hij zo hard stootte – alsof hij de bal wilde straffen – dat je zou denken dat die tot stof uiteen zou vallen of de zaal door vliegen, wat soms ook inderdaad gebeurde. Jacques had geen subtiele stoten op zijn repertoire en die leek hij ook niet nodig te hebben. In zijn eigen woorden was hij 'een tovenaar met de keu' en 'zo onstuitbaar als het tij'. Deze keer maakte hij, zoals zo vaak, zijn eigen gemengde metafoor volkomen waar. Voor de ogen van een groepje gepensioneerde mannen (die de Tovenaar toejuichten) liet hij de laatste bal, een zwarte die hij helemaal niet nodig had, met een koerscorrectie halverwege in het gat belanden.

Wat daarna gebeurde is belangrijker. Ik rekende af voor mijn drie verloren partijen en een hoeveelheid alcohol waarop je een Concorde in de lucht had kunnen houden terwijl Jacques een taxi ging aanhouden. Hij zat al op de achterbank op me te wachten toen ik naar buiten kwam, met een arm uit het raam en ostentatief op het dak trommelende vingers. De lucht was vochtig van de mist. Ik had de deur nog niet open of Jacques begon al, zoals altijd, te klagen dat ik niet genoeg gedronken had. 'Jij bent de meester van de matigheid,' verklaarde hij, 'en dat is ook het enige waar je een meester in bent.' Al plukkend aan een denkbeeldige contrabas begon hij mee te knorren met de jazz op de radio en ik stak mijn hoofd uit het raampje om hem te negeren. Als ik dat niet had gedaan, had ik misschien de hand niet gezien die spastisch zwaaide vanuit een andere taxi, die ons inhaalde. Pas toen de beide auto's naast elkaar voor een rood licht moesten wachten, herkende ik Victors lachende gezicht, een roze veeg vrolijkheid. Ik zwaaide terug en zei: 'Jacques, kijk eens, je collega van de *Wire*.'

'Toddley? Verdomd. Bol en blij als altijd. Is dat een vrouw, daar naast hem? Prachtig, een situatie die barst van de komische mogelijkheden. Toddley! Ouwe rukker! Ga je de droogbloemetjes eens buiten zetten? Waar ga je heen? Hossen onder de stroboscoop?'

Victor draaide met een scheve grijns zijn raam omlaag en riep iets in een andere taal, zo te horen. Het licht werd groen en zijn taxi schoot weg.

'Toddleys Frans,' zei Jacques, 'is ongeveer net zo goed als mijn Apache.' Hij gooide wat bankbiljetten op mijn schoot en deed het portier van onze rijdende taxi open. '*Chauffeur, arrêtez!*' gelastte hij.

'*Mon sacrement*,' vloekte de chauffeur toen Jacques de deur bijna tegen de achterbank liet slaan. Door de achterruit keek ik hoe mijn dronken vriend zich een weg baande tussen het tegemoetkomende verkeer door, de automobilisten uitdaagde en als een gestoorde stierenvechter met zijn jasje wapperde.

Op mijn bestemming in de Rue Valjoie aangekomen zag ik Victor het portier van zijn taxi dichtslaan toen de mijne achter de zijne stilhield. Bijna vroeg ik de chauffeur door te rijden. 'Laat maar zitten,' fluisterde ik, niet om gul te zijn van Jacques zijn geld, maar om snel weg te kunnen. Ik sloot het portier zo zacht ik kon en stak zowat op mijn tenen de straat over.

'Ei ei!' joelde Victor toen ik de grendel van het tuinhekje optilde. 'Hé, Shakespeare!'

Ik draaide me om, mijn gezicht vertrokken tot een masker van zonnig verrast-zijn, en keek wie er naast hem stond. *Milena*. 'Hoe nu, mijn heer?' zei Victor grijnzend als een valse hond. Met een wezenloos lachje stak ik mijn vingers op en keek toen vol afgrijzen toe terwijl ze de drempel van Toddleys vrijgezellenoptrekje over gingen. Vanaf mijn balkon hield ik tot het ochtendgloren zijn in mist gehulde voordeur in de gaten. Ik voelde me net de jongere broer van Othello. Toddley moest verdwijnen, er zat niets anders op.

7

'Mijn rusteloze gedachten gaan terug naar het verleden,
als een zijden banier die wappert in de wind.'

– *Shakuntala*

Ik zat een liedje van Lennon en McCartney te zingen toen mijn stiefvader mijn moeder vermoordde. Het was in het voorjaar van 1981, mijn laatste jaar op de *high school*, en mijn moeder was twee maanden zwanger. Ze gaf net een samenvatting van een brief van een vriendin, geschreven op de veerboot naar Ryde op het eiland Wight, en ik zat op de achterbank te zingen: '*She's got a ticket to Ryde, she's got a ticket to Ra-ha-haide...*' Ik hield op toen stiefpa frontaal op een Dodge-bestelbusje klapte. Bijna frontaal althans – hij gaf een ruk aan het stuur, zodat mijn moeder de zwaarste klap kreeg.

Na dagen van versuffing en ontkenning, gevolgd door weken waarin ik me 's avonds als een kind in slaap huilde, ontwikkelde ik een duistere theorie dat de dood van mijn moeder geen ongeluk was, dat Ralph het allemaal heel sluw in elkaar had gezet. Ten eerste was hun huwelijk op de klippen, ten tweede wilde Ralph geen kinderen, ten derde vond mijn moeder het vreselijk in North York, ten vierde hield ze nog van Gerard (wat Ralph ongetwijfeld wist) en ten vijfde had ze een levensverzekering, waarschijnlijk eentje die dubbel uitkeerde bij dodelijke botsingen met bestelbusjes. Misschien keek ik te veel naar slechte films.

Kort na de begrafenis en kort voor mijn eindexamen op Sackerson Collegiate vroeg Ralph waar ik wilde wonen. Ik zei: in York. De volgende dag gaf hij me een open ticket naar Parijs, mijn tweede keus. Reizen zou 'mijn verdriet verzachten en mijn horizon verbreden'. We wisten allebei dat dat gelul was. Hij wist dat ik hem doorhad en hij wilde van me af. Maar ik was natuurlijk ook blij dat ik weg kon; Ralph en ik hadden onze jaren in North York in een toestand van halfverhulde wederzijdse afkeer doorgebracht. En ik zou mijn moordtheorie toch nooit kunnen bewijzen.

Gerard zat op dat moment niet thuis in York, hij was ergens heen voor een van zijn vage zaakjes, dus besloot ik in Parijs te blijven – tenminste tot Gerard thuiskwam. Ik dacht dat hij dat ook wel zo zou willen, hij wilde vast dat ik Frans leerde. Via een kennis van hem vond ik een kamer – een *mansarde* natuurlijk – in een achttiende-eeuws gebouw aan de Rue de Bellechasse. De eigenares, een geschifte burggravin, was bij onze eerste ontmoeting overrompelend charmant; bij de tweede ontmoeting vroeg ze me voor het eind van de maand te vertrekken.

Die maand telde tot mijn geluk op dat moment echter nog vier weken, en voordat die om waren, kwam iemand me redden. Ik liep op een avond na college net de wenteltrap op toen ik iemand op de op een na laatste overloop zag zitten. Voordat ik kon zien wie het was, ging het ganglicht, dat precies dertig seconden aanbleef, uit, zodat het halfdonker werd in het trappenhuis. Op de overloop drukte ik weer op de *minuterie* en maakte toen met de snelheid van het licht de overgang van schrik naar uitzinnige blijdschap.

Ik vloog Gerard in de armen, waar ik me meteen alweer voor schaamde. Daar stonden we op de overloop te praten, afwisselend in het licht en in het donker, totdat hij me erop wees dat we binnen meer op ons gemak konden praten zonder dat het licht telkens uitging. We hervatten ons gesprek in de gemeenschappelijke keuken terwijl Gerard thee zette die helemaal uit China kwam. Toen de ketel begon te ruisen, ging Gerard naar de gemeenschappelijke wc. 'Terwijl het theewater ruist, laat ik het andere water klateren,' zei hij met een Dublins accent.

In de keuken ging hij weer zitten en vertrok zijn gezicht terwijl hij zijn been op een stoel legde. 'Knie,' verklaarde hij. 'Ben boven Haute-Saône in mijn parachute blijven hangen – het kreng wilde niet open.' Ik keek hem aan en we begonnen allebei te lachen. Gerard had een somber gezicht met zware, donkere wenkbrauwen, maar als hij lachte, lichtte het op alsof er een zonnestraal tussen de wolken door viel. Hij was onberispelijk gekleed in een ouderwets bruin krijtstreeppak, waarin hij eruitzag als een gepensioneerde captain of industry. Ik keek even naar zijn stokoude, maar glimmend gepoetste bruine gaatjesschoenen, die ik als kind hevig bewonderde.

Gerard schonk de thee in. 'Ik maak het wel in orde met die gravin, jongen, maak jij je nu maar geen zorgen. Ja, nogmaals, vreselijk, dat ongeluk, het ongeluk met je moeder. *O mater pulchra!* Een zeldzaam juweel, die vrouw, een echte... volbloed. Toen ik haar voor het eerst ontmoette, in het Theatre Royal, jongen, nou, iedereen was verliefd op haar, echt iedereen...'

Ik deed de deur van de ijskast open en deed alsof ik iets zocht, want ik schoot vol. Gerard praatte verder, zijn stem zacht en laag, maar bijna niets van wat hij zei drong tot me door. Kon alles maar worden teruggedraaid, dacht ik voor de miljoenste keer, had de auto maar een andere weg genomen! Ik had niet lang genoeg van haar gehouden!

'"Stil, heer! 't geheugen niet bezwaard met leed, dat thans voorbij is",' citeerde Gerard terwijl ik een paar onnodige potjes uit de ijskast haalde, op het aanrecht zette en weer terug deed. '*Romeo en Julia*,' voegde hij eraan toe. *De Storm*, dacht ik, maar ik zei het niet. Toen ik me eindelijk weer omdraaide, nadat ik mijn ogen had afgedroogd, glimlachte hij en hij stak een bruine envelop met een rood lint omhoog. 'Nog welgefeliciteerd, jongen.'

Ik dwong mezelf tot een glimlach. Dat deed Gerard nou altijd: al die zes jaar dat ik in North York woonde kreeg ik jaarlijks, zogenaamd voor mijn verjaardag maar op verschillende data die nooit zelfs maar in de buurt van mijn verjaardag kwamen, een pakje, helemaal volgeplakt met Engelse, Franse of Zuid-Afrikaanse postzegels. Snel maakte ik het lint los en haalde een vel perkamentpapier te voorschijn. De tekst erop was in het Latijn.

'Wat is dat?'

'Lees maar.'

'*Senatus Universitatis admisit...* Iets met een universiteit... *cum omnibus juribus, honoribus et privilegiis...* Een soort bul. De universiteit van North Shrewsbury? Waar is dat ergens?'

'In Zuid-Afrika.'

'Mooi, zeg.' Ik wist eigenlijk niet wat er nu zo indrukwekkend aan was. Misschien was het antiek. Gerard gaf geen aanwijzingen – hij lachte alleen, met zijn ogen tot pretspleetjes geknepen. 'Van wie is dit?' vroeg ik. 'Er staat geen naam op.'

'Precies. Ik wist wel dat je het zou snappen.'

'Wat?'

'Die onderste regel kunnen we binnenkort wel invullen, hè jongen?' Hij knipoogde naar me.

'We? Met jouw naam?'

'Doe niet zo mal, jongen, niet mijn naam. Dit is toch niet voor mij. Ik ben toch niet jarig. Ik studeer niet af.'

'Ik ook niet.'

'Heb je soms watten in je hoofd, Jeremy? We zetten jouw naam erop, dateren het, en dan kun jij dat docentschap krijgen waar je altijd van droomde. Dat schreef je toch in je laatste brief? Dit is om je een handje te helpen. Je wilt toch niet wegkwijnen in een bibliotheek?'

'Ik was een jaar of zestien toen ik dat schreef. Ik zit trouwens pas in mijn eerste jaar.'

'En ben je hier gelukkig? Ik dacht dat je op je docenten neerkeek.'

'Op eentje maar.'

'Je docente Latijn?'

'Nee, die vind ik leuk.'

'Die voltairiaan? Die altijd op Shakespeare zit te hakken?'

Ik knikte.

'Maar afgezien daarvan heb je het hier wel naar je zin?'

'Ik heb het hier best naar mijn zin, ik hou alleen niet van die vervelende theorieënbakkers en obscurantisten – Saussure, Lacan... daar struikel je over hier in Frankrijk. Die verzieken alle alfastudies.'

Gerard lachte. 'Niemand dwingt je toch naar ze te luisteren? Word docent in plaats van student.'

'Wees nu eens even serieus. Dat lukt toch nooit. Hoe moet dat dan met referenties en kopieën en... wat je nog meer nodig hebt?'

'Laat dat maar aan mij over. Ik heb, laten we zeggen, zeer goede connecties bij het bestuur van de universiteit. Je zou ervan staan te kijken hoeveel mensen zoiets al hebben gedaan. Iedereen vervalst zijn resultaten – of overdrijft ze schromelijk. Universiteiten controleren nooit wat. Dat weet iedereen.'

'Iedereen – wie dan allemaal?'

'Neem de kortste weg, jongen. Ik bedoel niet per se nu meteen – eerst nog wat studeren en tentamens halen. Maar onderneem in vredesnaam niets zonder eerst met mij te overleggen. Vergeet niet dat je de boeken in kwestie ook makkelijk gewoon zelf kunt lezen. Je bent slim genoeg en van mij heb je geleerd wat je moet weten. De gepromoveerde lui die ik ken, weten niets.'

'Maar als ze nou naar de gecommitteerden schrijven, of hoe heten die mensen?'

'Referenten. Nou, ik ben dus een van je referenten. Geef ze mijn adres in York maar. Dan kiezen we er nog eentje, die dood is. En ik zei toch al dat ik over hooggeplaatste connecties beschik. Maar wie gaat dat nou controleren? Als je een doctoraal uit je duim zuigt, kies je daar dan de universiteit van North Shrewsbury voor uit?'

'Daar heeft niemand ooit van gehoord.'

'Precies. Dus niemand kan je erin laten lopen met "ken je professor Die-of-die?" of "bij welk *college* zat je?"'

'En jij denkt dat ik docent kan worden met een bul van North Shrewsbury?'

'In Amerika vinden ze dat prachtig.'

'Ik zal hem bewaren, als souvenir, al wil ik mijn naam er niet op hebben. Maar toch bedankt.'

'Jij zult het wel het beste weten. Zullen we dan nu naar de Hallebardier gaan?'

De Hallebardier was (en is misschien nog steeds) een bistro aan de Rue des Fosses-St-Bernard, vlak bij de Sorbonne; ze hadden er een 'middeleeuws' balkenplafond en lambrisering en namaakhellebaarden en -strijdbijlen. Gerard beweerde dat hij met de eigenaar in de Résistance had gezeten en toen we binnenkwamen begonnen ze vertrouwelijk over gerechten uit Gascogne en de Auvergne te praten. 'Geen oprechter liefde dan de liefde voor eten,' verklaarde monsieur Du Bartas in het Engels met een knipoog naar mij. Ik weet nooit hoe ik op een knipoog moet reageren.

De eerste paar minuten verstreken in stilte, want volgens Gerard kun je niet tegelijk praten en de kaart bekijken. Toen de ober kwam bestelde Gerard de *tablier de sapeur* ('brandweermannenschort'), wat volgens de uitleg van monsieur Du Bartas pens was, uitgewalst tot een dun vel en daarna gebakken; ik bestelde, of liever gezegd Gerard bestelde voor mij, gedroogd vlees, dat *brézi cervelas remoulade* heette. Dat was ik zelf trouwens allang vergeten. Gerard, die nooit iets vergat, heeft me die maaltijd later in een brief beschreven. De reden die hij daarvoor aanvoerde klonk niet overtuigend.

'Bistro' komt van een Russisch woord dat 'vlug' betekent, maar daar hadden onze gastheren duidelijk geen boodschap aan. Terwijl we op ons eten zaten te wachten, dronken we een witte Arbois, die ongefilterd uit een vat werd getapt en in dikke glazen kruikjes werd geserveerd (de sommelier hoefde blijkbaar niet te vragen wat monsieur Gérard wenste). Vlak voordat we aan ons vierde begonnen, hief Gerard zijn glas en zei: 'Het eerste is voor de dorst, het tweede voor de honger, het derde voor je plezier, en het vierde – het vierde, jongen – is voor de waanzin.'

Terwijl we klonken, zei Gerard: 'O, dat zou ik haast vergeten.' Hij zette zijn kruikje neer en begon in al zijn zakken te wroeten totdat hij in zijn regenjas een opgevouwen bruin papiertje vond. Daarop stond het telefoonnummer van een 'aanvallige deerne' van mijn leeftijd met wie ik eens moest kennismaken. Het was de dochter, deelde hij mee, van een 'lieve vriendin' van hem uit Normandië, knipoog, knipoog. Ze heette Sabrine.

Eindelijk werd het eten gebracht en het was verrukkelijk, maar ik had weinig trek. Ik was gepreoccupeerd.

'En mijn afstudeerscriptie?' vroeg ik ineens. 'Die willen ze toch waarschijnlijk lezen?'

'Denk aan de woorden van T.S. Eliot: "Een onrijpe geest imiteert, een rijpe geest steelt." Je gaat dus naar de bibliotheek, zoekt een of andere obscure scriptie op, vijlt het serienummer eraf en zet het jouwe erop. Dat gezwatel is toch allemaal net goed genoeg om je reet mee af te vegen.'

Daaruit maakte ik op dat hij van mening was dat scripties uiteindelijk alleen geschikt waren als wc-papier. En ik wist bijna zeker dat hij Eliot verkeerd citeerde. En met opzet. Volgens mij vond Gerard dat epigrammen erop vooruitgingen als je ze verdraaide. Of aan iemand anders toeschreef.

'Soms moet een mens nu eenmaal liegen of stelen,' ging Gerard met volle mond verder. 'Daar is niets mis mee. Vergeet niet dat Galileo het ook heeft gedaan.'

'Wat? Een scriptie overschrijven?' Ik wachtte tot Gerard zijn mond leeg had.

'Liegen. Hij heeft publiekelijk ontkend dat de aarde om de zon draait.'

'Wat heeft dat hier...'

'En Disraeli ook...'

'...in vredesnaam mee te maken? Trouwens, Galileo zei meteen daarna: "*E pur si muove!*"'

'En Shakespeare dan? Die pikte intriges, gebeurtenissen, ideeën en complete zinnen van anderen. Molière trouwens ook. Goddank hadden zij niet zo'n geweten als jij! Bedenk eens wat de Bard van Samuel Daniel of Sir Thomas North heeft gejat...'

'Kom op zeg, alsof hij een kopje suiker van ze heeft geleend... En wat was dat nou met Disraeli – heeft die soms ook ontkend dat de aarde om de zon draait?'

'Die pleegde aan de lopende band plagiaat.'

'Kletskoek.'

'En moet je zien wat hij heeft bereikt! Doe zoals hij, dan kan het niet misgaan. Denk eens aan Sterne – het mooiste uit *Tristram Shandy* heeft hij gejat en hij sprak zich uit tegen plagiaat in bewoordingen die hij van Burton had gepikt.'

'Ik zie niet in wat dat...'

'Ik wil alleen maar zeggen dat van alle vormen van diefstal plagiaat het minste gevaar oplevert voor de maatschappij. Dat is weliswaar niet origineel, maar dat geeft niet. Denk maar aan Emerson: "Een schip is een citaat uit een woud."'

'Wat maakt dat in godsnaam uit... Waar het om gaat is dat ik me zou voordoen als iemand die ik niet ben, als ik andermans scriptie overschreef.'

'Precies.'

Ik lachte. 'Maar Radulfus zegt juist dat je bent wie je bent en dat je nooit moet proberen iemand anders te worden, want dan ben je een bedrieger en...'

'Ralph lult uit zijn nek. Iedereen is een bedrieger. Iedereen liegt en speelt een rol. Ralph Stilton zelf niet uitgezonderd.'

'Ik vind gewoon dat ik dit niet kan maken. En hou er nou maar over op.'

8

'Zijn leermeester moet men gehoorzamen.'

– *Shakuntala*

Op 6 september, meer dan tien jaar later, zat ik in de grote kast die eufemistisch mijn kamer werd genoemd, en bekeek mijn nieuwe rooster: woensdag twee werkgroepen – een in de namiddag, eentje 's avonds – en hier en daar een enkele doctoraalstudent ertussen. Meer niet. Het volmaakte rooster, waar de hele faculteit jaloers op was, mij niet toebedeeld als beloning voor mijn verdiensten of wegens anciënniteit, maar in ruil voor extravagante huwelijksaanzoeken aan Madame Plourde, de zestigjarige secretaresse van de directeur.

Er lag allerlei ongevraagd drukwerk op mijn bureau en in mijn postbakje: memo's over (gemiste) stafvergaderingen, presentaties van boeken van collega's (verschrikkelijk om te aanschouwen), een voorstel voor een afstudeerscriptie (de student in kwestie, een retrohippie, wilde graag 'A Whiter Shade of Pale', 'White Room' en 'Nights in White Satin' met *Een winteravondsprookje* van Shakespeare vergelijken), nagekomen schrijfopdrachten van vorig semester en twee brieven. De ene was afkomstig van dr. Clyde Vincent Haxby, LLD (Oxon.), de ster van de faculteit, de enige medewerker die echt internationaal actief was, degene die geruchten over Jacques verspreidde en de enige van de sollicitatiecommissie – zo vernam ik van Haxby zelf – die tegen mijn benoeming was geweest. Hij wilde voornamelijk meer weten over mijn 'dissertatie', de bemoeizieke klootzak.

Tussen de paperclip aan zijn briefje was per ongeluk een ijsblauwe luchtpostbrief geraakt die de typerende tandafdruk droeg van Gerards schrijfmachine, waarop de punten gaatjes in het papier maakten:

Saint Aubin-sur-Mer, Frankrijk

Beste Jeremy,
Ik heb je adres niet bij me, dus ik vertrouw erop dat mijn brief je op de universiteit bereikt. Ik wilde je alleen meedelen dat ik op of rond 15 oktober in New York arriveer. Kort daarna ben ik van plan per huurauto over de Adirondacks (via Saratoga) naar je toe te komen, als dat niet ongelegen komt. Je kunt me telefonisch of per post bereiken p/a het kantoor van American Express in Elmont, New York.
Audaces fortuna juvat.

Als altijd, je schurk van het zuiverste water,
Gerard

Vanwaar die formele toon? 'Als dat niet ongelegen komt'? Grapje? Elmont. Dat rijmt op Belmont. Ik belde het kantoor van American Express en gaf een bericht door.

'O, wat ik nog vragen wou,' zei ik, 'zijn er belangrijke rennen in oktober?'

'In Belmont bedoelt u?'

'Ja, in Belmont.'

'Moment. Ja, de Breeder's Cup.'

'En in Saratoga?'

'Dat weet ik niet.'

Ik hing op en keek naar de grond. Ik herinnerde me dat Gerard eens had gezegd dat hij de eerste keer dat hij op een paard had gewed, toen hij vier was, meteen had gewonnen – waarschijnlijk het ergste wat hem kon overkomen. Want een van de vele dingen die hij sindsdien had verloren, was het grondbezit van zijn familie, in de buurt van Knaresborough.

'Ik heb het sterke vermoeden,' zei Ralph eens tijdens een van zijn vele preken over de gevaren van het gokken in het algemeen en van Gerard in het bijzonder, 'dat die grond de reden was dat je moeder met die... vlerk omging. Ze moest tenslotte aan jou denken. Ach, die grond stelde niet zoveel voor, hoor, maar hij had er een aardig inkomen van kunnen trekken. Gascoigne had goede vooruitzichten, vergis je niet, maar ja, hij moest natuurlijk weer alles over de balk smijten, hè? Laat dat dus een les voor je zijn, Jeremy. De enige manier om iets te verdienen door achter paarden aan te lopen, is met een emmer en een schep.'

Mijn moeder wilde dit verhaal niet bevestigen, dus ik weet niet of het waar is. Indertijd weigerde ik het in elk geval te geloven en ging ik tegen Ralph tekeer tot ik er schor van werd. Waarom raakte ik daar zo overstuur van? Misschien kwam het door de gedachte dat Gerard mijn stiefvader had kunnen zijn, dat hij niet alleen zijn grond, maar ook mij had weggegooid, dat hij het op de een of andere manier expres had gedaan, dat hij mij eigenlijk niet wilde. Waarom had hij niet aan míj gedacht?

Ik keek op mijn zakhorloge. Mijn college was al begonnen. Ik zuchtte en haalde mijn beduimelde aantekeningen te voorschijn. Hetzelfde oude verhaal weer. Ik zou het eens moeten bijwerken of mijn bronnen vermelden. Ik keek naar de computeruitdraai. Niet verkeerd: zestien studenten maar. *Salle 222*. Ik schoof alles in mijn rugzak en rende mijn kamer uit zonder de deur op slot te doen.

Salle 222 bleek tot mijn verrassing een amfitheater te zijn. Met een podium, een katheder en een microfoon. Voor de deur bleef ik even staan om door het draadglas naar binnen te kijken en een blik op mijn gevangenen te werpen. Wat waren het er veel. In plaats van '16' had er kennelijk '61' moeten staan. Sommige gezichten kende ik, waaronder dat van Arielle.

Op het podium aangekomen nam ik mijn kudde nogmaals in ogenschouw, ditmaal met professorale *hauteur*. Nieuwsgierige gezichten keken terug. Twee leden van mijn gehoor – mijn doctoraalstudent Galahad Rawdon en de stralende Arielle – kwamen naar me toe. Met zijn wilde lokken en de eeuwige donkere kringen onder zijn ogen leek Gally wel een neefje van de panda of de wasbeer. Of een andere vriendelijke herbivoor die dol was op marihuanablaadjes. Net als een panda of een wasbeer had Gally niets op een universiteit te zoeken. Hij vroeg wat ik van zijn voorstel vond. Ik zei dat hij wat mij betrof groen licht kreeg. 'Het witte licht bedoelt u,' antwoordde hij ad rem.

'Wat is dit eigenlijk, eerste jaar rechten?' vroeg ik aan Arielle. 'Wie zijn dat allemaal?'

'Het zal wel door je reputatie komen.'

'Ik raak de meesten wel weer kwijt, wacht maar. Ga jij dit college doen?'

'*Je ne sais pas encore.* Ik heb me nog niet ingeschreven. Dat is een van de redenen dat ik kom praten. Zou je het erg vinden als ik dit deed?'

'Nee, natuurlijk niet. Maar weet je wel zeker dat je dit wilt?'

'*Pas complètement.* Misschien moet ik weg voordat het afgelopen is, dus ik geef je dit nu maar vast.' Ze gaf me een dubbelgevouwen velletje gelinieerd papier dat met plakband dichtgeplakt zat. 'Nog niet openmaken, anders kun je je misschien niet meer concentreren.' Ze lachte en liep weer naar het trapje van het podium.

'O – Arielle.' Ik riep haar terug met een rukje met mijn kin. 'Als ik zeg "neoclassicistische preoccupatie met decorum en waardigheid" steek jij je hand op en vraagt wat ik bedoel met "decorum".'

'*Quoi?*'

'Als ik zeg "neoclassicistische preoccupatie met decorum en waardigheid" vraag jij wat ik met "decorum" bedoel.'

'Neoclassicistische preoccupatie met decorum en waardigheid. *D'accord.*'

Ik verbrak het plakbandzegel en vouwde een vel papier open dat uit een notitieboekje met spiraalrug was gescheurd. Daarop stond een gekrabbeld schuin bericht in rode inkt, dat in een veel te hard rijdend voertuig geschreven leek, of door een dier. Het handschrift had iets verontrustends – het deed denken aan een losgeldbriefje of een opdracht van een bankrover:

Jeremy, ik ben je nummer kwijt. ik zit ~~vanavond~~ morgenavond in de ~~Jailer's Daughter~~ Noctambule als je zin hebt om langs te komen. Milena

Langzaam ontcijferde ik: *Jeremy, ik ben je nummer kwijt. Ik zit ~~vanavond~~ morgenavond in de ~~Jailer's Daughter~~ Noctambule als je zin hebt om langs te komen. Milena.* Als de microfoon had aangestaan, hadden mijn studenten mijn hart horen bonken. Ik bleef maar naar het laatste woord kijken. Ik kon Milena's naam niet lezen, fluisteren, denken zonder duizelig te worden. Ik vouwde het papier weer op en stak het in mijn borstzak. Ik keek naar mijn gehoor, een golvende zee van ruisend papier, gekleurde dictaatmappen, krakende stoelen, bewegende torso's. Ik zette de microfoon aan, streek mijn revers glad, schraapte mijn keel. Ik wachtte tot het stil werd en liet de stilte nog even voortduren voor het dramatische effect. Toen zei ik iets met een overslaande puberstem en prompt piepten de boxen iets terug. Er werd luid gelachen. Ik schreef mijn naam en kantoornummer op het bord, kwam van het spreekgestoelte af en begon de syllabus en de bibliografie uit te delen. Vooruit, Davenant, verman je. Un, deux, trois…

Had ze nu ondertekend met 'Milena' of met 'liefs Milena'? Met een poging tot academische gravitas beklom ik weer mijn hoge stelling. Ik greep in mijn borstzak. Alleen 'Milena'. Ik legde mijn aantekeningen op de lessenaar en wachtte weer op de eerbiedige stilte.

'Genialiteit,' begon ik toen toch maar, 'wordt niet vaak erkend in de tijd waarin ze zich manifesteert, maar bij Shakespeare wel. Althans in Engeland. In het buurland van Engeland, Frankrijk, bleef Shakespeares bestaan, om van zijn genialiteit nog maar te zwijgen, tot meer dan een eeuw na zijn dood onbekend. Voltaire kon er in 1730 prat op gaan dat hij Europa op Shakespeare had geattendeerd…'

Ik liet mijn ogen over mijn geboeid gehoor glijden. Sommigen zaten over de tafels gebogen en schreven als bezetenen alles op wat ik zei; anderen waren in gedachten verzonken en keken afwezig uit het raam of naar de grote klok boven mijn hoofd.

'In Voltaires eigen woorden: "Ikzelf was de eerste die van deze Shakespeare sprak, ik was de eerste die het Franse volk enkele parels onthulde die ik in zijn enorme mestvaalt had ontdekt…; ik heb die barbaarse potsenmaker ontdekt, die aap die soms plots geestige invallen krijgt en kunstjes doet… die niet eens Latijn kent… die wilde dronkeman wiens stukken alleen in Londen en in Canada in de smaak kunnen vallen…"'

Ik keek op uit mijn aantekeningen.

'Met dat al is het toch merkwaardig dat Voltaire ondanks de "enorme mestvaalt" die hij bij Shakespeare aantrof, een toneelstuk heeft geschreven dat in grote lijnen de intrige van *Othello* volgt en ook een stuk dat op *Julius Caesar* lijkt, twee stukken met *Hamlet*-achtige scènes met geestverschijningen en nog eentje met scènes die sterk aan *Macbeth* doen denken. Het is ook interessant dat Voltaires toneelstukken haast nooit meer worden opgevoerd...'

Ik keek weer in mijn aantekeningen. 'Maar dat is... van secundair belang en wij hoeven ons er nu niet mee bezig te houden. Vergeet niet dat de kritiek van Voltaire gebaseerd is op een systeem van dramatische afspraken die radicaal anders zijn dan de onze of die uit Shakespeares tijd, die een neoclassicistische preoccupatie met decorum en waardigheid weerspiegelen...'

Ik keek even uit mijn ooghoek naar Arielle; ze zat met haar rug naar me toe en fluisterde iets tegen iemand die achter haar zat. Ik boog me dichter naar de microfoon toe.

'Die een neoclassicistische preoccupatie met *decorum* en waardigheid weerspiegelen.'

Arielle draaide zich om en stak haar hand op. 'Wat bedoelt u precies met... waardigheid?'

'Goede vraa... eh, juist, dat... dat moet ik misschien even nader toelichten.' In godsnaam, Arielle. Ik liep naar de zijkant van het podium met iets waarvan ik hoopte dat het voor professorale verstrooidheid kon doorgaan en plaatste mijn aantekeningen op de lessenaar. 'Ik zal de vraag even herhalen zodat de mensen achterin hem ook kunnen verstaan...'

Ik keek omlaag in het stralende gezicht van Arielle, wier grote tanden als parels glansden. Terwijl ik in mijn zak naar het briefje van Milena tastte, herformuleerde ik de vraag.

'Zo slaat de term "decorum" in de context van het achttiende-eeuwse toneel op een van de vele dramatische afspraken uit die tijd, die... Zo is het niet verwonderlijk dat Shakespeares seksuele en scatologische toespelingen niet alleen in strijd waren met het decorum van het neoclassicisme, maar ook met de eenheid van handeling, de scheiding van de verschillende genres en misschien zelfs met de waarschijnlijkheid...'

Bla bla bla. Op een overheadprojector projecteerde ik na enig onhandig gepruts de volgende tekst:

I (Venus in *Venus en Adonis*)
Ik ben uw park, weest gij – ik wil 't – mijn hert;
Weidt waar gij wilt, op heuv'len of in dalen;
  Graast op mijn lippen, en zijn die verdroogd,
  Zoekt lager bronnen, waar ge u laven moogt.
Verkwikking kan mijn park genoeg u geven,
Zoet dalgras, hoog're vlakten rijk in zegen,
En ronde heuvels, donk're schaduwdreven,
Waar gij beveiligd zijt voor storm en regen.

II (William Empson, *Seven Types of Ambiguity*)
'Het wijst op een gebrek aan vastberadenheid en wilskracht, een vrouwelijk genot in het zich overgeven aan het mesmerisme van de taal, de gewoonte zijn zin te krijgen, zo dat al gebeurt, door vleierij en bedrog, als een dichter zo licht toegeeft aan de verleiding van woordspelingen. Velen onzer zouden wensen dat de Bard mannelijker was geweest in zijn literaire gewoonten.'

Het begon rumoerig te worden in de collegezaal. 'Ik had graag dat u voor volgende week,' deelde ik mee, '(a) vertalingen zoekt van deze Shakespeare-passage of er zelf een maakt, en (b) het citaat van Empson becommentarieert. Zijn er nog vragen?' Ik liet mijn ogen over de gezichten onder me glijden.

Stilte, toen twee, drie stemmen tegelijk: 'Moeten we het inleveren?' 'Moet het getypt?'

9

‘Nu voorwaar, uw pof is het grootste wat er aan u te zien is…’

– *Maat voor maat*

Die avond in bed hield ik mijn twee briefjes naast elkaar, in onderling verband, in onderling verbond, twee boodschappen van de twee belangrijkste mensen ter wereld. Dat moest iets betekenen – de bladzijde was omgeslagen, de magische deur was opengegaan, mijn leven ontvouwde zich eindelijk zoals het bedoeld was. Of niet? (Niet.) Ik nam twee Dormexjes en mijn bewustzijn zweefde chemisch naar de slaap.

De bel rukte me los uit een droom waarin ik het hoofd van Victor Toddley in de wc hield terwijl ik zijn haar schrobde met een pleeborstel. Begrijpelijkerwijs geïrriteerd door de onderbreking strompelde ik naar het balkon, waar ik in het felle zonlicht met moeite een man in een blauw uniform kon onderscheiden. Een agent? Ik stommelde de trap af en deed open. Het was de postbode, met paardenstaart en in bermuda, en hij overhandigde me een pakje en verzocht me mijn handtekening op een stippellijn te zetten, op de plek die hij had gemarkeerd met een kruisje.

Al het goede zit, zoals iedereen weet, in een klein pakje. Ik wist meteen wat het was. Ik zette mijn nagels in het plakband en rukte met titanenkracht aan de lipjes van het doosje. Toen ging ik een mes pakken. Onder de vlokken piepschuim en het nopjesplastic zaten mijn beide Supersound 2000’s. En een mood ring.

Helaas moest er een speciaal soort batterij in de Supersound 2000’s en die hadden de rotzakken er niet bij gedaan. Ik wilde meteen een gesprek afluisteren. Mijn teleurstelling smolt echter weg toen ik de mood ring zag. Er zat een tabel bij:

IS DE STEEN:	DAN BENT U WAARSCHIJNLIJK:
zwart	gespannen, geremd of overwerkt
roodbruin	gestrest, nerveus
lichtgroen tot heldergroen	gemiddeld, geen zware stress
blauwgroen	tamelijk ontspannen
helderblauw	ontspannen, kalm, spontaan
diep indigoblauw	in de Ideale Stemming

PAS OP: Ring niet in water onderdompelen

Ik moet toegeven dat ik werd getroffen door de schoonheid van dit alles. Ik twijfelde alleen of één exemplaar wel genoeg was. Ik deed de ring om. Hij werd van zwart roodbruin en veranderde daarna niet meer van kleur. Het doel waarnaar ik streefde en dat Milena me zou helpen bereiken, was diep indigoblauw. Ik wilde Diep Indigoblauw. Ik wilde de Ideale Stemming. Snel kleedde ik me aan en sprintte bijna naar de Pharmaprix, waar ik een batterij van 9 volt kocht en, in een opwelling, een doos met vierentwintig condooms.

De hele dag liep ik met Milena's briefje rond alsof het een talisman was; af en toe vouwde ik het open om naar haar rode hiërogliefen te kijken. Even overwoog ik zelfs in de bibliotheek boeken over grafologie op te zoeken, maar al snel verwierp ik die gedachte, bang voor wat ik in die tollende kakografie zou aantreffen.

Ik zit morgenavond in de Noctambule, als je zin hebt om langs te komen. Waarschijnlijk doe ik er goed aan eerst het soort mensen te beschrijven dat daar komt, of, nog beter, ik laat Jacques aan het woord. Een artikel dat hij voor *Barbed-Wire* schreef en waaruit ik van hem niet mocht citeren, begon zo:

> *Café Noctambule, een Stygisch koffiehuis annex bistro met een piepklein bioscoopzaaltje achterin, is de biotoop van literair wrakhout – haveloze, levensmoede navelstaarders die gestimu-*

leerd door cafeïne en nicotine ostentatief slechte gedichten zitten te schrijven... [de Noctambule] oefent ook een grote aantrekkingskracht uit op hoogopgeleide excentriekelingen met (waarschijnlijk lege) stalen koffertjes, anarchistjes in de dop, radicaal gynocentrische feministen, herbivore GenX'ers en striplezende cyberpunks...

Daar moet ik aan toevoegen dat Jacques er een groot deel van zijn tijd doorbracht, net als ikzelf.

Mijn hart ging als een razende tekeer terwijl ik Milena zocht. Daar zat ze, met haar rug naar me toe, alleen aan een tafeltje. Ik ging naar de wc om in de spiegel te kijken en droge binnenkomers te bedenken. Toen ik weer te voorschijn kwam, langzaam om te voorkomen dat mijn zojuist verbeterde kapsel door de tocht uit model raakte, zag ik dat Milena toch niet alleen was. Tegenover haar zat een man, gekleed in vele lagen flanel en dekenstof, met op zijn hoofd een Medusanest van geverfde blonde dreadlocks. Hij was lachwekkend knap, als een vikingheld in een stripboek. Op de stoel naast hem, de enige vrije stoel, stond een aan lagerwal geraakte gitaarkoffer vol stickers.

Terwijl ik schutterig bij hun tafeltje kwam staan, zat hij als een buikspreker met een enorm sjekkie in zijn mond te praten. Zodra hij even zweeg, piepte ik: 'Hallo, Milena.' Ik moest het herhalen. Milena draaide zich langzaam om en zei: 'O, hoi', op de toon van iemand die midden in een gesprek wordt gestoord door de telefoon. Daarop stelde ze me voor aan 'Max Snelheid'. Max zond wolken tabaksrook in mijn richting alsof hij een wespennest moest uitroken; ik stond me opgelaten zwijgend af te vragen of ik een vrije stoel moest gaan zoeken of naar huis gaan. Milena pakte haar rugzak en haar glas bier en zei: 'Nou, het beste met de video, Max.' Toen maakte ze, met half dichtgeknepen ogen door de rook van de sigaret in haar mondhoek turend, een hoofdgebaar naar een leeg tafeltje in de hoek. Ze ging me voor.

'Waar wil jij zitten?' vroeg ik terwijl Milena haar peuk met een draaiende beweging onder haar hak uittrapte.

'Wat maakt het uit?' antwoordde ze en ze ging zitten.

Niets waarschijnlijk. Ik ging ook zitten en we keken elkaar zwij-

gend aan. 'Heet hij echt zo?' vroeg ik ten slotte. 'Max Snelheid?'
'Tegenwoordig wel.'
'Zit hij bij een groep?' Mijn stem klonk wat pieperig, vond ik.
'Ja.'
'Wat voor muziek maken ze?'
'Filo-performance fusion, gebaseeerd op Kierkegaard.'
'Echt? Hoe heet die formatie?'
'High Mass of the Funky Ass.'
Ik knikte. 'Wel eens van gehoord, geloof ik. Zal ik nog iets voor je halen?'
'Wat ben je toch hoffelijk.' Milena stond half op en stak een hand in haar achterzak. 'Hier, geld.'
'Nee, laat maar.'
'Vooruit.'
'Je hebt er moeite mee om iets aan te nemen, hè?'
Milena gaf niet meteen antwoord. 'Ik hou niet van dat hoffelijke gedoe – dat is de ridderlijke buitenkant van de tirannieke macho.'
'Dan betaal jij het volgende rondje toch?'
'Maakt ook niet uit.'
Toen ik terugkwam met de bestelling stond er een vrouw met haar ellebogen op ons tafeltje geleund vertrouwelijk met Milena te praten. Ik bleef even staan om naar haar doorzichtige zwarte kousen te kijken die tot vlak boven de knie kwamen en vol ladders en scheuren zaten, en naar de geelgeruite minikilt die haar billen bijna helemaal bedekte.
'Jeremy, dit is mijn zusje Violet. Vile – Jeremy.'
Violet rechtte haar tors. 'Ja, ik heb jou wel eens gezien, geloof ik. Jij ging toch met Sabrine?' Ze had een langoureuze stem, het vocale equivalent van een verveeld schouderophalen, en een licht accent, net als haar zusje. Ik zag ook een uiterlijke gelijkenis – afgezien van de bleke lijkenlook en de neus, te klein en volmaakt, het neusje van een plastic pop, met een drietal zilveren ringetjes erdoor. Ik had haar ook wel eens gezien.
'Ja, vroeger,' zei ik en ik deed mijn best om dezelfde toon vast te houden. 'Ken je haar dan?'
'Ik ken Bonze.'
Luc (of 'Bonze', zoals hij werd genoemd) was een skinhead uit

Frankrijk die korte tijd als nachtportier in mijn vroegere flatgebouw had gewerkt. 'O ja? Is die nog in het land? Ik dacht dat hij uitgezet was.'

'Bonze krijgen ze nooit te pakken, die is cool, die...'

'Is een neonazi,' zei Milena.

'...woont nu met Sabrine,' zei Vile. 'En de baby. Maar dat eh, dat weet je natuurlijk allemaal al.'

Dus de laatste keer dat ik met Sabrine naar bed was geweest, klopten er al twee harten in haar. Ik zuchtte. 'Ja, ik... ik ben verhuisd, ik... ben verhuisd.'

'Wel lullig voor je zeker.'

Het was een schok, maar een gezonde: Sabrine en ik gingen samen ten onder, we zonken als bakstenen. 'Een beetje wel, ja.'

'Waar woon je nu?'

'In de Rue Valjoie,' zei Milena ernstig. 'Naast Denny.'

'O, dan is dit die jongen waar je... het eh... over had.' Vile keek me met half dichtgeknepen ogen aan.

Er viel een loodzware stilte. Ik wilde dolgraag meer over Denny weten, maar ik durfde niets te vragen. Ik wierp steelse blikken op Vile, op haar zwart omrande kattenogen, haar zwart omrande lippen en haar witte ovale gezicht. Haar haar, met veel moeite in de war gebracht en vlammend oranje, verhulde een groot gedeelte ervan.

'Daar is hij, ik ben weg,' zei Vile. 'Was leuk. Ciao Milly. Ciao hoe heet je.' Met haar zwarte legerlaarzen stampte ze naar Max Snelheid, die haar negeerde.

Milly? Heette Milena Milly? *Wanneer gaan we trouwen, Milly, en word jij mijn vrouw? Wanneer gaan we samen slapen, ik naast jou?* De stilte duurde voort. Ik keek zijdelings naar de teringachtige charmes en het onmogelijk korte rokje van Vile. Ik keek naar Milena, die mij in de gaten hield. Ik was vastbesloten niet over mijn leven met Sabrine of over het hare met Denny te beginnen.

'Denny was een vriend – een vriend van ons die zich een paar weken geleden heeft opgehangen,' zei Milena, die mijn inwendige stemmen kennelijk had afgeluisterd. 'Ik heb hem gevonden.'

WANHOOPSSTRATEGIE: WAS TRIEST, HANG OE OP! 'O god... wat... wat erg. Wat zal dat... ik weet niet... heel...'

'Ja.'

'God. Dus daarom was de politie daar van de week.'

Milena's gezicht betrok. 'Dat denk ik wel. Ik ben zo terug.' Ze liep naar het Max-Vile-tafeltje en fluisterde haar zusje iets in haar oor. Daarna werden er nog op normale afstand een paar zinnen gewisseld, gevolgd door een pakje sigaretten en een klein plastic flesje.

'Maar laten we het over iets anders hebben,' zei Milena toen ze weer was gaan zitten. 'Waar kom je vandaan?'

Dat wilde ik ook net vragen. 'Oorspronkelijk uit York, en daarna Toronto. En jij?'

Milena maakte het verse pakje sigaretten open en stak er in dezelfde vloeiende beweging eentje in haar mond. Ze begon in haar rugzak te rommelen en fronste.

'Dat mijn vuur maar aanstekelijk mag zijn, Milena.' Ik streek een lucifer aan uit het mapje waarop Milena haar telefoonnummer had geschreven. Ze keek even hoe het vlammetje oprukte naar mijn vinger voordat ze zich ernaartoe boog.

'Ik dacht dat jij niet rookte,' zei ze terwijl ze een rookpluim uitblies.

'Dat klopt.'

'O, je bent gewoon op alles voorbereid, als een echte padvinder. Dan kun je altijd een dame in nood te hulp schieten.'

'Precies.'

'Volgens mij ben jij echt zo'n misleide romanticus – dat is niet kwaad bedoeld, hoor.'

Het was duidelijk wél kwaad bedoeld. 'Misleid?'

'Jij wordt waarschijnlijk om de haverklap verliefd.'

'Niet om de haverklap.'

Milena glimlachte toegeeflijk en inhaleerde zo diep dat haar sigaret meteen voor eenderde op was. 'Waarom zitten we hier eigenlijk?' vroeg ze en haar woorden dreven haar mond uit op een sliert rook.

Hoezo? Dit ging toch van jou uit, jij hebt me nota bene dat briefje geschreven. 'Hoezo?' vroeg ik.

'Nou, waar heb ik al die... avances aan verdiend? Ik vraag het me gewoon af hoor, ik bedoel er niets vervelends mee.'

Ik moest even nadenken over een goed antwoord. Er kwam niets.

'Waarschijnlijk doordat je er niet je best voor doet. Ik weet niet, ik heb nog nooit iemand als jij gezien – ontmoet – echt. Je bent uniek. En dat heb ik nog nooit tegen iemand gezegd. Nee, ik meen het. Je hebt iets in je ogen... je ziet eruit alsof je... verborgen diepten hebt, iets mysterieus of zo.'

Er speelde een glimlach om Milena's lippen. '"Verborgen diepten, iets mysterieus of zo"?'

'Iets gecompliceerds, iets moeilijks, iets neurotisch. Interessant neurotisch. Alsof je over belangrijke informatie beschikt of een duister geheim bezit.'

Milena lachte. 'Alle vrouwen bezitten duistere geheimen. Wie zei dat ook alweer, dat een meisje van vijftien meer geheimen heeft dan een oude man, en een vrouw van dertig meer dan een staatshoofd? Dat klinkt wel een beetje masochistisch als je daarop valt.'

'Waarom heb je me dat briefje geschreven?'

Er verstreken enkele seconden. Milena tikte haar sigaret onnodig af boven de asbak. 'Ik weet niet. Zo veel knapheid kon ik waarschijnlijk niet weerstaan. En ik had beloofd dat ik je zou bellen. En je geeft les – daar zal ik wel van onder de indruk zijn geweest. Waarschijnlijk kreeg ik daardoor het gevoel dat ik je nog iets schuldig was, dat je me huiswerk had opgegeven of zo.'

Ik lachte. En keek toen in mijn glas. Knapheid? Had ze dat echt gezegd? Is ze soms bijziend? Ik nam een slok. 'Hoe weet je dat ik lesgeef?'

'Van Arielle. Die liep ik gistermiddag tegen het lijf. Ze vroeg of ik je nog had gezien. Ik zei dat ik je telefoonnummer kwijt was en toen zei zij dat ik je een briefje moest schrijven en dat ze je die avond op college zag.'

'O.' Dat nam de glans wel een beetje weg: Arielle wilde het ijzer kennelijk smeden als het heet was – ze had haar gewoon opgestookt. God moge het haar lonen. 'Studeer je?' vroeg ik.

'Nee. Dat heb je al gevraagd. Ik heb niet eens eindexamen gedaan. Heb jij broers en zussen?'

Ik lachte. 'Wil je dat echt weten?'

Milena glimlachte. 'Ja, tenzij het een duister geheim is.'

'Ik ben enig kind.'

'O ja? Ik vind mijn zusje ook een enig kind.'

'Een kind? Maar...' ik aarzelde even, ik vermoedde dat ik een grap over het hoofd had gezien, '...is ze dan niet ouder dan jij?'

'Nee.'

'Jonger dan?'

'Heel goed.'

'Waren jullie met zijn tweetjes thuis?'

'Nee, ik had nog een zusje, maar die is doodgegaan toen ik nog heel jong was. Waar wonen jouw ouders?'

'Waaraan is ze doodgegaan?'

'Waar wonen je ouders?'

'Mijn moeder is al een paar jaar dood. Mijn stiefvader woont in Toronto. Mijn echte vader heb ik nooit gekend – die is al voor mijn geboorte weggegaan.'

'Wat naar voor je.' Milena's stem en gezicht werden zachter. Ik sloeg mijn ogen neer. Ik kon er nooit te lang bij stilstaan, bij die ouderlijke onderbezetting, zonder weg te zakken in zelfmedelijden. 'Jaja, ik ben "de bastaardzoon van York". *Koning Hendrik VI*, akte...'

'Dat valt zeker niet mee, om helemaal geen familie meer te hebben waar je terecht kunt, als allebei je ouders... er niet meer zijn. Als de laatste dood is ga je eindelijk je eigen sterfelijkheid accepteren, zeggen ze. Kun je goed met je stiefvader opschieten?'

Ik schudde mijn hoofd en krabde aan het etiket van mijn bierflesje. '"Jij bestaat alleen omdat je moeder onvoorzichtig is geweest," was een van de eerste dingen die Ralph tegen me zei, en dat ben ik nooit vergeten. Hij had eens uitgerekend wat ik in een week aan eten kostte, en als ik de auto had geleend, berekende hij de benzine en de olie die ik had verbruikt tot twee cijfers achter de komma. Ik weet niet, ik dacht altijd dat hij maar tijdelijk was, dat hij uiteindelijk wel weer zou oprotten, maar volgens mij dacht hij dat ook over mij. Hij was altijd té aanwezig, te volwassen – het leek wel alsof hij als groot mens was geboren, alsof hij zijn kindertijd helemaal vergeten was, als iemand met geheugenverlies. Zijn fantasie, als je bij hem al van fantasie kon spreken, was bijna niet wakker te krijgen... Verveel ik je?' Milena keek in de richting van Max.

'Nee, sorry, ik... vind het heel boeiend. Waar hebben we onze held achtergelaten?'

'Bij zijn boze stiefvader, geloof ik. Mijn oom was eigenlijk meer een vader voor me. Die had pas fantasie. Ralph kon hem niet uitstaan, daarom zijn we verhuisd. Tenminste, zo zag ik het.'

'En je moeder?'

'Wat is daarmee?'

'Wat vond die ervan?'

'Van oom Gerard? Ach, na haar huwelijk ging ze gewoon mee met haar man, denk ik. Maar ze zei eigenlijk nooit zoveel over Gerard, ze leek het onderwerp altijd uit de weg te gaan, al heeft ze wel eens gezegd dat ze hem opeens niet meer vertrouwde, ik heb geen idee waarom.'

'Leeft Gerard nog?'

'Nou en of.'

'Wat doet hij?'

'Hij leeft van zijn slimheid.'

'Hoe bedoel je?'

'Hij is oplichter.'

Milena glimlachte.

'En gokker.'

Milena's glimlach verdween. 'Wat is dat toch, godverdomme, iedereen met wie ik te maken krijg...' Ze sloot haar ogen en haalde diep adem. 'Nou ja, ik heb niet met hem te maken.' Ze begon aan het etiket van haar bierflesje te krabben. 'En dat zal ook nooit gebeuren.' Milena's stemming en houding waren veranderd, net als de keer dat ik met die lootjes thuiskwam.

'Milena, wat is er? Vind je het zo erg dat...'

'Sorry. Vertel nog eens wat over je moeder. Wat was het voor iemand?'

'Gerard is eigenlijk niet zo'n typische gokker...'

'Wat was je moeder voor iemand?'

'Ik hoop zelfs dat je hem ooit eens leert kennen.' Ik keek Milena strak aan en deed mijn best oogcontact te krijgen, maar haar ogen brandden een gat in het pakje sigaretten dat ze in haar handen ronddraaide. Wat heb je toch tegen gokken? vroeg ik me af. Is dat erger dan andere manieren om geld te verdienen – de commercie bijvoorbeeld, of de beurs? 'Milena, wat heb je tegen...' Een inwendige stem en de uitdrukking op Milena's gezicht zeiden me dat ik erover op moest houden, over iets anders beginnen, en snel ook.

Wat vroeg ze ook alweer? 'Wat mijn moeder voor iemand was? De mooiste vrouw die ik ooit heb gezien.'

Milena sloeg haar ogen naar me op.

'Afgezien van jou. Ze was in een heleboel opzichten mooi. De manier waarop ze je omhelsde bijvoorbeeld, haar zachtheid, haar aanraking... daar droom ik nog steeds van. En ze was ongelooflijk attent, ze dacht altijd het eerst aan een ander, zoals je eigenlijk nooit meer ziet, tenminste niet bij onze generatie. En ze kláágde nooit. Wat kan ik nog meer zeggen? Ze had weinig opleiding maar veel innerlijke beschaving en een bijzondere natuurlijke gratie. Net als jij, Milena.'

Milena sloeg haar ogen weer neer en deed het deksel van haar pakje sigaretten open en dicht.

'Ze was actrice – voornamelijk amateurwerk – voordat ze mij kreeg, en om de een of andere reden heeft ze dat later nooit meer opgepakt. Ralph moedigde het al helemaal niet aan, waarschijnlijk omdat ze Gerard via het toneel had leren kennen. En zij voegde zich altijd naar haar man – daar ergerde ik me wild aan. Heel ironisch eigenlijk, want haar moeder was suffragette.'

'Haar móeder was suffragette? Een echte?'

Ik had mijn informatie van Gerard, dus waarschijnlijk was het niet waar. 'Ja, of haar grootmoeder.'

'Verbijsterend, wat cool zeg. Ga door.'

'Mijn moeder had iets... droevigs, ik heb nooit goed begrepen wat. Ik heb altijd gedacht dat het iets met Gerard te maken had, een geheim over hem, over hen samen, ik weet niet. Ze was soms een beetje vaag, alsof ze op een andere planeet zat – dan vertelde je iets en midden in een zin begon ze dan opeens te zingen of zachtjes te neuriën. Daar kon ze je nogal mee van je apropos brengen. Maar meestal was er niets aan de hand. En ze was altijd – ik kan me niet één uitzondering herinneren – fantastisch lief en zacht en genereus. Ik mis haar heel erg. Ik geloof dat ik nooit over haar dood heen ben gekomen.'

'Waar is ze aan overleden?'

'Dat heeft mijn stiefvader op zijn geweten.'

'Heeft je stiefvader...'

'Een auto-ongeluk.'

'Bedoel je dat het zijn schuld was?'
'Een tweebaansweg, een busje met een stel jongens kwam op onze weghelft en knalde frontaal tegen ons aan.'
'Een ongeluk dus.'
'Tja. En jouw ouders? Vertel eens...'
'Wat doceer je?'
'Je hebt nog niet één van mijn vragen beantwoord.'
'We hebben het nu nog niet over mij.'
'V.C.'
'Wat is dat in godsnaam?'
'Vergelijkende Cultuurwetenschappen. Dat is het vergelijken van verschillende cultuuruitingen, en van de ene cultuur met de andere, of een kunstvorm met een niet-artistieke discipline. Voornamelijk gelul.'
Milena knikte, maar gaf geen commentaar.
'En waar hou jij je mee bezig?' vroeg ik.
'Ik ben nog niet met jou klaar. En ik heb de pest aan dat soort vragen. Waarom ben je hiernaartoe gekomen?'
'Naar deze buurt of naar deze provincie?'
'Ja.'
Ik ben naar deze buurt gekomen vanwege jou, omdat de Bladzijde en mijn gelukkige gesternte me naar jou hebben geleid. 'Ik weet niet waarom ik naar deze buurt ben gekomen.'
'En deze provincie?'
Dat had Gerard me ook eens gevraagd. Ik weet niet meer wat ik toen heb geantwoord, maar ik weet nog wel dat hij het een goed idee vond, omdat Quebec het laagste huwelijkscijfer van de hele westerse wereld had. 'Ik heb deze provincie gekozen omdat ze Franstalig is,' zei ik ten slotte.
Milena keek me aan in afwachting van een nadere verklaring, misschien teleurgesteld door mijn antwoord. Ik had een grootsere reden moeten aanvoeren, meer ideologisch, poëtisch.
'Ik hou zo van de sneeuw hier,' voegde ik er mijmerend aan toe. 'Het wasmiddel van de natuur dat de vlekken van het leven wegbleekt...'
Daarop sloeg Milena dubbel van het lachen, waardoor ze een hoestbui kreeg, een diepe rokersblaf. Ze nam een slokje bier, dronk

toen haar glas in twee teugen leeg en veegde haar mond af met haar mouw.

'Dus jij bent hier door je ouders terechtgekomen?' veranderde ik van onderwerp.

'Ja.'

Ik knikte. Lange stilte. Milena laat zich niet makkelijk interviewen.

'Wat is je sterrenbeeld?' vroeg ik.

'Rot op,' was het welluidende antwoord. 'Astrologie is gelul.' Er verscheen als bij toverslag een nieuwe sigaret tussen haar vingers, die ze aanstak met de vorige, waarvan alleen nog een smeulende filter over was. Milena rookte haar sigaretten grondig op – en snel, alsof het om een toernooi ging. Ik bestudeerde haar nader: het haar in de nek bijeengebonden, donkere kringen onder de ogen, weinig of geen make-up.

'Zit niet zo naar me te kijken,' zei ze scherp.

We zaten zwijgend naar een nummer met veel ruis van Edith Piaf te luisteren. Dit kon niet erger, dacht ik, ze verveelt zich dood, hierna zien we elkaar nooit meer.

'Wil je nog een biertje?' Milena greep over tafel naar mijn flesje om het etiket te bekijken, dat ik in mijn zenuwen aan flarden had gekrabd.

Ik keek hoe ze als een zwaan naar de bar gleed, in gebarentaal iets tegen de barkeeper zei en in de Femmes verdween. Ik dronk mijn bier op, krabde de rest van het etiket van het flesje en wierp een blik op mijn mood ring. Roodbruin. Ik keek naar Max en Violet, die mijn kant op leken te kijken en lachten. Toen ik knikte, keek Max dwars door me heen terwijl Violet aan haar oorlelletje trok en een reeks handbewegingen maakte alsof ik doofstom was. Wat was er toch? Ik keek achterom of ze tekens gaf aan iemand achter me.

'Godschristus,' zei Milena van de andere kant, zodat ik me met een ruk weer omdraaide. Ze zette, of liever knalde, twee flesjes bier op tafel.

'Wat is er?'

'Niks, gewoon een dronken klootzak.'

'Een oneerbaar voorstel?'

'Meer een oneerbaar achterstel eigenlijk. Hij wilde "me in mijn kont knijpen en me van achteren pakken", zei hij.'

Oneerbaar achterstel. Heel ad rem, heel slim. Waarom bedenk ik nou nooit zoiets? Ik wilde net nog iets vragen en de dronkelap voorstellen even naar buiten te gaan, toen het licht plotseling werd gedimd. Er gingen drie mannen op een tien centimeter hoog podium staan om ons na wat problemen met de apparatuur te trakteren op het soort muziek dat heel af en toe een soort melodie lijkt te worden. Volgens Milena heette het speed jazz of trash jazz, dat wist ze niet precies meer. 'Zullen we weggaan?' vroeg ze. Op weg naar de deur zwaaide ik aarzelend naar haar zus, die onderuitgezakt in haar stoel zat en niet terugzwaaide.

Op de Boulevard, waar Milena stilstond om nog een sigaret op te steken, vroeg ik of ze zou stoppen met roken als degene op wie ze verliefd was dat vroeg. Ze schaterde van het lachen alsof ik iets heel geestigs had gezegd. Ik lachte mee en vroeg me af wat ze nu zo komisch vond: het bespottelijke idee dat zij zou stoppen met roken of dat ze verliefd zou worden? 'Da's een goeie,' zei ze.

In volledig stilzwijgen liepen we naar de Dame de Pique en gingen nog steeds zwijgend zitten, maar stil was het niet, want alles dreunde van de luide muziek die alle woorden en gedachten verdrong. In kroegen ben ik nooit op mijn best, onder andere doordat ik moeite heb met mededelingen die je in elkaars oor moet schreeuwen, zonder modulatie of kleur. Bovendien schiet mijn stem, als ik schreeuw, in een register waarin maar weinig mensen me kunnen verstaan.

'Je zusje,' piepte ik, 'daarnet, zo vreemd...'

'Wat zeg je?'

'Je zusje! Die zat naar me te gesticuleren, een soort gebarentaal.'

Milena haalde haar schouders op, omdat ze me niet kon verstaan of omdat het haar niets kon schelen. 'Goed nummer vind ik dit!' antwoordde ze.

Ik luisterde even of ik het herkende. Ja. Een oud zelfmoordnummer van de Blue Oyster Cult. 'Ik ben zo terug!' zei ik.

Toen ik de wc-deur openduwde, daartoe uitgenodigd door een Frans opschrift met spelfouten, duwde ik opeens in de lucht en bijna in het gezicht van degene die net naar buiten kwam – een man die een oppervlakkige gelijkenis vertoonde met Leonard Cohen, die hier vroeger in de buurt woonde. Toen ik terugkwam aan ons tafeltje zei ik tegen Milena dat ik bijna het gezicht van Leonard Cohen had ingeduwd en dat ik in dezelfde pisbak had geplast als hij.

'Goh, wat ben ik nou onder de indruk,' antwoordde ze.

'Vind je hem niet leuk? Ik dacht dat alle vrouwen verliefd op hem waren. Arielle tenminste wel.'

'Moet ik soms onder de indruk zijn omdat jij je urine met de zijne hebt vermengd?'

'Ik zit heus niet op te scheppen dat…'

'Ik ben niet kapot van 'm, nee. Een paar jaar geleden heb ik als kerstcadeau een bundel gedichten van hem gekregen.'

'Waardeloos?'

'Er was er eentje bij dat ongeveer zo ging: "Pas toen je je omdraaide om weg te gaan, besefte ik dat je een meesterwerk meenam – je kont. Het spijt me dat ik me niet heb laten verleiden door je gezicht of je woorden."' Milena wachtte even om iets tussen haar tanden uit te halen. 'Dat vat alle mannen die ik tot dusver heb ontmoet wel zowat samen.'

Daar dacht ik even over na terwijl de serveerster onze bestelling bracht en Milena's asbak voor een schone verwisselde.

'Gebruik je drugs?' vroeg Milena ineens, waarschijnlijk doordat ze aan de suiker en cafeïne dacht die weldra door haar aderen zouden vloeien. Net als de mensen in Parijs deed Milena overdadig veel suikerklontjes in haar koffie, ook nadat het verzadigingspunt allang was bereikt.

'Een enkel keertje. Niet vaak.'

'Je lijkt me veel te gematigd om gevaarlijke dingen te doen,' merkte ze op en ze gaf de serveerster te veel fooi.

Wat zeg je nou? Watte? Gemátigd? Wat mag dat wel betekenen? Is dat neerbuigend bedoeld? Heeft ze soms met Jacques gepraat? 'En jij?' vroeg ik.

'Ik gebruik niets. Niet meer.'

Ik wachtte tot ze doorging, maar ze zei niets meer en keek ook niet naar mij, maar naar het tafeltje achter me. Ik dacht aan wat Jacques over haar had gezegd. Een hele minuut verstreek.

'Hoe heette je zusje?' vroeg ik, om over iets heel anders te beginnen. 'Je overleden zusje?'

Milena trok haar wenkbrauwen op. 'Bernadette. Hoezo?'

'Bernadette? Echt waar? Dan heb ik haar gekend, geloof ik. En ik geloof dat ik Violet toen ook heb ontmoet. In York. Bernadette was twaalf, we hebben gekaart en witte wijn gedronken...'

'Volgens mij heb je de verkeerde...'

'...en strippoker gespeeld en... Vile kwam er de hele tijd tussen en jullie hond Crab was er ook bij...'

'Wij hebben nooit een hond gehad die Crab heette. Je hebt het over iemand anders.'

Ik zuchtte. 'Hoe heet jij dan van je achternaam?'

'Modjeska.'

'Modjeska? Welke nationaliteit heb je?'

'De Canadese. Al heb ik wel een paar jaar in Ierland gewoond. Van mijn vijfde tot mijn twaalfde.'

'Ierland? Wou je beweren dat Modjeska Iers is? Wat deed je in Ierland?'

'Mijn moeder vond dat ik bij haar moest blijven.'

'Nee, ik bedoel... Hoe vond je het daar?'

'Het waren de beste jaren van mijn leven. En zo best waren ze niet.'

Ik knikte en nam een slokje van mijn filterkoffie. 'Dus je ouders komen uit Ierland?'

Milena zuchtte alsof ze het moe was het hele verhaal weer te moeten vertellen. 'Nee. Mijn moeder kwam uit India, mijn vader was Tsjech. Ja, heel verwarrend, ik weet het. Luister goed, want ik vertel het niet nog eens. Mijn moeder emigreerde naar Canada, mijn vader emigreerde naar Ierland, tenminste, daar kwam hij terecht. Mijn moeder ging met haar Canadese vriend met vakantie naar Ierland, ontmoette mijn vader en dumpte haar vriendje.' Milena wachtte even en haalde wat spullen uit haar rugzak, waaronder een kromgebogen sigaret. 'God mag weten wat die twee met elkaar gemeen hadden – misschien hun dialecten, want die lagen niet zo ver uit elkaar.'

'Niet zo ver uit elkaar – Tsjechisch en Hindi?'

Ze stak haar sigaret op en wapperde de lucifer uit. 'Nee. Rom en Sanskriet. Mijn vader is een Roma en mijn moeder was een Banjara.'

‘Roma en Banjara? Zigeuners, bedoel je?’

Milena knikte. ‘Ja, geloof het of niet. Al gebruikten zij dat woord nooit.’

‘Niet te geloven. En hoe kwam je vader dan in Ierland terecht?’

‘Hij is uit zijn stam gezet. Hij had vrienden in Ierland. Maar goed, ze zijn in Canada getrouwd, hebben ons gekregen en zijn toen met ons weer naar Ierland gegaan. En toen gebeurde er iets raars, waardoor alles veranderde. De mannen – mijn vader en de ex-vriend van mijn moeder – kwamen elkaar in Ierland weer tegen. Mijn moeder dacht dat ze elkaar zouden afmaken, dus gingen we terug naar Canada.’

Dat moest ik even tot me laten doordringen. ‘En dat was de laatste keer dat die twee elkaar zagen? In Ierland?’

‘Nee. Een jaar later kwamen ze elkaar in Canada weer tegen.’

‘En toen brak de pleuris uit?’

‘Nee, ze werden dikke vrienden. Drinkmaatjes. Ze zijn allebei alcoholist.’ Milena’s gezicht betrok.

‘Woont hij... wonen je ouders hier nog?’

‘Mijn moeder is jaren geleden overleden. En waar mijn vader is weet ik niet precies.’ Seconden verstreken. ‘Hij is nooit ver weg.’

‘Mijn moeder is... ook dood,’ zei ik langzaam, plechtig, alsof die toevallige overeenkomst bol stond van betekenis.

‘Weet ik, dat zei je al.’

‘Ja. Dus als ik het goed begrijp kun je niet met je vader opschieten.’

‘Heel slim.’

‘Waarom niet?’

Milena bleef zwijgen en tikte een denkbeeldig kegeltje as af. Ik bevond me weer op verboden terrein.

‘En die vriend van je vader?’ vroeg ik. ‘Die ex van je moeder. Is die er nog?’

‘Denny? Die is dood. Hij woonde naast jou. Ik heb hem gevonden, aan een touw in een kast. Verder nog vragen? Laten we weggaan, ik ben moe, ik ga naar huis.’

10

'Dood aan een ieder die niet lacht!'

– *Shaka*

Twee slapeloze nachten later, na die nogal matige generale repetitie, gaat het doek weer op en zien we dezelfde twee personages: ik, die 's avonds doelloos en in gedachten verzonken door het park loop, en Milena, die wijdbeens boven op een picknicktafel een sigaret zit te roken en naar de grond kijkt.

Ik wreef bijna in mijn ogen van ongeloof. 'Milena! Wat doe jij hier?'

'Klavertjesvier zoeken natuurlijk. Wat dacht je dan?'

'Woon je hier in de buurt?'

'Daar.' Ze knikte in de richting van een mooi natuurstenen huis aan de overkant van het park dat wel een verfje en een opknapbeurt kon gebruiken.

'Vind je het niet eng om 's avonds laat in het park te zitten?'

'Jawel, maar ik doe het toch. En jij? Vind jij het niet eng om in het donker rond te lopen?'

'Het begint al te wennen. Waar woon je?'

'Dat heb je al gevraagd.'

'Wat is dat voor een boek dat daar uit je tas steekt?'

'Gaat je niks aan.' Milena haalde een enorme paperback uit het voorvak van haar rugzak. 'Maar je mag het toch zien.' Ze stak het me toe, *Een bloemlezing uit de bantoeliteratuur.* 'Daar geef jij toch les in?'

'Nee.'

'Arielle zei dat je een serie colleges over Zuid-Afrikaanse literatuur gaf.'

'Ik heb een semester waargenomen voor iemand... maar dat was maar voor één groep.' Milena knikte. Ik geloof dat ze teleurgesteld was. 'Maar ik... ik weet er wel het een en ander van.'

'Ik heb een goede video over een paar bantoeschrijvers. Die heeft een vriend voor me opgenomen – Victor Toddley. Die ken je wel, geloof ik.'

Toddley. 'Ja. Aardige man. Heb je zin om die video nu te gaan bekijken?'

'Nee, nu niet.'

'Echt niet?'

'Echt niet. Ik heb trouwens geen video.'

'Ga die band dan halen, dan kijken we bij mij.' Ik keek op mijn horloge. 'De nacht is nog jong, die heeft nog een heel leven voor zich. Het is nog niet eens twaalf uur.'

'Nee, toch maar niet.'

'Kom op, dat is toch leuk? Ik maak een fles champagne open – dan drinken we sterretjes. Wie weet vergaat de wereld wel vannacht.'

Milena glimlachte bleekjes. 'Lijkt me niet zo'n goed idee.'

'Nou goed, dan niet.'

Milena inspecteerde het blad van de picknicktafel als een entomoloog die de gangen van een insect volgt. 'Nou goed,' zei ze ten slotte, na een geeuw. 'Maar je moet buiten wachten terwijl ik de band haal.'

We liepen om Milena's huis heen, een donker steegje in, waar de benzinelucht met de stank van rottend vuilnis om de voorrang streed. Daar bleef ik staan wachten terwijl Milena over het hek klom. Door de latjes zag ik hoe ze met twee treden tegelijk de brandtrap op rende, bovenaan stilstond en toen een raampje openwrikte. Het licht in haar kamer was aan.

'Ga naar de voordeur,' riep ze me toe. Daarna klom ze door het raam.

Ik liep naar de voordeur en wachtte. Waarom moest ik buiten wachten? Wie of wat verbergt ze? Waarom klimt ze door het raam? Ik keek omhoog, naar het raam waarvan ik dacht dat het wel van haar slaapkamer zou zijn. Zou ze een touwladder van het balkon van haar kasteeltoren laten zakken?

Aan de overkant stopte een auto en de koplampen verlichtten een man met een lichte deukhoed, die tegen een boom geleund naar me stond te kijken. Hij kwam me griezelig bekend voor. Ik schrok op van een krakend geluid: de voordeur ging open en Milena kwam naar buiten. Ze had een donker vest aan met fonkelende glazen knoopjes, die mijn aandacht trokken, niet door hun getwinkel maar omdat ze in de verkeerde knoopsgaten zaten.

'Ik laat ze altijd binnen liggen,' zei ze en ze zwaaide met een sleutelketting voor mijn gezicht. 'Fuck, ik kan net zo goed de deur wagenwijd open laten staan – kom maar binnen, open huis, bedien jezelf. Er valt toch niets te jatten. Niet meer althans.'

'Is er ingebroken?'

'Een paar maanden geleden kwam ik thuis en was de boel leeg. Al mijn boeken, al mijn kleren waren weg – verder bezat ik niet veel.'

'Shit. Zo te horen heb je een lekker jaar achter de rug.'

'Nou, geweldig.'

'Zie je die kerel die daar naar ons staat te kijken?' Toen ik wees, verdween het hoofd met de hoed achter de boom als een schildpaddenkop in zijn schild.

'Ja. Kom, we gaan.'

Ik nam een omweg naar mijn huis, door twee steegjes; Milena keek me eerst argwanend aan en bleef toen een eindje achter me lopen. Zonder iets te zeggen liepen we langs lichte en donkere stukken en onze lange schaduwen stroomden voor ons uit. Bij een door een gele stormlamp verlichte muur bleef ik staan en wees de rode, met de spuitbus aangebrachte graffiti aan: OORLOG IS MENSTRUATIENIJD. Milena knikte. In gespannen stilte liepen we verder. Ze heeft er spijt van, zei ik bij mezelf, ze heeft er nu al spijt van.

Terwijl we mijn thuisbasis naderden ratelde ik aan één stuk door om haar gedachten af te leiden van het huis naast me. Ik praatte over intergalactische geluiden, een nieuwe cyberwasmachine, de veranderde huisvuilophaaldagen. Ik stond beneden en boven met het slot te schutteren en tobde er ondertussen over of Milena in gedachten bij mijn dode buurman was. Binnen, in de huiskamer, vroeg ik haar na een blik in de spiegel of het wel goed met haar ging.

'Prima. Waarom vraag je dat?'

'Zomaar, ik dacht dat je misschien... laat maar.'

'Denny, als je dat soms bedoelt, was een hufter. Ik mis hem totaal niet – ik kon hem niet uitstaan. Waar hij nu is, zit hij best.'

Ik wist niet wat ik daarop moest zeggen. Wat zou het meest passend zijn? 'Wil je iets drinken?' vroeg ik.

'Heel graag.'

'Champagne?'

'Zeker om het fantastische jaar te vieren dat ik achter de rug heb? Ik geloof dat ik nog nooit champagne heb gedronken.'

'Reden temeer.' Ik dribbelde naar de keuken en kwam terug met de fles en twee glazen. En een polaroidcamera. 'Drinken wij dan uit schuimende bokalen op 't heil van de godin Fortuna,' zei ik Gerard na. Ik hief de camera om een foto van haar te maken.

Milena stak als een verkeersagent haar hand omhoog. 'Je waagt het niet. Jeremy, doe die camera weg! Ik meen het.'

'Hoezo, wat heb je tegen een...'

'Doe nou maar gewoon die fucking camera weg, oké? En doe dit nóóit meer. Hou nooit meer een camera voor mijn gezicht zonder het eerst te vragen, begrepen?'

'Ja hoor, prima. Sorry.' Jezus Christus, wat had die opeens? De staande klok tikte de seconden weg terwijl ik me zat op te vreten en Milena naar de bewegende slinger keek. 'Milena, ik begrijp niet wat...'

'Je hoeft het ook niet te begrijpen. Het is al later dan ik dacht. Ik moest maar eens gaan.'

'Die klok... loopt een beetje voor. Maar als je weg wilt...'

Milena keek naar de grond, beet op haar lip, leek te aarzelen. 'Ja, sorry... dat humeur van me, dat is een van de vele dingen waar ik iets aan moet doen.'

We keken nu allebei naar de slinger, alsof we gehypnotiseerd waren. Toen keek ze de kamer rond en haar ogen bleven even rusten op mijn buste van Shakespeare, mijn zoeloemasker en mijn miniaturen uit *Shakuntala*, en op een foto van mijn moeder waarvoor ik haar met een trucje aan het lachen had gekregen door een krankzinnige balletsprong te maken, en ten slotte op de champagneflûtes die voor haar stonden. 'God, je bent van alle gemakken voorzien. Wat burgerlijk.'

‘Een cadeautje van mijn oom. Wil je liever uit de fles drinken?’

‘Maakt me helemaal niks uit.’

‘Proost.’

‘*Baxt, sastimus*. Geluk en gezondheid.’

Nadat we hadden geklonken en een slokje hadden genomen, zei ik: ‘Een vriend van me zei laatst, terecht vond ik, dat vrouwen altijd een onbeholpen indruk maken als ze uit de fles drinken.’ Dat was een opmerking van Jacques.

‘En wat bedoel je daarmee?’

‘Niks. Vind je dat seksistisch?’

‘Ja. En ook nogal generaliserend, vind je niet? Geef eens aan.’

Milena greep de fles en goot met haar linkerhand buitengewoon behendig een slok naar binnen. Toen gaf ze me de fles weer terug. Ik nam een ferme, mannelijke slok en veegde de champagne van mijn kin en hals.

‘Dat deed ik expres,’ sputterde ik. ‘Goed, er zijn misschien uitzonderingen. Ik zou ook kunnen zeggen dat mannen in het algemeen onbeholpener dansen dan vrouwen. Is dat seksistisch?’

‘Ik zeg alleen dat het subjectief is en dat het generalisaties zijn. En je weet waarschijnlijk wel wat Blake over generalisaties zei.’

Ik knikte. Ik zou het straks wel opzoeken.

‘Heb je er nog meer, vertel eens?’ vroeg Milena. ‘Als je zegt dat mannen denken en vrouwen voelen, of dat mannen werken en vrouwen wenen…’

‘Vrouwen houden meer van ijs dan mannen.’

‘O god.’

‘Het is zo – ga maar eens een ijssalon in en kijk zelf naar de verhoudingen. En de mannen die er zitten, zijn door hun vrouwen meegesleept.’

‘Hún vrouwen?’

‘Je snapt wel wat ik bedoel.’

‘Wat wou je daar nou mee zeggen, dat vrouwen…’

‘Ik wou er helemaal niets mee zeggen. Het is niet goed en niet slecht, gewoon een onschuldige opmerking. O ja, en vrouwen houden ook meer van aardbeien dan mannen. En van kruidenthee en van warmte…’

‘Van warmte? Houden mannen dan van kou?’

'...en jongens houden minder van lolly's...'

'Kom op zeg...'

'In elk geval zuigen ze er niet echt op – ze kauwen ze fijn. Ze houden niet van zo'n stokje dat uit hun mond hangt. Maar meisjes zuigen er graag op.'

'Dat is een denkfout.'

Ik keek even of ze soms een grapje maakte. Zo te zien niet. 'Misschien,' zei ik.

'Jongens zuigen ook graag,' zei ze.

'Woordspelingen zijn iets typisch vrouwelijks, volgens Empson.'

'Wat? Woordspelingen, iets typisch vrouwelijks? Wie is dat, die Empson? Wat een gelul.'

'Vrouwen gaan vaker naar waarzeggers dan mannen.'

'Hoe kom je aan al die informatie? Is dat wetenschappelijk bewezen of zo?'

'Vrouwen houden meer van katten dan mannen.'

'Dat zou kunnen,' zei Milena, 'en daar is ook een reden voor.'

'Nou?'

'Vrouwen hebben geen behoefte om te domineren – ze vinden het niet erg dat katten zich niet laten commanderen, mensen niet naar de ogen zien of achternalopen en ze niet in hun gezicht likken als ze thuiskomen. Dichters houden van katten, soldaten van honden.'

'Dat is een generalisatie. Vrouwen gebruiken ook meer bijvoeglijke constructies dan mannen. En dat is gedocumenteerd.'

'Wat bedoel je?'

'Nou, "verbijsterend prachtig", "onvoorstelbaar stom", "ongelooflijk gelukkig", "obsceen..."'

'Ja, ik snap wat je bedoelt. Van wie is die conclusie?'

'Daar is onderzoek naar gedaan.'

'Daar is onderzoek naar gedaan. Volstrekt belachelijk.'

'Vrouwen gebruiken ook meer uitroeptekens.'

'Doe me een lol zeg! Als dat al zo is, dan komt dat omdat wij moeten schreeuwen om gehoord te worden. Omdat mannen steeds dover worden. En dat geldt ook voor die bijvoeglijke constructies. Om de woorden kracht bij te zetten. Dus. En? Wat wil je daar nou eigenlijk mee zeggen?'

'Ik wil er helemaal niets mee zeggen. Het is gewoon, weet ik veel, interessant. Laat maar zitten.'

'Dat zal ik zeker doen.' Milena kreeg een wat straatvechterige, strijdlustige uitdrukking op haar gezicht en haar ogen schoten vuur, alsof ik iets nog onacceptabelers dan kindermoord op mijn geweten had. Dit ging niet goed.

Maar dat kan verkeren, niet? Na haar tweede en derde glas champagne en in de ban van mijn verheven geest begon Milena zich te ontspannen. Ze trok zelfs haar laarsjes uit.

'Leuk huis,' zei ze terwijl ze om zich heen keek. 'De eerste keer was dat me niet echt opgevallen.'

'Bedankt.' Ik beschreef hoe het eruitzag toen ik erin trok – 'Die mensen kakten op de vloer, in dezelfde kamer waar ze aten,' overdreef ik – maar Milena's sympathie leek bij de bosmensen uit de lagere breedtegraden te liggen. Ik vertelde ook over de sardientjeseter van aanzienlijke lengte die in mijn badkuip had geslapen, maar zelfs nadat ik het gevaar voor mezelf flink had aangedikt, maakte het verhaal niet de gewenste indruk.

'Naar de beschrijving te oordelen,' zei ze kalm, 'zou het een vriend van me kunnen zijn.'

'Kijk eens.' Ik overhandigde haar het wapen dat op de plaats des onheils was achtergelaten.

'Wat is daarmee?'

'Dat had hij bij zich, verstopt tussen zijn kleren.'

'Een Zwitsers zakmes. En mooi ook. Kurkentrekker, schaar.' Milena speelde met het mes en trok alle mesjes en elementjes uit met haar behendige, engelachtige harpistenvingers.

Ik zette de televisie aan, schoof de band erin en wilde net op 'play' drukken toen Milena zei: 'Wacht even.' Op Vermont ETV waren twee guereza's aan het paren – twee apen uit Zanzibar met lang, zijdeachtig zwart en wit haar.

'Ik ben een boek over primaten aan het lezen,' zei Milena. Terwijl zij over het boek vertelde, dat geschreven was door een feministe die van mening was dat wij veel van hun seksuele gewoonten konden leren, keken we naar twee copulerende guereza's. 'Zo heb ik onder andere geleerd,' zei Milena toen de daad ten einde was, 'dat de clitoris van een vrouwtjesspinaapje twee keer zo lang is als de penis van het mannetje.'

‘Echt? God, die zullen dan wel geen last van penisnijd hebben.’

‘Penisnijd bestaat alleen tussen mannen onderling.’

‘Mijn tante in Engeland had vroeger een aap. Ze had er nota bene een uit Guyana laten komen – in Zuid-Amerika.’

‘Ik weet waar Guyana ligt.’

‘Ik weet nog dat ze alleen een vrouwtje wilde, en ze heeft er zelfs een teruggestuurd omdat het een mannetje was.’

‘Waarom?’

‘Nou, ze beweerde dat mannetjes zich het grootste deel van de dag zitten af te rukken.’

‘Net als hun menselijke seksegenoten?’

‘Geloof jij dan dat mannen het vaker doen dan vrouwen?’

‘Dat weet ik niet. Maar als dat zo is, vind ik niet dat het gestigmatiseerd moet worden – misschien worden ze er wat rustiger van, raken ze hun agressie kwijt, of althans gedeeltelijk.’

‘Masturbatie heeft een slechte naam, hè?’

‘Ja, en ik hou er niet van dat het als metafoor wordt gebruikt voor slapheid of genotzucht of zoiets.’

‘Hoe vaak masturbeer jij?’ vroeg ik.

Milena zweeg en bestudeerde de belletjes in haar champagne. ‘Ongeveer evenveel als een vrouwtjesaap, denk ik.’

‘Hoe vaak heb je het afgelopen etmaal gemasturbeerd?’

‘Serieus?’

‘Ja.’

‘Niet.’

‘En de afgelopen achtenveertig uur?’

‘Niet.’

‘En de afgelopen week?’

‘Niet… zo doordrammen. En jij?’

De band moest teruggespoeld. Terwijl ik daarmee bezig was, zat Milena wat te zappen en bleef even kijken naar een zwartwitfilm van Truffaut uit de jaren zestig, toen vrouwen pronte punt-bh’s droegen. ‘Torpedotieten,’ zei Milena. Ik drukte op ‘play’, ging toen zo dicht bij Milena zitten als ik durfde en vroeg me af hoe haar borsten eruitzagen. De video, die *Grote bantoeschrijvers uit de jaren dertig* heette, was opnametechnisch van slechte kwaliteit en de eerste paar minuten ontbraken. Waarschijnlijk zonder het harnas van een bh. Er zaten interessante gedeelten in, om maar iets aardigs te zeggen, en Milena leek er met plezier naar te kijken. Niet pront en puntig in elk geval. Net toen mijn ogen pijn begonnen te doen van het opzij kijken, hoorde ik het woord Shaka. '*Shaka, machtige welp van Phunga en Xaba, gedragen op de schouders van de zon en gezoogd door de tedere maan zelf...*'

Shaka, wiens naam u zich misschien nog herinnert van de Bladzijde, was het voorwerp van een aantal 'lofzangen' uit die tijd. In North York had ik wat aantekeningen over de negentiende-eeuwse zoeloekoning gemaakt – zo'n zevenentwintig bladzijden – in mijn Boek der Zaterdagen. Het was een psychoot zoals je maar zelden tegenkomt.

'*...Shaka was zonder twijfel een van de grootste zoeloestamhoofden uit de geschiedenis – een briljant strateeg, de Bonaparte van Zuid-Afrika. Zijn manschappen aanbaden hem – als hij hun beval van een klip af te springen, deden ze dat onmiddellijk en zonder vragen. Een van zijn opmerkelijke innovaties in de krijgskunst was...*'

De krijgs*kunst.* Dat was toch niet het juiste woord. En waarom zou hij iemand vragen van een klip af te springen? Hij vroeg zijn volk ook wel eens te lachen, herinnerde ik me uit mijn aantekeningen. Als het aan het thuisfront of in de strijd niet goed ging, gaf Shaka iedereen bevel te lachen. Iedereen die dat niet deed, of niet overtuigend genoeg, werd geëxecuteerd.

'*...Vlakbij stonden de verrukte jonge vrouwen, als standbeelden, gekleed in de allerkortste zoeloerokjes en bereid een hartstochtelijke liefdesrelatie te beginnen met degene die door allen werd begeerd...*'

Shaka had volgens ooggetuigen een bijzonder kleine penis. Hij had ook zo'n duizend concubines, die hij in hutten gevangenhield, uit het gezicht en buiten het bereik van het gewone volk. Nakomelingen werden allemaal gedood.

'*Want zo groot was Shaka's kennis van het hart der vrouw...*'

En van haar andere organen. Een van zijn liefhebberijen was zwangere vrouwen opensnijden om de foetus te kunnen zien.

'*...dat tovermiddelen niet nodig waren...*'

Ook omwikkelde hij graag oudere vrouwen van vijandelijke stammen met stro om ze dan met een toorts in brand te steken en schuddend van het lachen te kijken hoe ze wegrenden.

'Uw naam zal voortleven, grote Shaka, voor eeuwig bewaard in de harten van alle generaties...'

Toen de video abrupt eindigde, vlak voor het eind van de documentaire, meende ik enkele afdoende professorale opmerkingen te moeten plaatsen. In plaats daarvan paste ik mijn favoriete collegetechniek toe: het water troebel maken en er wat namen in laten vallen.

'Wat die zoeloedichters en romanschrijvers doen,' begon ik, 'door Shaka de krijger als moedig en goddelijk voor te stellen – een heroïsche idealisering die weinig tot niets met de historische figuur te maken heeft – is in essentie het optrekken van een mythische structuur die... die eigenlijk weinig tot niets met de historische figuur te maken heeft... zoals ik al zei. Hier zien we de relevantie van de primitivistische vooronderstellingen van Rousseau. Rousseaus bijna fanatieke geloof in de natuurmens heeft volgens mij geleid tot een soort blinde bewondering voor de nobele wilde, die... hier denken we natuurlijk aan Defoe, en aan Diderot, en vooral ook aan Chateaubriand...'

Milena keek me recht aan. Ik keek weg, naar mijn mood ring: zwart. Moest ik nu niet mijn verlies nemen, stoppen nu het nog kon, toegeven dat ik totaal niet wist waar ik het over had?

'Omgekeerd heb je ook de lelijke, minderwaardige wilde, met in de Oudheid Polyfemos en bij Shakespeare Caliban als prototype. Johnson en Voltaire waren allebei antiprimitivistisch en... nou ja, tegenstanders van het primitivisme en...'

Als mijn betoog al een draad had, was ik die nu volledig kwijt. Dat kwam door Milena's strakke blik. Ik mompelde iets en vluchtte naar de badkamer. Toen ik terugkwam, met frisgeboend gezicht en gedeodoriseerde oksels, keek Milena me tussen de trekken van haar sigaret door een paar seconden aan.

'Goeie video,' zei ik. Ik keek de kamer door, beet op mijn nagels, leegde haar asbak, vulde haar glas, trok recht wat al recht was, vroeg of ze van Albert Brooks hield. Ze had nog nooit van hem gehoord. Ik zette *Defending Your Life* op. Na een kwartier dommelde ze weg. Ik keek naar de flikkerende beelden zonder dat er iets van tot me doordrong – psychische blindheid noemen ze dat – en dronk het restje wijn uit de ijskast op.

Na een aarzeling van schier hamletiaanse proporties legde ik mijn hand een paar centimeter van haar dij, maar trok hem toen snel terug. Ik kon het niet over mijn hart verkrijgen haar aan te raken. Ik bedacht voor de zoveelste keer dat ze totaal buiten mijn bereik lag en dat mijn krankzinnige dromen wel nooit in vervulling zouden gaan.

Nadat ik mijn wijn naar binnen had geklokt, waagde ik het een arm om haar schouder te leggen, zo licht als maar mogelijk was. Als door een adder gebeten schrok ze op. 'Sorry Milena, ik wilde je niet... niet wakker maken, ik... wil je hier vannacht blijven slapen?'

'Nee, ik moet weg.'

'O.'

'Ik hoop dat ik je geen verkeerde indruk heb gegeven.'

'Een verkeerde indruk? Waarvan?'

'Van... mezelf, wie ik ben. En over blijven slapen.'

'Natuurlijk niet.'

'Begrijp je 't?'

'Volkomen.'

'Ik moet nu weg.'

'Ik breng je naar huis.'

'Hoeft niet.'

Ik bracht haar thuis. De vogels zongen en het was al bijna licht toen we voor haar deur stonden. Onhandig probeerde ik haar lippen te kussen, waarbij mijn kus op haar oog terechtkwam. Ze bedankte me voor de champagne en zei dat ze me de volgende dag zou bellen. Ik knikte. Ik wist dat ze het niet zou doen.

11

'En gij, wanschapen Dick...'

– *Koning Hendrik* IV

De volgende dag kreeg ik even iets wat bekendstaat als 'een gevoel alsof je door de grond zakt', al was het in dit geval eerder een gevoel alsof je bungeejumpt met een kapot elastiek. Het had niets met Milena te maken. Het kwam doordat ik mijn agenda opensloeg en een rood kringetje om 6 oktober zag staan, de dag van de jaarlijkse docentenborrel van Vergelijkende Cultuurwetenschappen.

Het instituut voor Vergelijkende Cultuurwetenschappen, een bastaard van de oude instituten voor Vergelijkende Literatuurwetenschappen en Vergelijkende Filologie, later nog verrijkt met wat oud bloed van Filmstudies en Kunstgeschiedenis, telde zo'n slordige twintig hoogleraren en wetenschappelijk medewerkers, en 'slordig' is hier het toepasselijke woord. De najaarsborrel bood ons allemaal, vooral de gastdocenten en assistenten zoals ik, de kans de reet van de directeur te likken. Normaal gesproken vond het evenement plaats in de vergaderzaal voor docenten, maar dit jaar had de nieuwe directeur, Sobranet, besloten het *chez lui* te houden.

Ik wist wel dat ik dit een ander niet mocht aandoen, maar ik wist ook dat ik het niet in mijn eentje aankon – gedeeltelijk omdat gedeelde smart halve smart is, maar voornamelijk omdat ik tegen bepaalde collega's moest worden beschermd: in de eerste plaats tegen Daphne de Witt, deskundige op het gebied van Nederlandse kunst en literatuur en het privé-leven van iedereen die haar tamelijk brede pad kruiste; in de tweede plaats tegen Philippe Forget, zwoeger op het gebied van de folklore van Quebec en smoorverliefd op mij (dat dacht ik althans); en vooral tegen Clyde Vincent Haxby, de psychoterrorist die me dat briefje over mijn zogenaamde dissertatie had geschreven.

Milena deed haar woord gestand en belde me die middag. Ik was met stomheid geslagen. 'Wat doe je vanavond?' vroeg ze.

'Een docentenborrel.' Ik beschreef de traditionele herfstbijeenkomst zo aanlokkelijk als ik kon zonder ironisch te klinken.

'Goh, Jeremy, dát klinkt spannend. Ik zou maar een schone onderbroek meenemen als ik jou was.'

'Wil je er met me naartoe?' Wat klonk dat zielig. Natuurlijk zei ze nee. Als tegenstandster van ivoren torens wilde Milena natuurlijk haar avond niet met een stel pedante frikken verdoen. Ze zei nee.

'We hoeven maar een uurtje of twee te blijven,' verzekerde ik haar.

'Ik drink nog liever lava.'

'Of nog korter.'

'Nee, dank je.'

'Hier krijg je nog spijt van.'

'Hoezo?'

'Nou, misschien gaan we wel ezeltje prik doen, met een blinddoek om.'

'Vergeet je schone onderbroek niet.'

Terwijl ik zat te bedenken of ik Arielle mee zou vragen, of zelfs Vile (twee interessante mogelijkheden, met elk hun eigen ernstige nadelen), belde Milena terug. Ze zei dat ze meeging, op voorwaarde dat ze a) zich niet hoefde 'op te tutten' en b) weg mocht wanneer ze wilde. Met beide condities ging ik akkoord. Hoewel ik brandde van nieuwsgierigheid vroeg ik geen verklaring voor deze plotse omslag.

Het was de warmste zesde oktober in de geschiedenis. We zaten te zweten tijdens de lange taxirit naar het westen van de stad en stonden te zweten in de vestibule van het herenhuis van de directeur, waar een meisje met een olijfkleurige huid ons had achtergelaten. Nadat ik wat om me heen had gekeken, stelde ik Milena voor meteen weg te gaan, de straat uit te sprinten en te kijken of we onze taxi nog konden inhalen. Want in de kamer ernaast leek het wel alsof er een testament werd voorgelezen. Zelfs de aanwezigen onder de vijfenveertig leken wel vijfenzestig, alsof ze sinds hun aankomst jaren ouder waren geworden.

Sobranet, de directeur, een kale man met een smal baardje in de vorm van een hoefijzer, heette ons met dreunende stem en geforceerde feestjovialiteit welkom. Vaak is een baard een soort tegenwicht, dat de aandacht van de kaalheid van de drager moet afleiden, maar bij Sobranet leek het alleen alsof zijn hoofd ondersteboven zat. Ik stelde Milena voor aan hem en zijn elegante vrouw Claire, die plotseling met een plastic ijsemmertje en een glimlach uit het niets opdook en toen even plotseling weer verdween. Sobranet ging ons voor naar de huiskamer en liep toen terug omdat de bel opnieuw ging. We liepen naar een leeg hoekje.

...Natuurlijk wordt zijn juvenilia minder overschaduwd door een gevoel van... hoe zal ik het zeggen... van... [illegible] ...

...une phase docimologique qui permet de formuler un pronostic général...

...ze doen alles om een prijs te krijgen – ze hebben mijn man toch ook uitgegeven?

...een groot deel van de managementssynergie wordt niet gerealiseerd...

...ik vernoem mijn eerstgeborene naar jou als je me uit die kutcommissie kunt krijgen...

...Da com on more under mist hleothum Grendel gongan. Godes yrre baer...

'Misschien kunnen we door die achterdeur naar buiten,' zei ik.

'Welke taal was dat?' fluisterde Milena.

'Oudengels, geloof ik. Dat was die gek, Haxby.'

Milena keek even naar de persoon in kwestie. 'Hoezo gek? Wie is dat dan?'

'Een mirakels geleerde kerel, overal ter wereld bekend. Hij spreekt alle dode talen en publiceert minstens één onbegrijpelijk artikel per maand. Bovendien is het een nieuwsgierig uitsloverig bureaucraatje dat me om onnaspeurlijke redenen weg wil hebben. Een lang verhaal.'

'Laten we iets te drinken gaan halen.'

'Erger nog, hij is Oxfordiaan.'

'Heb je iets tegen Oxford?'

'Integendeel. Ik bedoel dat het zo'n gek is die gelooft dat de zeventiende Earl of Oxford de stukken van Shakespeare geschreven heeft.'

'Net als Sigmund Freud.'

'Eh, ja, precies.'

'Laten we iets te drinken halen.'

Een vrouw met lang zilverkleurig haar, begin veertig, kwam met Sobranet de kamer in toen wij naar buiten gingen. Haar gezicht – dat me wel aanstond – straalde ironie en kalme waardigheid uit. Milena vroeg fluisterend of ze Celerand heette, en toen ik dat bevestigde, gaf Milena toe dat zij 'een van de redenen, maar niet de enige' was dat ze mijn uitnodiging had aangenomen. Nadat ze had opgehangen, was haar opeens te binnen geschoten dat Barbara Celerand docent was op mijn instituut. Mevrouw Celerand was een van de meest vooraanstaande feministen van Montreal.

'Rakker,' zei ik.

Milena lachte, maar was toch even in verwarring. 'Nee, echt, ik wist niet dat ze zou komen. Hoe had ik dat kunnen weten? Ik ben toch meegegaan... zelfs zonder te weten...'

'Goed hoor, Milena. Ik zal je aan haar voorstellen. Zij is een van de weinige mensen hier die ik aardig vind.'

'Nee, niet doen.' Maar het was te laat – ik had Barbara al gewenkt.

Milena had weinig te zeggen, afgezien van een paar zwakke eenlettergrepige opmerkingen tegen mij. Barbara en ik moesten kokhalzen van de wolken parfum op industriesterkte om ons heen en praatten wat over gemiste docentenvergaderingen en sekseneutraal taalgebruik. Toen vroeg ik of er van feministische zijde bezwaar werd gemaakt tegen woorden als 'mandril' en 'manifest'. Milena rolde met haar ogen, maar toen Barbara glimlachte, volgde Milena haar voorbeeld. 'Je hebt straf verdiend,' zei Barbara. 'Ga iets te drinken halen voor Milena en mij. Nu meteen.'

In de overvolle keuken werd ik aangevallen door Daphne de Witt, de Nederlandse reuzin, die de arm van een verdorde emeritus losliet en me dronken begon te zoenen, waarbij ze spetters champignonragout op mijn gezicht achterliet. Ze slikte. 'We hadden het net over je, Romeo! Waar zijn je wambuis en je pofbroek? Ik heb gehoord dat je Franse vriendin je heeft gedumpt. Mooi meisje, hoe heette ze ook alweer? Sandrine? En met wie doe je het tegenwoordig? Dat Indiase meisje daar? Hoe oud is ze? Denk aan de Nederlandse vuistregel: een man moet een vrouw hebben die half zo oud is als hij plus zeven jaar.' Daphne pauzeerde even voor een hap van haar pasteitje en zei dat ze dat eigenlijk niet moest doen. Ik wachtte tot ze haar hap had doorgeslikt. 'Je raadt nooit,' begon ze weer, 'wat me op het strand in Maine is overkomen...'

Dat probeerde ik dan ook maar niet. Vlak voor de ontknoping van haar verhaal zei ze: 'Volgens mij luister je niet eens. Volgens mij hou je meer van het zwijgzame type, hè? Jij houdt meer van het zwijgzame type, niet, Romeo?'

'Ik hou meer van een kabbelend beekje dan van een babbelend cakeje.'

Dat had ik niet moeten zeggen, want ik werd beloond met een daverende klap op mijn rug waarvan mijn schouder haast uit de kom schoot. 'Wat ben je toch een merkwaardige jongen, Romeo. Een heel merkwaardige jongen. Altijd klaar met een toepasselijke woordspeling, niet? Een echte Joyce, een Zwaan van Avon, niet? Romeo, je bent ondeugend. Ik heb briefjes in je postvakje gelegd – alweer weken geleden. Je bent een boef. Heel stout. Wie is dat zigeunermeisje? Je verloofde? Is zij het zwijgzame type? Ze boft maar, ze boft maar met zo'n knappe jongen. Jij houdt van lange lokken, niet? Ik zal de mijne moeten laten groeien. En misschien ook zwart verven, niet? Goed, goed...'

Die laatste woorden, die altijd paarsgewijs werden uitgesproken, waren Daphnes leestekens, eerder een puntkomma dan een punt. Ze was de meest briljante docente die we hadden, althans, dat vond ik, maar als ze zich anders dan schriftelijk uitte, was ze niet te stuiten. Ze pakte een blad met taartjes en cakejes. Ik dacht echt even dat ze me ging taarten.

'Mag ik je een Berliner aanbieden?' vroeg ze. 'Ik heb ze zelf gebakken.'

'Een wat?' Ik volgde haar blik naar een soort taartjes. 'Heten die dingen Berliner in het Nederlands?'

'Nee, in het Duits. Weet je nog – nee, daar ben je te jong voor – heb je wel eens gehoord dat John F. Kennedy in Berlijn zei...'

'"Laat ze naar Berlijn komen?" Bedoel je dat?'

'Ja, en hij zei ook: "*Ich bin ein Berliner*"!' Het kwam eruit met een heel geloofwaardige imitatie van de Bostonse tongval. 'Weet je nog?'

'Een heel beroemde toespraak.' Ik nam een slokje wijn.

'Precies, een heel beroemde toespraak. Maar hij had moeten zeggen: "*Ich bin Berliner*", want door het lidwoord ervoor te zetten, zei hij eigenlijk: "Ik ben een Berliner bol"!'

Ik slaagde er warempel in om een filmachtige proestbui te krijgen en sproeide een slok wijn in de lucht. Althans een deel ervan – de rest kwam in mijn luchtpijp. Terwijl ik stond te hoesten en te proesten zette Daphne het blad neer en sloeg van achteren haar armen als een sumoworstelaar om me heen. 'De Rotterdamse remedie,' verklaarde ze.

Terwijl ik met mijn voeten van de grond naar lucht hing te happen, zag ik Barbara en Milena in de kamer staan. Milena zag mij ook. Ik deed mijn best om onder de omstandigheden zo waardig mogelijk over te komen. 'Laat me maar weer los,' hijgde ik.

Daphne liet me los, vlak voor de voeten van twee boekenwurmen wier naam en specialisme ik ofwel vergeten ben, of nooit geweten heb. Ze betrokken me in hun gesprek terwijl ik nog blauw aangelopen naar adem stond te happen. We hadden het over de kosmos en *A Brief History of Time*.

'Wie is die verstukkelijke man daar?' fluisterde Daphne in mijn oor, midden in mijn uitleg met kleine correcties van de theorieën van Hawking.

'Die wat?'

Daphne draaide me negentig graden om. 'Hij daar – dat enorme stuk met hoofdletters.' Een paar meter verderop stond de nieuwe docent Amerikaanse digitale kunstvormen, een wat zweterig personage dat ik niet direct een stuk zou noemen. Eerder een kruk. Ik wenkte hem, stelde hen aan elkaar voor en glipte toen weg zonder gemist te worden.

Barbara en Milena, diep in gesprek, namen hun glas aan zonder op te kijken. Ik knikte veel om de indruk te wekken dat we een trio waren. Barbara zei iets over 'Bachelors' en 'Masters', waar die dag iets over in de krant had gestaan.

'Het zijn allebei seksistische titels,' zei Barbara, 'die teruggaan tot de tijden dat de universiteiten alleen voor mannelijke geestelijken waren. Het slaat nergens op om een vrouw "bachelor" of "master" te noemen.'

Ik keek even naar Milena, die instemmend knikte.

'Ben jij bachelor of master?' vroeg Barbara.

'Ik heb de middelbare school niet eens afgemaakt,' antwoordde Milena.

'De meeste titels stellen geen zak voor,' bemoeide ik me ermee. 'Zelfs doctorstitels – dertien in een dozijn...' Ik stokte bij het zien van Barbara's glimlach. 'O sorry, Barbara, ik bedoel niet de jouwe natuurlijk.'

'Weet ik,' antwoordde ze. 'Die heb ik namelijk niet. Alleen mensen die zelf gepromoveerd zijn nemen zoiets serieus. Was jij niet met een dissertatie bezig?'

Ik knikte vaag. Dat had ik tegen iedereen gezegd, ook tegen de directeur. 'De eindsprint, de laatste loodjes,' zei ik altijd als iemand ernaar vroeg.

'Waar promoveer je ook weer op?'

'*A Yorkshire Tragedy*,' fluisterde ik bijna.

'Wat zeg je?'

'*A Yorkshire Tragedy.*'

'O ja. Ik ben vergeten waar ook weer.'

'Ik ook. Fris ons geheugen eens op.'

Ik keek om, recht in het verkillende gezicht en de stekende ogen van doctor Clyde Haxby. Hij en Barbara keken me nu aan en wachtten op mijn antwoord. Ik mompelde de naam van mijn universiteit. Haxby wierp me een trage, sluwe blik toe. 'Ach ja, natuurlijk, North Shrewsbury. In Zuid-Afrika. Schiet het al een beetje op?'

'De eindsprint, de laatste loodjes.'

'Je moet daar in dezelfde tijd hebben gezeten als Frederyke Jennen en Bartho Dekker. *Terloops, het jy toe my brief gekry*?'

O shit. Dat was toch geen vraag in het Afrikaans, hè? Ik glimlachte verdwaasd.

'*Ah, bonsoir, Madame Sobranet*,' zei Haxby. '*Comment allez-vous...*' Ik werd gered door de vrouw van de directeur, die met twee nieuwe docenten in haar kielzog was verschenen; een van hen was het Enorme Stuk van Daphne. Terwijl ze hen aan Haxby voorstelde, probeerde ik weg te glippen naar de wc, maar ik werd halverwege onderschept door de minzieke Philippe Forget.

'*Jérémie. Salut! Que ça me fait plaisir de te revoir!*' Terwijl we elkaar een hand gaven, doorboorden zijn blikken me met telepathische verklaringen van wellust.

'*Moi aussi.*'

Na een paar seconden stilte, gevolgd door tenenkrommende pogingen tot conversatie, werden we van achteren beslopen door Clyde Haxby. Dat deed Haxby nu altijd, onverhoeds op zijn crêpezolen achter je opduiken als een kat op eeltkussentjes. Hij vertelde een mop met een clou in het Oudnoors. Terwijl ik medeplichtig gniffelde, kwam de directeur eraan met een blad. Hij vroeg of ik een flan wilde, '*un flan de poireaux*'. '*Qu'est-ce qu'un flan au juste?*' vroeg ik.

'*Un flan? Eh bien, un flan c'est un flan.*' De zin eindigde met een scherp stijgende intonatie, hij haalde met een wegwuivend gebaar zijn schouders op en liep verder. Ik waande me even in Parijs.

Haxby weidde uit: 'Een flan is eigenlijk gewoon een soort open gebak. Gewoonlijk met een vruchtenvulling, maar het kan ook met prei of spinazie of kaas, of zelfs met *fruits de mer*. De naam komt van het metalen bakje waarin ze worden gemaakt.'

'O, op die manier.' Ik was niet in de stemming voor weer zo'n college van Haxby. Ik wendde me van hem af om verder met Philippe te praten.

'De flan heeft een heel lange geschiedenis.' Haxby weer. 'Fortunatas – de Latijnse dichter – noemt ze al. Hij schreef ook dat St. Radegonde flans maakte, maar alleen de buitenste grove korst opat.'

'Waarom at Radegonde de rest niet op?' vroeg Philippe.

'Bij wijze van oefening in versterving van het vlees.'

Ik barstte in lachen uit. Het was ook zo'n grappig beeld. Haxby, vroom katholiek, lachte niet en Philippe evenmin. Ik zei dat ik even weg moest, klemde mijn lippen op elkaar en riep terwijl ik terugging naar Milena beelden op van de arme Radegonde die de hele dag in een hete keuken stond te zwoegen, met zorg malse flans met vruchten en room bereidde en dan op de korst van roggedeeg ging kauwen. Maar het een welbestede dag vond.

Omdat de avond zich voortsleepte, besloot de directeur de zaak wat te verlevendigen met een spelletje dat hij zelf had bedacht en dat hij 'Initiatieven met Initialen' noemde. Het was heel eenvoudig, legde hij uit. Iemand begon met het noemen van zijn eigen initialen en de naam van een auteur of personage uit een literair werk met dezelfde initialen. Dan moest de volgende een andere naam met dezelfde initialen zeggen; lukte dat niet, dan was hij af. Het geslacht van degene die het rondje begon, bepaalde dat van de personages of schrijvers die genoemd moesten worden. De laatste die een juist antwoord gaf, had het rondje gewonnen, en het volgende rondje begon met de initialen van de volgende speler. Eventuele geschillen werden opgelost door stemming of raadpleging van een literaire encyclopedie. De hoofdprijs ging naar degene die de meeste rondjes had gewonnen en die prijs was, kondigde onze gastheer triomfantelijk aan, een fles Lanson Champagne rosé.

De directeur begon ons in drie groepjes van vijf te verdelen, ondanks het duidelijke gebrek aan enthousiasme voor het idee. Sommigen wilden dat alle kunstenaars meetelden, niet alleen schrijvers – wij waren toch van Vergelijkende Cultuurwetenschappen? Dat kwam bij de volgende ronde, legde de directeur, zelf docent Vergelijkende Literatuurwetenschappen, uit. Sommigen, onder wie Milena, slaagden erin erbuiten te blijven. Ik probeerde me bij haar aan te sluiten, maar werd door de directeur onverbiddelijk bij een van de kudden ingedeeld.

Ik was de vijfde van een groepje dat verder bestond uit Barbara, Daphne, Philippe en de oude man die ik in de keuken had gezien, een verstofte oud-decaan van tachtig of nog ouder, die misschien wel op het verkeerde feest was beland. Ik ging als laatste zitten en moest beginnen, want niemand anders leek daar zin in te hebben.

'J.D. John Dryden,' zei ik op zelfverzekerde toon.

Daphne, die na mij was, stelde voor dat we na het noemen van de initialen een paar minuten kregen om na te denken. Iedereen stemde daarmee in en begon namen te noteren. Ik lachte. En deed hetzelfde.

'John Donne,' zei Daphne toen de tijd verstreken was.

'Joaquim Du Bellay,' zei Philippe.

'John Dashwood,' zei Barbara, 'uit *Sense and Sensibility*.'

Goeie god, dacht ik, wat een geheugen. De decaan, die na haar kwam, zat naar een van de houten knoopjes van zijn vest te staren. Ik slaagde erin zijn aandacht te trekken, waarop hij de raadselachtige woorden sprak: 'Lang katoenen ondergoed, altijd warm en altijd goed!' We kwamen er al snel achter dat hij zo doof was als een kwartel en niet had begrepen dat hij meedeed aan een spel. We bulderden dus de spelregels in zijn oor, zodat alle anderen naar ons keken. De decaan knikte ten slotte en zei, harder dan hij besefte: 'Jerusalem Delivered!' Toen hij onze niet-begrijpende blikken zag, ging hij verder: 'Weet je wel, *Gerusalemme liberata*, van Tasso. Uitgegeven in 1580 – zonder zijn toestemming, mogen we wel zeggen!' Hij sloeg zijn armen over elkaar. We besloten maar door te gaan.

'John Day,' zei ik. 'Die misschien met Shakespeare heeft samengewerkt.' Dat was een goeie, dacht ik; daar heeft vast niemand van gehoord.

'*Day was a full-blown flower in heaven*,' zei Barbara.

'Wat zeg je?'

'Dat is uit het sonnet van Swinburne over Day.'

'Ach, natuurlijk.'

'John Drinkwater,' zei Daphne. Haar tong flitste dorstig naar buiten.

'James Dickey,' zei Philippe. Hij leek de eerste lettergreep van de achternaam extra te benadrukken. Of misschien verbeeldde ik me dat maar. 'De schrijver van *Deliverance*.' Ik dacht aan de homoseksuele verkrachtingsscène in het bos.

'John Davidson,' zei Barbara. We lachten allemaal. 'Nee, niet de Amerikaanse tv-ster. De Schotse dichter.'

De decaan was aan de beurt. Ik stootte hem even aan, want hij leek te zijn weggedommeld. 'U bent aan de beurt!' riep ik.

'Vier sans atout!'

'John Davies,' zei ik.

'Wie?' vroegen Daphne en Philippe tegelijk.

'De Elizabethaanse dichter,' legde ik uit. 'Of dichters – het waren er twee. De een prees Shakespeare als "onze Engelse Terentius" en de ander schreef een gedicht dat Shakespeare heeft geplunderd voor *Julius Caesar*.' Ik glimlachte, in afwachting van het applaus.

'Goed, goed,' zei Daphne. 'Johan Daisne. Een Vlaming. Een soort Joyce. In *De man die zijn haar kort liet knippen* staan hele bladzijden over het lichaam van een meisje dat wegrot, haar vlees valt uit elkaar, de stank...'

'Jean-Paul Daoust,' zei Philippe, 'de performancedichter uit Quebec.'

'James Douglas,' zei Barbara. 'Sir James de Douglas.'

'Maar dat was toch een historisch Schots clanhoofd?' vroeg ik om mijn befaamde mediëvistische kennis te tonen.

'Dat is zo, maar hij komt in *Castle Dangerous* voor, van Scott.'

'Inderdaad.'

'Zat hij ook niet in *Hendrik V*?' vroeg onze gastheer, Sobranet, die een rondje liep en ook een duit in het zakje wilde doen. 'Shakespeare is toch jouw specialisme, Davenant?'

Iedereen keek naar me. Mijn gezicht voelde aan als een zonsondergang. Ik maakte een geluid dat niets menselijks had.

'Wat zei je?' vroeg Sobranet.

Mijn geheugen had niet leger kunnen zijn. 'Misschien zat er... er zat een Earl of Douglas in...' Toen lachte ik en mompelde, ik weet niet waarom, een zinnetje in het Deens, het enige dat ik ken, dat 'Wat kost dat?' betekent.

'Ik ben je even kwijt, geloof ik,' zei Sobranet.

Ik goot mijn hele glas wijn naar binnen. Barbara Celerand wendde zich tot de directeur en zei: 'De zoon van James Douglas, de bastaard, komt voor in *Hendrik IV*. Dat zei je toch, Jeremy?'

'Ja. *Hendrik IV*. De bastaard.' Ik keek Sobranet uitdagend aan. 'Niet in *Hendrik V*.' Idioot. Hij knikte en sjokte naar de volgende groep.

De oude decaan was weer aan de beurt. Hij bestudeerde onze verwachtingsvolle gezichten een voor een. 'Ik ga naar de plee!' riep hij.

'Ik pas,' zei ik. Ik kon me niet meer concentreren.

'Goed, goed,' zei Daphne. 'Jan de Hartog. Een Nederlandse schrijver. Geef de encyclopedie maar aan, dan laat ik het jullie zien.' En dat deed ze.

'*Moi, je* pas ook,' zei Philippe. Er waren nog twee spelers over.

'Ik kan niemand meer bedenken,' zei Daphne.

We keken allemaal naar Barbara, die kon winnen als ze nu een goed antwoord gaf. 'Jim Dixon,' zei ze.

'Wie is Jim Dixon?' vroegen Daphne en Philippe.

'*Lucky Jim*,' zei ik. '*Lucky* Barb. Je hebt gewonnen.'
'De decaan is aan de beurt,' antwoordde ze.

We speelden nog drie rondjes – zonder de decaan, die leek te zijn verdwenen. Barbara opperde dat ik even bij de wc ging kijken of alles in orde was en of zijn hart het nog deed. Ik ging kijken, maar kon hem niet vinden. Onze gastheer, die met twee beslagen flessen Cul de Beaujeu aan kwam zetten, verzekerde ons dat de decaan levend en wel in de grote slaapkamer lag te slapen. Hij vroeg fluisterend of we er bezwaar tegen hadden dat professor Haxby bij ons groepje kwam, want hij had bij zijn eigen team alle rondjes gewonnen en daarbij iedereen tegen zich in het harnas gejaagd. We stemden beleefd toe. Daphne bood aan met Haxby van plaats te wisselen. Ik keek hoe ze op pijpafstand plaatsnam naast het Enorme Stuk, dat bleef staan.

Milena kwam op Daphnes oude plaats zitten en ik fluisterde in haar oor over mijn twee bewonderaars en dat ik tussen de hamer van de dikke Daphne en het aambeeld van de nicht Philippe zat. Ik ben me ervan bewust dat die nomenclatuur niet erg correct is.

'Jij hebt zowat evenveel gevoel als een vis,' antwoordde Milena. 'Zak.'

'Wat?'

'Je maakt iedereen belachelijk. Waarom? Heb je dat nodig om je zelf beter te voelen?'

'Wat? Waar heb je het over?'

'Je dikscrimineert en je bent homofoob. Om over verwaand nog maar te zwijgen.'

'Wát doe ik? Dikscrimineren? Wat is dat in gods... bedoel je dat ik vettofoob ben?'

'Ja.'

'Kom nou... en homofoob? Ik ben niet bang voor homo's. Dat meen je toch niet, hè? Ik? Sommige van mijn beste vrienden zijn homofoob. Ik bedoel homoseksueel. Dat van Philippe was g-gewoon... een grapje. En dat van Daphne ook. Ik vind ze juist heel aardig, allebei. Het was een grapje, ik wou alleen... kom op...'

Ik hakkelde maar door, vuurrood. Waar had ze het over? Clyde Haxby stond opeens bij ons, op zijn Hush Puppies en met zijn bordeauxrode koffertje in de hand. Na een hatelijke opmerking in de een of andere dode taal met veel keelklanken en Germaanse poëtische uitweidingen, gevolgd door luid en lang gelach van mij, ging hij zo stijf als een plank naast Philippe met zijn vingertoppen tegen elkaar zitten tikken. Barbara feliciteerde hem met zijn briljante prestaties bij de andere groep en hij maakte een wegwuivend handgebaartje en koeterwaalde nog wat na. De decaan kwam ook weer bij ons zitten, nog verfomfaaider dan eerst.

Iemand stelde voor dat Milena het volgende rondje begon. Ze schudde haar hoofd. '*Vas-y*,' zei Philippe. 'Ik wil niet,' zei Milena. 'We hebben je nodig,' zei Barbara. 'Wij vrouwen zijn in de minderheid.'

Milena zuchtte. 'M.M.– Marilyn Monroe.' Ze zei het halfhartig, misschien in de hoop dat ze zich daarmee diskwalificeerde voor verdere deelname. Maar iedereen vatte het op als een grapje. We wachtten op een andere naam.

Toen ze aarzelde, zei professor Haxby: 'Laten we het arme kind niet in verlegenheid brengen – ze heeft duidelijk niets gelezen.'

Enkele seconden heerste er een pijnlijke stilte. Milena keek naar de grond en haar gezicht veranderde van kleur. Moest ik niet tussenbeide komen? Haar eer verdedigen? Haxby mijn kaartje geven, zeggen dat hij zijn secondanten moest kiezen en dat ik hem bij zonsopgang ergens zou ontmoeten?

'Maid Marian,' zei Milena zacht. Weer een pijnlijke stilte. Ik bestudeerde de gebloemde gordijnen.

'Mooi, uit *Piers Plowman*,' zei Barbara.

'Ja, en uit een romance van Peacock,' voegde Philippe eraan toe.

Ik knikte. Toen iemand zei dat ik aan de beurt was, zei ik: 'Laten we even pauzeren om na te denken.' Er hing een dichte mist in mijn hoofd. Waarom had ik niets tegen Haxby gezegd? Om die brief die hij me had gestuurd? Christus. En waar beschuldigde Milena me van? Dikscriminatie? Homofobie? Ik draaide me om en keek naar Milena, die zo te zien niet blij was. Ze klemde haar tanden op elkaar en haar ogen schoten laserstralen. Ze schudde de laatste paar sigaretten uit haar pakje, scheurde de voorkant eraf, krachtdadiger dan nodig was, en begon er als een gek op te krabbelen. Ik keek om me heen. Iedereen zat namen op te schrijven, behalve Haxby, die met gevouwen handen aan tafel zat te glimlachen. Ik kon me niet meer concentreren, mijn gedachten werden gejaagd door de wind.

'Margaret Mitchell,' zei ik.

'Mary Macleod,' zei Barbara.

'Wie?'

'De Keltische dichteres.'

'Inderdaad,' zei Haxby. 'Eens kijken, ik denk dat ik Malachi Mulligan maar neem. Uit *Ulysses,* natuurlijk.'

'Wie?' vroeg Barbara. 'Wat is dit voor schokkend nieuws? Was hij in werkelijkheid een zij?'

'Nee, natuurlijk niet,' zei Haxby.

'Alleen vrouwen in deze ronde.'

'O ja, dat was ik vergeten. Dat is moeilijker, hè? Eens kijken. O ja, Molly Mog. De titelheldin uit een ballade voor een rijmspelletje, van Gay.' Hij zweeg even en keek naar Philippe. 'Mogelijk samen met Pope en Swift. De bedoeling van zo'n vers was dat alle rijmmogelijkheden op iemands naam werden gebruikt, begrijp je, in dit geval de naam van een knappe jonge deerne – de dochter van een herbergier...'

'Marquise de Maintenon,' zei Philippe. Hij leek niet te weten wie dat was. Maar Haxby wel.

'De maîtresse en later tweede vrouw – morganatisch uiteraard – van Lodewijk XIV. Ze was de weduwe van de mismaakte schrijver Scarron...'

Hier maakte ik de vergissing te vragen wat 'morganatisch' betekent.

Haxby trok één wenkbrauw op en legde het uit. 'Ja, dat komt natuurlijk van het Latijnse *morganaticus.* Jij, Davenant, kent ongetwijfeld het Franse *morganatique.* De term is geëvolueerd uit de Latijnse uitdrukking *matrimonium ad morganaticum,* waarvan het laatste woord verwant is aan *marganaticum,* en natuurlijk het Duitse – Middelhoogduitse – *morgengâbe.*' Toen zweeg hij, alsof mijn vraag daarmee was beantwoord.

'Morgengave,' zei Barbara.

'Precies,' zei Haxby. 'Van de man aan zijn vrouw na het huwelijk.'

'Dus de man geeft haar 's morgens iets...' begon ik.

Haxby lachte. 'Wat het betekent...'

'Wat het betekent,' zei Barbara, 'is dat de vrouw besodemieterd wordt. Afgezien van die morgengave krijgt ze helemaal niets, en noch zij, noch haar kinderen hebben ook maar enig recht op de bezittingen of titels van de man...'

'Het wordt ook wel een huwelijk met de linkerhand genoemd...' zei Haxby.

'Van het Franse *gauche* en het Latijnse *sinister*,' zei Barbara.

'...van het Duitse *Ehe zur Linkenhand*. Bij de huwelijksceremonie geeft de bruidegom de bruid namelijk de linkerhand in plaats van de rechter. Er komt trouwens een morganatisch huwelijk voor in *Vivian Grey* van Disraeli.'

'Alles best en wel,' zei Philippe, 'maar telt ze nu mee of niet?'

'Nee,' zei Haxby, 'de Marquise heeft geen literair werk op haar naam staan.'

'En Madame Murasaki?'

'Ook niet. Die heet Murasaki Shikibu.'

'Dan ben ik af.'

We keken naar de decaan. 'Magic Mountain,' zei hij, voor iedereen hoorbaar behalve voor hemzelf.

'Maria Magdalena,' zei Milena, die snel met het volgende rondje begon, dwars door Haxby's bezwaren tegen het antwoord van de decaan.

'Maria Magdalena?' herhaalde Haxby. 'Ach ja... de bijbel als literatuur en zo.'

Barbara wees hem erop dat Maria Magdalena ook in de mysteriespelen van het Digby-handschrift voorkwam. Haxby keek haar aan, maar gaf geen commentaar.

'Margaret Mead,' zei ik.

'Telt niet,' zei Haxby.

'Dan ben ik ook af.'

'Ik ook,' zei Barbara. Dat stelde me teleur. Haxby glimlachte. 'Maud Muller,' zei hij. 'Het personage uit het gedicht van John Greenleaf Whittier, tevens de titel. "*For all sad words of tongue and pen, The saddest are these: It might have been*".'

Iedereen keek nu naar de decaan. 'The Mysterious Mother!' gooide hij eruit. 'Van Walpole natuurlijk. Het incestthema werd destijds nogal schokkend gevonden, maar Byron had er wel bewondering voor!'

Philippe had het probleem van de decaan inmiddels uitgelegd aan Haxby, die niets terugzei. Milena was weer aan de beurt. Ik hield mijn vingers gekruist en klopte met beide handen op ongeverfd hout. Alleen zij en Haxby waren nog over, als je de decaan niet meetelde. Ze wierp een blik op haar Lucky Strike-spiekbriefje, dat helemaal vol stond met achteroverhellend gekrabbel.

'Marianne Moore,' zei ze ten slotte.

'Uitstekend!' riep ik.

'Doe niet zo neerbuigend,' zei ze zacht.

'Mary Russel Mitford,' zei Haxby, 'die op haar tiende – dat moet in 1796 of '97 zijn geweest – twintigduizend pond heeft gewonnen in een loterij, wat haar vader vervolgens heeft vergokt...'

De decaan was nu aan de beurt, maar die was weer op weg naar de wc, met een hand voor zijn kruis.

'Mary McCarthy,' zei Milena.

'Mina Murray,' zei Haxby terwijl hij met zijn vingers op de tafel trommelde. 'Uit *Dracula*.'

'Marie Majerová,' zei Milena.

Er verstreken een paar seconden. Wie was dat in godsnaam? Moest ik het opzoeken? Haxby bekeek peinzend zijn nagels en zei: 'Een Tsjechische schrijfster, niet? Marxistisch-socialistisch?'

'Onder andere,' zei Milena. 'Haar voornaamste thema is de onderdrukking van de vrouw.'

Haxby glimlachte. 'Mary Moore. "*He might have had my sister, my cousins by the score, but nothing satisfied the fool but my dear Mary Moore*." Yeats, natuurlijk.'

Ik barstte in lachen uit om Haxby's 'Ierse' accent. Hij draaide zijn hoofd langzaam mijn kant uit, trok een wenkbrauw op, maar zei niets. *Zet 'm op, Milena.*

'Melissa Murray,' zei ze met haar ogen op haar sigarettenpakje. 'Ook Iers, dacht ik.' We zochten het op. Engelse dichteres en toneelschrijfster. Auteur van *The Falling Sickness* en *Ophelia*, een omgekeerde *Hamlet*, waarin Ophelia verliefd wordt op haar dienstmeisje.

Haxby zette zijn bril af, poetste hem, zette hem weer op en keek met röntgenogen naar Milena's borst. 'Juist. Mary Monck – heeft een paar literaire niemendalletjes geschreven. Getrouwd met George Monck, de eerste hertog van Albemarle, die...'

'Mary Meigs,' zei Milena.

'...tegen de Ierse rebellen heeft gevochten.' Haxby zweeg. 'Mary Mig, zei u?'

'Nee, Mary Meigs,' zei Milena.

Haxby keek ons allebei aan, met de klok mee en met een scheef lachje. 'Wie is Mary Meigs in godsnaam?'

'Een vooraanstaande Canadese lesbische schrijfster,' zei Milena. 'Ik sta er versteld van hoe weinig belezen u bent, meneer Haxby.'

De mond van professor Haxby vormde duidelijk woorden, maar er kwam geen geluid uit. Hij wierp hulpzoekende blikken op Philippe en toen op Barbara, die allebei alleen maar glimlachten. Hij zat niet langer onberispelijk rechtop, maar onderuitgezakt als een verfrommelde papieren zak. Hij schraapte zijn keel, wierp een onzekere blik op zijn koffertje, beet op zijn lip. 'Ik pas,' zei hij.

Yes! Op die woorden had ik zitten wachten, op de val van Goliath! Ik wilde Milena net op de mond zoenen om haar te feliciteren toen de decaan de kring weer in kwam schuifelen, zijn vest vochtig van het kwijlen. Om onnaspeurlijke redenen klemde hij zich aan Haxby's schouder vast.

'Middlemarch!' riep hij.

Niemand lachte hardop. Daar was geen tijd voor. Haxby draaide zich om en bulderde: 'Ga zitten, vervloekte idioot – het is afgelopen! Begrijp je?' De hele kamer viel stil. 'En laat mijn jasje los. Wil je me loslaten?'

De decaan glimlachte, maar liet niet los.

'Laat me...' Haxby probeerde zijn arm los te rukken, twee, drie keer. 'Ouwe... wauwelende gek, laat los!'

De decaan bleef glimlachen. 'Wat zegt u?' vroeg hij. 'Ik ben helaas wat hardhorend!'

Haxby en Milena begonnen tegelijk te praten, Milena het hardst. 'Hij zegt dat u gewonnen hebt!' riep ze.

'Wát heb ik?' vroeg de decaan. Hij liet los.

Milena ging staan. 'U bent de winnaar!' riep ze in zijn oor, met haar hand op zijn schouder. De oude decaan keek haar, ons allemaal, vol onbegrip aan. Philippe stond op, gevolgd door Barbara. We stonden allemaal op om de decaan te feliciteren, we zwengelden zijn hand op en neer, klopten hem op zijn rug. Nu begreep hij het.

Hij grijnsde, begon toen te stralen, zijn ogen vulden zich met tranen. Milena kuste hem op de wang.

Er verspreidde zich een uitdrukking van walging over Haxby's gezicht. Hij greep zijn koffertje en mompelde tegen mij op samenzweerderige toon iets over 'halfgare potten en romannetjes'.

'Ach, sodemieter op,' zei Barbara, die het had gehoord. Haxby keek haar woedend aan, maar gaf geen antwoord. Hij inspecteerde een scheur in de schouder van zijn jasje en stapte toen op de derde en laatste groep af.

De sfeer zakte steeds verder in, maar Milena en Barbara konden het uitstekend met elkaar vinden. Barbara schreef op wanneer ze haar colleges gaf en nodigde Milena uit om er een te komen volgen, of allemaal. Ze lachten samen en ik lachte mee, zonder te begrijpen wat er zo leuk was. Barbara was de enige reden waarom Milena mee was gekomen, dat besefte ik heel goed. Het was in elk geval niet voor mijn gezelschap, daar maak ik me geen illusies over.

Ik wilde dat ík 'sodemieter op' tegen Haxby had gezegd. Verdomme. Ik zou het zeker hebben gezegd, daar ben ik nagenoeg van overtuigd. Als ik maar de tijd had gehad was ik beslist op hem afgestapt en dan had ik gezegd dat hij kon opsodemieteren. Of anders had ik hem gebeld. Of gefaxt. Of een boodschap ingesproken. Verdomme.

'Wat zeg je?' vroeg ik. Milena had een leeg glas in haar hand en keek me aan. Barbara stond niet meer naast haar. 'Wil je nog wijn?'

'Zei je niet dat je dissertatie over *A Yorkshire Tragedy* ging?' antwoordde ze.

'Ja, dat zei ik.'

'Van wie is dat?'

'Van Shakespeare.'

'O ja? Waarom heb je dat uitgekozen? Omdat je uit Yorkshire komt?'

'Vanwege de Bladzijde.'

'De bladzijde?'

'Een lang verhaal. Wil je het horen?'

'Nee. Maar ik wil nog wel wijn.'

'*Moi aussi*,' zei Philippe en hij plofte naast me neer.

In de keuken, waar ik een kurkentrekker zocht, werd ik van achteren beslopen door de directeur. 'Ah, Davenant,' zei hij luid, alsof hij me uitdaagde dat te ontkennen. 'Hoe gaat het met je dissertatie?'

'De eindsprint, de laatste loodjes.'

'Dat artikel van je over de Dark Lady vond ik trouwens erg goed.'

Opschepper, je hebt alleen mijn (opgeklopte) cv bekeken. 'O, dank u wel. Ik ben blij dat u…'

'Dat was je laatste publicatie, geloof ik. Alweer een hele tijd geleden.'

'Ja, nou, op het moment ben ik…'

'Zeg, ik dacht toevallig laatst aan je. We krijgen steeds meer zwarte studenten op het instituut, vooral uit Haïti, en we moeten waarschijnlijk eens iets speciaal voor hen organiseren. Iets over Afrika, dat zou wel aardig zijn, dacht je niet?' Hij schepte wat kaviaar in zijn hand.

'Tja, ik…' Afrika zou wel áárdig zijn? Waar heb je het over, kale forel. 'Ja… ik denk het wel.'

'Heb jij toevallig de column van Victor Toddley van deze week gelezen? In *Barbed-Wire*? Komend semester is er een conferentie op de universiteit van York. Over het Franstalige toneel in West-Afrika. Misschien kunnen wij dezelfde gastsprekers uitnodigen. Wat vind jij?'

Ik vind dat je te veel viskuit hebt gegeten. 'Goed idee.'

'En ik vind jou de juiste man om ons instituut te vertegenwoordigen. Een presentatie houden, een soort inleiding, het startschot?'

'Ik?'

Hij veegde zijn mond en bakkebaarden met een theedoek af. 'Daar heb je toch gestudeerd?'

'Ja. Ik bedoel nee. Dat was… is… in Zuid-Afrika.'

'En je hebt toch wel eens eerder Afrikaanse literatuur gegeven?'

'Ja, maar… ik weet niet of… dat was maar één gastcollege. Over bantoeliteratuur. Over de lofzang.'

'Heel goed. Mooi, dat is dan geregeld. Eind januari. Tijd zat om het voor te bereiden. Misschien kun je contact opnemen met Toddley voor wat extra informatie.'

'Toddley. Ja, maar ik weet helemaal niets van West-Afrikaans toneel en volgend jaar ga ik op sabbatical…'

'Kurkentrekker ligt in de tweede la.' Hij liep de keuken weer uit.

Ik nam twee flessen wijn mee en zette ze op de salontafel. Barbara was er weer en zat Milena en Philippe een verhaal te vertellen. Ik begon de glazen vol te schenken, als een ober. Misschien moest ik ook de asbak even legen. Toen ik naast Philippe ging zitten hield hij zijn glas omhoog, wat ik aanzag voor proosten. Ik proostte in de lucht en hij nam een slok.

Nadat ik een paar seconden heen en weer had zitten kijken tussen Barbara en Milena om te doen alsof ik het gesprek volgde, vroeg Philippe me iets. Ik draaide me om en ging met hem zitten praten. Misschien was het de wijn, maar ik vond hem ineens interessant en geestig, en ik begon eraan te twijfelen of hij zich eigenlijk ooit wel tot me aangetrokken had gevoeld. Het was gewoon een aardige, zachtmoedige man, en om onduidelijke redenen werd ik daar onbehaaglijk van.

'Er is iets wat ik je waarschijnlijk niet hoor te vertellen,' vertrouwde hij me fluisterend in het Frans toe nadat hij zijn glas had leeggedronken. 'Maar ik ben te dronken om... Of nee, laat maar.'

'Vertel op nou.'

'Eh, het gaat over Jacques de Vauvenargues-Fezensac.'

'Je valt op hem.'

Philippe keek me verbaasd aan en glimlachte. 'Nu je het zegt, inderdaad, ja. Niet niks, die Jacques. Jij bent toch zijn beste vriend?'

'Je mag hem hebben, als je dat bedoelt.'

Philippe lachte. 'Bedankt. Maar dat is niet wat ik wilde zeggen.' Hij hield even op met praten en schonk onze glazen weer vol. 'Haxby zat achter het ontslag van Jacques.'

'Dat heb ik ook gehoord, ja.'

'Je hebt nog niet alles gehoord. Ik werkte in die tijd met Haxby samen aan een project en we wisselden nogal eens diskettes uit. Op een avond laat had ik de verkeerde diskette van Haxby's bureau gepakt toen hij naar de plee was. Moet jij eens raden wat erop stond.'

'Nou?'

'Een brief van een student met de klacht dat Jacques hem een hoger cijfer had aangeboden in ruil voor seks.'

'Had Haxby die brief geschreven? Echt waar? En jij hebt hem niet aangegeven?'

'Ssst. Ik heb een kopie gemaakt. En ik heb het aan Jacques verteld, die zei dat ik het stil moest houden. Het zou Haxby duur te staan komen, zei hij. En volgens mij heeft hij dat ook waargemaakt, letterlijk. Haxby bulkt van het geld, dat weet je. Maar nu wat minder.'

Ik keek om me heen, zag de man in kwestie en vroeg me af hoe ik die informatie zou kunnen gebruiken. 'Wat had Haxby tegen Jacques?'

'Veel. Zijn recensie van Haxby's vertaling in de *Wire* bijvoorbeeld. En zijn grappen over Haxby's verzameling brandweerspullen. Maar ze hadden altijd ruzie. Jacques was de enige die zijn mond tegen hem opendeed.'

'Verzamelt Haxby brándweerspullen?'

'Voor jouw tijd heeft Jacques eens tegen Haxby gezegd dat hij "een coprofaag insect" was. Op een docentenvergadering, waar iedereen bij was.'

'Heeft Jacques dat gezegd? Tegen Haxby? Echt waar? O... kostelijk.' Ik begon te lachen. 'Wat bedoelde hij precies?'

'Dat Haxby een strontvlieg is.'

'Klopt.'

'Haxby kan er niet tegen als hij voor gek wordt gezet, zeker in het openbaar. Het is een haatdragende rotzak en doldriftig.'

'Dat heb ik vanavond een paar keer gezien, ja.'

'Bovendien denkt hij kennelijk dat Jacques homo is en dat is ook in zijn nadeel. Haxby houdt niet van homo's – om religieuze redenen, geloof ik. "Adam en Eva, niet Adam en Evert," zei hij een keer. Waarschijnlijk denkt hij dat jij ook homo bent, omdat je zoveel met hem omgaat.'

'Is Jacques homo?'

'Ik hoop het. Kom eens, ik wil je wat laten zien.'

Milena, die met Barbara zat te praten, glimlachte naar me toen ik opstond om met Philippe mee te gaan. De gasten waren inmiddels in het stadium waarin men luidruchtiger en welwillender wordt en alle eerdere wanklanken wegzakken in de lieflijke harmonie van de dronkenschap, en we moesten twee keer blijven staan om belangstelling voor iets of iemand voor te wenden. De oude decaan, wiens lange onderbroek onder zijn broekspijpen uitkwam, had zich inmiddels tussen de andere gasten gemengd, met in elke hand een glas. Hij schudde zijn krokodillengezicht en zijn dikke bos spookachtig witte haar en hij maakte opmerkingen die alle gesprekken deden stokken. Ik volgde Philippe naar de gang. Naast de wc, op iets wat eruitzag als een oude kerkbank, was Haxby in slaap gevallen. Hij zag er verfomfaaid uit en hij snurkte. Zijn bordeauxrode koffertje stond naast hem.

'Een paar glazen wijn en het is gebeurd met Haxby,' zei Philippe. 'Altijd raak. Wat doen we met hem?'

'Hoezo, wat doen we met hem?'

'We moeten toch wraak nemen voor de manier waarop hij de decaan behandeld heeft – en Milena.'

'Je hebt gelijk. Ik was al van plan om... iets te doen.'

'Dit is je kans.'

'Je bedoelt zijn schoenveters aan elkaar knopen of zoiets?'

'Dat is lagereschoolgedoe, Jeremy. Op een universiteit wordt er wat meer van je verwacht.'

'Wijn in zijn koffertje gieten?'

'Nee... maar we kunnen proberen of we het open kunnen krijgen. Ik heb gehoord dat hij er een antieke derringer in heeft zitten.'

'Echt waar? Geladen?'

'Blijkbaar wel. Ik weet dat hij een verzameling kleine vuurwapens heeft, een Rivière onder andere. Laten we eens kijken of dit ding op slot zit.' Philippe hurkte naast het koffertje terwijl ik gespannen om me heen keek en de vullingen van mijn kiezen op elkaar liet knarsen. 'Gaat niet,' fluisterde hij. 'Combinatieslot.'

'Wat is een Rivière?' vroeg ik. 'Iets wat de brandweer gebruikt?'

'Nee, een duelleerpistool. Poe had er een, geloof ik.'

'O, geweldig. Misschien moeten we er maar van afzien...'

'Wij zien helemaal nergens van af. Bedenk eens wat.'

Ik zuchtte. 'Ik weet niet. Zijn das in de fik steken?'

'Niet onaardig, maar dan wordt hij wel meteen wakker.'

'Zijn zakken vol ijs proppen?'

'Nee...'

'Contactlijm aan zijn gulp?'

'Dat hij hem niet meer dichtkrijgt, bedoel je? Niet onaardig, je zit op het goede...'

'Wat voeren jullie in je schild?' vroeg het Enorme Stuk van Daphne, dat uit de wc kwam. We lachten. Hij liep door. Ik wapperde met een hand de zweetlucht weg.

'Ik heb het,' zei Philippe. 'Ik rits zijn gulp open en jij haalt zijn lul eruit.'

'Schitterend!' Ik lachte. 'Perfect. Hij zit op de ideale plek, vlak naast de wc – voordat de avond om is, heeft iedereen hem gezien. Hij is ontzettend preuts, dus dat vindt hij vast vreselijk. Dat komt hij nooit te boven. Maar ik maak zijn gulp open en jij haalt 'm eruit.'

Philippe schudde zijn hoofd. 'Nee. Jij moet 'm eruit halen.'

'Ik? Waarom ik? Het was jouw idee.'

'Precies. En ik had bedacht dat jij het moet doen.'

'Maar waarom ik?'

'Waarom niet?'

'Nou, jij hebt meer ervaring.'

'Dan is dit je kans om ook wat ervaring op te doen.' Philippe keek links en rechts en ritste toen behendig Haxby's gulp open. Haxby reageerde niet. 'Nu is het jouw beurt, Jeremy. Zet 'm op.'

'Philippe, ik meen het, dat kan ik niet. Ik zou best willen, maar ik... kan het gewoon niet. De gedachte dat ik dat enge... verschrompelde... ding moet aanraken... is gewoon...'

'Doe niet zo zeikerig.'

Ik keek naar Philippe, die niet meer lachte. Dit is geen spelletje, zeiden zijn ogen, dit is geen grap. Ik beet op mijn onderlip, keek snel om me heen en wachtte tot de vrouw van de directeur naar binnen was. Toen ze de deur van de wc dichtdeed, fluisterde ik: 'Ze heeft ons gezien, ze weet dat we wat van plan zijn! Ik kan het niet doen als ze nog binnen is...'

'Wacht dan tot ze weg is. Ik ga wel op de uitkijk staan. Doe het nou maar.'

De muziek uit de woonkamer werd luider en er begonnen mensen te dansen. Op Celine Dion. Ik ademde zwaar. Ik had me met de wijn geen moed ingedronken; van allebei had ik veel meer nodig.

'Haal 's wat te drinken voor me,' zei ik.

Philippe hield zijn hand voor zijn mond en onderdrukte een boer. 'Doe het zelf.'

In de keuken kwam ik Daphne en haar Stuk tegen, die niet erg tot groeten in staat waren, want ze hadden hun tong in elkaars mond. Ik zocht schone glazen, maar zonder succes, en dronk toen maar uit de fles. Toen ik weer op de plaats des (naderenden) onheils aankwam, sloot madame Sobranet juist, met meer poeder op haar neus en zwaarder geparfumeerd, de deur van de wc achter zich. Ze keek naar mijn natte overhemd en toen naar de slapende Haxby. Er vormde zich een vage glimlach op haar gezicht en ze stond even stil alsof ze iets wilde zeggen, maar liep toen door.

'Ze weet dat we iets van plan zijn!' zei ik met dubbele tong. 'Dat zie je toch! Ze gaat haar man halen!'

Philippe draaide nonchalant een roze serpentine om zijn vinger. 'Doe het nou maar.'

'Niet te geloven dat ik dit zelfs maar overweeg. Als iemand me ziet, ben jij er geweest.' Ik haalde diep adem en de kamer begon te draaien. Aarzelend trok ik Haxby's gulp verder open en keek erin. Een boxershort. Goddank. Een strakke onderbroek zou lastiger zijn geweest. Ik stak mijn hand erin. Haxby bewoog. Als gestoken trok ik mijn hand terug.

'Hij wordt wakker!' zei ik.

'Ach welnee.'

Haxby lag nu iets meer op zijn zij. Dat maakte het wat makkelijker. Ik stak mijn hand weer in zijn gulp en trok met de behendigheid van een ervaren inbreker Haxby's slappe, enge, onbesneden oxfordiaanse werktuig naar buiten. Dit keer bewoog alleen zijn gezicht: er verscheen een spoor van een glimlach.

Toen ik wilde vluchten, greep Philippe me bij mijn mouw en maakte doodkalm met de roze serpentine een strik, of wat daarvoor moest doorgaan, om de fallus. Daarna renden we als twee schooljongens weg – Philippe de ene kant uit en ik de andere – om in de woonkamer tegen elkaar op te botsen en vervolgens tussen onze collega's te circuleren en te brullen van het lachen om alles wat er tegen ons werd gezegd, te bulderen van het lachen, te lachen tot het pijn deed.

Toen onze taxi kwam aanrijden over de met bomen omzoomde oprit die plaats bood aan drie auto's zaten we met ons vieren – Barbara, Milena, Philippe en ik – in de voortuin met de armen om elkaar heen tussen de herfstkrokusjes geïmproviseerde balladen op één enkel rijmwoord te zingen. We wisten geen van allen precies wat de voorgeschreven vorm was; we rijmelden er maar wat op los. Philippe zwoer dat hij een paar goeie Engelse wist, maar niemand kon hem verstaan. De versvoet was een anapest, dacht ik, dus de kans bestaat dat het gewoon schunnige limericks waren.

Achter in de taxi rijmelden we door, om de beurt een regel: 'We zitten achterin / We hebben 't naar ons zin / Dus op naar de waardin / Dit is pas het begin.' Philippe, die de laatste regel zei, moest er een paar seconden later uit, met zijn hand tegen zijn mond. Ik zei dat ik hem zou bellen. Ik zat nu in het midden met mijn armen om twee prachtige vrouwen heen. Ik sloot mijn ogen. Toen ik ze weer opendeed, zaten Barbara en Milena elkaar voor mij langs te knuffelen en natte zoenen en telefoonnummers uit te wisselen. Barbara gaf me een bruuske pakkerd op mijn wang toen ik probeerde haar op haar mond te kussen.

Milena en ik reden alleen verder en stapten voor haar huis uit. Op haar verdieping brandde licht. 'Je bent alleen meegegaan voor haar,' mompelde ik. 'Of wel? Ik bedoel, of niet?'

'Huh?'

'Voor Barbara. Eh... anders... was je niet meegegaan, toch?'

'Laten we naar jouw huis gaan,' zei ze.

Wat er daarna gebeurde, weet ik nog heel goed. We stommelden door de steegjes, langs muren met grotestadsopschriften, waarop onze dronken schaduwen zwollen en weer krompen tussen de ene lichtbron en de volgende. Voor het raam van Denny kuste ik Milena voor de eerste keer op de mond. Onze lippen – de hare verrukkelijk zacht – gleden over elkaar op het vocht van onze monden, ik trok haar lichaam tegen het mijne aan en schoot andere, hogere dimensies binnen waar ik de tijd en de aarde ver onder me liet. Toen ik dromerig aan de knoopjes van haar blouse begon te prutsen, pakte ze mijn hand en gebaarde naar mijn huis. 'Laten we naar boven gaan,' fluisterde ze. Ze zag er begeerlijk en begerig uit.

Die nacht sliepen we samen, althans letterlijk. Toen ik uit de badkamer kwam, was Milena in slaap gevallen en ik kon haar met geen mogelijkheid wakker krijgen.

In mijn droom rende ik met Milena door de bergweiden vlak bij de plek waar mijn moeder begraven lag. Het was rond middernacht op de sterrenklok toen we stilstonden bij een met mos begroeid draaipoortje. Zonder een woord te zeggen duwde Milena de krakende poort open, pakte mijn hand en trok me mee langs een overwoekerd pad met verzonken treetjes naar een tuin, die overging in het bed wilde bloemen onder mijn balkon. Tussen de hoogopgeschoten klaprozen, geitenbaard en wilde wijnruit, onder de bleke sterren en de wassende maan, beminden we elkaar vurig tot de dageraad...

Ik werd wakker van Milena's kotsgeluiden in de badkamer.

II

12

'Gek was ik, te denken dat die maan van mij was...'
– *A Yorkshire Tragedy*

Op de dag dat William Shakespeare eenenveertig werd stak Walter Calverley, een gokker en een gewelddadig, verdorven mens, in een landhuis in het noorden van Engeland zijn vrouw dood en vermoordde daarna ook zijn kinderen. Een lezing van de gebeurtenissen die voorafgingen aan deze kindermoord verscheen drie jaar later in de vorm van een merkwaardig toneelstuk van één bedrijf, *A Yorkshire Tragedy*. De titelpagina zag er zo uit:*

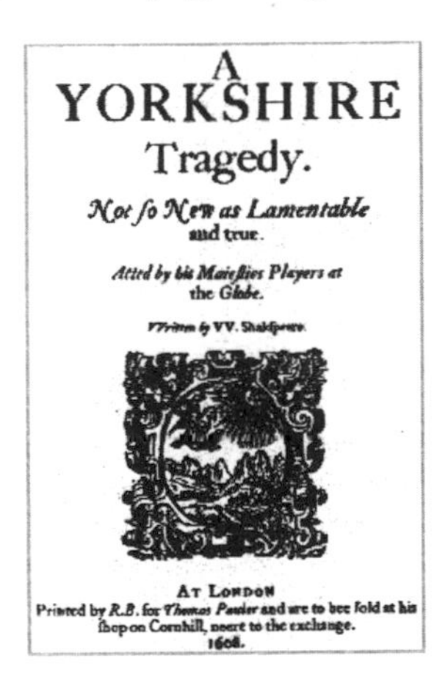
A
YORKSHIRE
Tragedy.
Not so New as Lamentable
and true.
Acted by his Maiesties Players at
the Globe.
Written by VV. Shakspeare.

AT LONDON
Printed by *R.B.* for *Thomas Pavier* and are to bee sold at his
shop on Cornhill, neere to the exchange.
1608.

* In het register van het Boekhandelaarsgilde van 2 mei 1608 staat de schrijver vermeld als 'Wylliam Shakespeare' en in de quatro-editie van 1619 als 'W. Shakespere'. De Bard zelf schreef zijn naam op minstens twaalf verschillende manieren (een anagram van 'William Shakespeare', zei mijn oom, is 'Elke Wim is haspelaar').

Ik hoorde de naam Calverley voor het eerst toen Gerard me meenam naar het Castle Museum in York. Ik zal een jaar of zeven, acht zijn geweest. Er komen me beelden van opgezette paarden, brandblusemmertjes en oude musketten voor de geest, maar wat me nog het duidelijkst bijstaat zijn de 'oude kerkers' waar Walter Calverley volgens Gerard is 'doodgeperst'. Ik weet nog dat ik daarbij een elektrische strijkbout voor me zag en dacht: zo zal je maar aan je eind komen. 'Waarom hebben ze hem doodgeperst?' vroeg ik ten slotte.

'Vanwege incest en moord,' antwoordde Gerard.

Dat is alles wat ik me herinner.

De tweede keer dat Calverley mijn pad kruiste was een jaar of twee later, rond Halloween. Gerard en ik waren naar de paardenrennen in Pontefract in West-Yorkshire geweest, waar we, althans in mijn ogen, enorme bedragen hadden gewonnen. Een deel daarvan – twee handenvol kleingeld – had ikzelf gewonnen door op mijn intuïtie af te gaan. Maar ik deed mijn best om kalm te blijven. 'Een heer bewaart altijd zijn waardigheid,' had Gerard me op de terugweg naar de auto meer dan eens op het hart gedrukt. 'De heffe gaat op en neer staan springen, maar een heer toont nooit zijn emoties – al verliest hij zijn hele vermogen.'

In de auto, een gebutste zwarte Rover, wikkelde Gerard me in een wollen deken en vertelde ondertussen over de druïden, een van zijn geliefkoosde thema's. De munten rinkelden in mijn zakken terwijl we langzaam terugreden over smalle landweggetjes en winderige karrensporen en mijn oogleden steeds zwaarder werden. 'Vis en maretakken waren heilig voor hen... Op Halloween ontstaken ze enorme vuren, waarin ze de beenderen van gestorven familieleden verbrandden...'

Het volgende wat ik me herinner is het geluid van takken tegen de voorruit. Toen ik vroeg waar we waren, bracht Gerard zijn wijsvinger naar zijn lippen en fluisterde: 'Geloof jij in spoken, Jeremy?' Ik zweeg. 'Wil je een spookhuis zien?' vroeg hij. Ik knikte van ja, maar dacht nee.

We stapten zo geluidloos mogelijk uit en Gerard beduidde me dat ik de deur niet moest dichtslaan. Hand in hand liepen we door een bosje naar de rand van een moeras, waar Gerard stilstond en wees. Een groot, eenzaam huis met een verwaarloosde tuin doemde als een luchtspiegeling op in de oranje-paarse zonsondergang.

'Calverley Manor,' zei Gerard. 'De geest van Calverley is hier in de bossen gezien, op een galopperend paard zonder hoofd.'

Ik kneep nog harder in Gerards hand en mijn hart galoppeerde in mijn keel.

'O, je hoeft niet bang te zijn dat je hem nog tegenkomt, hoor jongen. Die geest is bezworen en kan niet meer verschijnen zolang de hulst nog groen is in het Woud van Calverley.'

Zolang de hulst nog groen is in het Woud van Calverley. Ik keek naar het huis, naar de bossen achter ons, naar Gerard. 'Groeit er hier hulst, oom Gerard?'

'Niet dat ik weet. Laten we eens kijken of we Calverley zover kunnen krijgen dat hij zich laat zien. Zullen we het proberen?'

Ik gaf geen antwoord. Ik kneep Gerards hand zowat fijn terwijl we om de stilstaande waterpoelen en de rottende planten heen liepen. Onze schoenen knerpten over het nooit belopen grindpad naar het verwaarloosde, maar niet vervallen huis. Vlak bij de hoofdingang legde Gerard zijn handschoenen en zijn deukhoedje op het met onkruid begroeide pad en vroeg mij ook om mijn pet en handschoenen. 'Kom 's hier met die pet,' zei hij. Hij legde ze met wat grind en stenen ongeveer in de vorm van een piramide. Toen gaven we elkaar weer een hand en Gerard hief een vreemd refrein aan:

Gemene ouwe Calverley, ik heb je in de tang,
Je moet nu wel verschijnen, ik ben voor jou niet bang.

Nadat hij het een paar keer had voorgedaan, deed ik mee. Terwijl ik de woorden voor me uit prevelde, haalde Gerard een amberkleurig flesje uit zijn regenjas en dronk het restje op dat er nog in zat. Hij legde het lege flesje voorzichtig op de grond en sloeg het toen met een kei aan gruzelementen. De glasscherven verspreidde hij rond de piramide, waarna hij ze begon aan te stampen, opnieuw en opnieuw, onder het herhalen van het refrein.

Op onze tenen slopen we naar het huis, naar een grote erker. Gerard tilde me op, zodat ik naar binnen kon kijken. Het raam was zo vuil dat je er haast niets door zag en binnen was het aardedonker.

'Ik zie niks, oom.'

'Weet je het zeker?'
'Ja. Zet me maar weer neer.'
Nu was Gerard aan de beurt om te kijken. 'Ja hoor,' zei hij, 'absoluut. Dat is 'm. Jee! De meubels beginnen rond te draaien, Jeremy! Hij komt deze kant op!'
We renden naar de auto, Gerard duivels lachend. Ik lachte helemaal niet. We stapten in, sloegen de deuren dicht en deden ze haastig op slot. Gerard begon te hoesten, lang, blaffend en uit het diepst van zijn longen.
'Je bent een dappere kerel,' zei hij in zijn zakdoek. 'Heel dapper. Zo, eens kijken wat ik hier heb.' Hij tastte onder zijn stoel en haalde een papieren zak te voorschijn. 'Zullen we maar een slokje nemen? Om onze winst te vieren?' Hij hield een fles omhoog – champagne, zei hij – en begon hem open te maken met de kurkentrekker van het zakmes waar zo veel verschillende dingen aan zaten. 'Drinken wij dan uit schuimende bokalen op 't heil van de godin Fortuna,' zei hij terwijl hij twee met vieze vegen overdekte plastic bekertjes volschonk. Hij lachte en ik ook. We klonken, Gerard dronk zijn bekertje leeg en zei toen dat hij even moest 'urineren'. Zodra hij uit het zicht was, deed ik mijn deur open en goot mijn bekertje mousserende wijn leeg op de grond. Het smaakte walgelijk. Ik deed beide deuren op slot en wachtte.
Toen Gerard een paar seconden later vanachter een struik te voorschijn kwam, ontgrendelde ik zijn deur snel weer, want ik wilde geen laffe indruk maken. Hij stapte in en zei dat hij in de rimboe in Zoeloeland bijna was doodgegaan aan zwartwaterkoorts.
'Oom Gerard, wat is zwartwaterkoorts?'
'Een ziekte waar je urine zwart van wordt, Jeremy.'
Gerard startte en we reden verder. Ik dronk de wijn op die Gerard voor me had bijgeschonken en het moeras en de heide en de zwarte rotsen begonnen voor mijn ogen te tollen. Weldra viel ik in slaap, met mijn hoofd op een kussen op Gerards schoot. Thuis, in York, kreeg ik daarna elke ochtend in de badkamer en elke avond in bed visioenen van zwarte pies. Ze bleven nog lang terugkomen.

Mijn derde ontmoeting met Calverley vond plaats in North York, niet lang na onze verhuizing. Ik was in de universiteitsbibliotheek tussen de volwasseneninformatie aan het opzoeken over de zeven lemmata van de Bladzijde. Een vrouw die op Claudia Cardinale leek, maar dan met bril, was boeken aan het opruimen en toen ze aan mijn tafel toe was, vroeg ik zenuwachtig of er een manier bestond om een bepaald woord bij Shakespeare op te zoeken. Ze glimlachte en zei: 'Kom maar mee.'

Ik ging aan de slag en bestudeerde, hoewel aanvankelijk wat afgeleid door amoureuze gedachten, de Shakespeare-concordantie die ze me had gegeven. Ik ontdekte onder andere dat een van de onderwerpen op de Bladzijde, *schudden, beven*, maar in één stuk voorkwam... *A Yorkshire Tragedy*. Het was nog een centrale metafoor ook:

> *Wat is toch de macht van drie dobbelstenen, dat een man driemaal drieduizend bunder land op een kleine ronde tafel legt, en dat een heer met bevende hand zijn nageslacht uitschudt, dieven of bedelaars...*
>
> *Ik zie hoe het verval met bevende hand*
> *'t Oud erfslot schudden doet tot stof en puin...*

In mijn ingewikkelde jeugdige logica hechtte ik veel belang aan dat 'toeval' – en aan het feit dat de vader, net als Gerard, het grondbezit van zijn familie had vergokt.

> *Mijn landerijen lagen om mij heen gelijk de volle maan. Maar nu is de maan in het laatste kwartier en neemt nog aldoor af; gek was ik, te denken dat die maan van mij was. Van u, van mij, van mijn vader en mijn voorvaderen, van geslacht op geslacht. Zo zinkt ons huis, steeds dieper zakt het weg.*

Ik vroeg Claudia of de bibliotheek een origineel manuscript van dat stuk bezat. Het leek haar niet waarschijnlijk, maar als ik dat wilde kon ze het wel navragen. Nou, graag. Toen ik de volgende dag terugkwam, zoals afgesproken (het leek wel een echt afspraakje), zei ze dat de Newberrybibliotheek in Chicago een mooie eerste quarto-uitgave bezat.

Daarna vroeg ik minstens eenmaal per week aan mijn ouders of ik naar Chicago mocht en kreeg ook minstens eenmaal per week nul op het rekest. Maar uiteindelijk ging ik toch, ongeveer een jaar later, toen mijn klas voor aardrijkskunde op excursie naar een nikkelmijn bij North Bay ging. Ze bleven een lang weekend weg en Ralph dacht dat ik mee was. Mijn moeder wist beter.

Ik nam de nachttrein, een boemel, waarin ik niet meer dan een uur sliep. Onderweg bestudeerde ik een gedetailleerde plattegrond van Chicago met de routes van het openbaar vervoer en de toeristenattracties, waarop ik een grote rode cirkel om West Walton Street nummer 60 had gezet, het adres van de Newberrybibliotheek. Toen de trein het station binnenreed kende ik Chicago als mijn broekzak. Toch verdwaalde ik, te verlegen om de weg te vragen, en nam ten slotte maar een taxi.

'Weet je wel zeker dat die bibliotheek op zaterdag open is, chef?' vroeg de zwarte chauffeur vaderlijk. Ik bromde wat; daar had ik niet aan gedacht.

De bibliotheek was niet open. Althans nog niet – ik moest een uur wachten. Op het bordes voor de ingang met de drie boogpoorten trok ik tegen de ochtendzon met half dichtgeknepen ogen een jasje aan, deed een das om en bond mijn haar in de nek tot een staart, die ik in mijn overhemd stopte. Uit mijn borstzak haalde ik een aanbevelingsbrief van mijn leraar Engels, meneer Gilburne, die ik in de trein geschreven had. Ik wilde niet dat de bibliothecaris van Newberry me voor een gestoorde vandaal aanzag.

Maar de bibliothecaris was vriendelijk en vertrouwend en hij glimlachte bij het lezen van mijn brief. Hij bracht me naar een kamer waar hij het licht aandeed, dat knipperde en zoemde, en vertelde dat de Newberrybibliotheek het eerste gebouw in Chicago was dat elektriciteit kreeg. Hij zei ook dat er vijfendertig kilometer aan boeken stond. Ik knikte en wist niet wat ik daarop terug moest zeggen. Eindelijk kwam hij me in de halfdonkere kamer, waar ik in mijn eentje met kletsnatte handen zat te wachten, een dun, in rood marokijn gebonden boek brengen. 'Dit is een mooie eerste quartouitgave,' verzekerde hij me. 'Weet ik,' zei ik.

Ik wachtte tot hij weg zou gaan, maar hij leek geen haast te hebben. Hij bleef om me heen hangen en ging ten slotte tegenover me zitten. Hij pakte een willekeurig boek van de tafel en keek de hele tijd van dat boek naar mij, met rusteloos op en neer schietende ogen achter de dubbelfocusglazen van zijn bril. Was hij soms bang dat ik met een highlighter in het boek ging zitten strepen?

Met bonkend hart nam ik de gladde leren band in mijn handen en vroeg me af hoeveel inmiddels dode handen de bladzijden al hadden omgeslagen. Ik telde tot elf en sloeg het boek open. Op het titelblad stond het wapen van een zekere William Gott, Armley House, Leeds, en op het schutblad was met de hand een samenvatting van de feiten geschreven, gebaseerd op 'Stowe's Chronicle' anno 1604:

> *Den Heer Walter Calverley te Calverley in Yorkshire heeft 2 syner kinderen ter doet gebragt, Phillipa syne huysvrou int lyf gestoken om haer ter doet te brengen, ende is ter stont daerop van huys gegaen soeckende zyn iongste kint by de min also wel te dooden, daervan hy wert weêrhouden. Den Moirdenaer seide dat hy sulcks had gedaen daer hy van syne huysvrou had verstaen dat de kinderen niet doir hem verweckt en waren. Te regt staende in Yorke en sprack hy niet ende bequam sententie van perssinghe ter doet inden Burght van Yorke.*

Ik sloeg de bladzijde om en begon de tekst van het stuk te lezen, hoewel ik dat al vaak had gedaan. Door de oude spelling en het lettertype (en doordat de bibliothecaris op me zat te letten) vond ik het moeilijker leesbaar dan mijn eigen editie – maar ook geheimzinniger en angstaanjagender. Ik bestudeerde het macabere verhaal woord voor woord zonder precies te weten wat ik hoopte te vinden. Bevestiging dat Shakespeare het geschreven had? Die had ik niet nodig.* Nog meer aanwijzingen over Gerards gokverslaving? Nee, ik geloof dat ik het alleen maar wilde vasthouden. Uiteindelijk zakte ik weg, uitgeput van de lange treinreis, en werd worstelend wakker doordat de bibliothecaris het boek uit mijn armen probeerde te trekken.

De laatste keer dat ik door de geest van Calverley werd bezocht was in Parijs, in mijn laatste studiejaar. Ik zat in de Bib Nat (dat mag je zeggen als je er twee keer bent geweest), het liep tegen sluitingstijd en daar stuitte ik toevallig op een dissertatie met de titel *Une Tragédie yorkshirienne de Shakespeare: canonique ou apocryphe?* De auteur was ene Jacinthe Amyot en het boekje was uitgegeven door de Université de Rheims Champagne-Ardenne – in hetzelfde jaar en hetzelfde kwartaal waarin ik geboren ben. Aan die toevallige samenloop van omstandigheden hechtte ik een fatalistisch belang – de aanwijzingen van het lot laten zich niet negeren. Daarom ging ik de volgende dag weer naar de bibliotheek en kopieerde de 186 bladzijden van het proefschrift op glanzend papier. De twee weken daarop ging ik niet naar college maar zat ik koortsachtig te vertalen, en ten slotte veranderde ik de titelpagina. Ik heb het nog niet aan een promotor voorgelegd en dat zal ik ook wel nooit doen (zeker niet nu er zo op me wordt gelet).

En zo keerde ik, inmiddels in het bezit van een twijfelachtige Parijse *licence*, een nog twijfelachtiger *diplôme d'études*, een geplagieerde dissertatie van Ardenne en een blanco doctorsbul van North Shrewsbury, terug naar North York in Canada. Ik arriveerde op een zaterdag en vertrok de zaterdag daarop. Terwijl Ralph in zijn gecapitonneerde toevluchtsoord in het souterrain met chocolademelk en Fig-Roll-koekjes naar een stel mannen zat te kijken die het over de termijnmarkt voor zink hadden, pakte ik het allernodigste en stouwde dat met de precisie van een legpuzzel in de blauwe Colt van mijn moeder, die al die tijd triest en ongebruikt op de oprit had gestaan. Om middernacht zette ik koers naar het oosten via de 401 en bij zonsopgang reed ik Lower Canada binnen. Een paar stuurloze, gedesoriënteerde jaren later solliciteerde ik naar een baan als docent aan een Franstalige universiteit.

* Alexander Pope beschrijft *A Yorkshire Tragedy* als '...een zeer slecht stuk [...] dat niet aan Shakespeare mag worden toegeschreven'. Door o.a. Steevens, Ulrici, Fleay, Ward en J.S. Moore wordt het werk wel als authentiek beschouwd. Moore gaat zelfs zo ver te beweren dat '*A Yorkshire Tragedy* zich onderscheidt door zijn felrealistische karakter en niet-aflatende dramatische kracht' en dat het werk '...behoort tot de weinig werkelijk grote familietragedies van zijn tijd' (*Shakespeare Pseudographia Society Newsletter*, Montreal, herfst 1994).

13

> 'Hij is getrouwd, slaat zijn vrouw, en heeft twee, drie kinderen bij haar. Want ge moet weten dat een vrouw meer kinderen krijgt als ze geslagen wordt.'
>
> – *A Yorkshire Tragedy*

'Sloeg jouw vader je moeder?' Het was de ochtend na de docentenborrel en ik had het tegen Milena, die net haar ogen opendeed. De regen sloeg tegen het slaapkamerraam en de lucht sidderde. Eigenlijk zou ik me nu opgewonden en onuitsprekelijk romantisch moeten voelen, maar dat was niet het geval. Ik voelde me ellendig door slaapgebrek en nachtmerries – in een daarvan reed Milena's vader de straat op en neer op een paard zonder hoofd.

Milena keek me een seconde aan, zei 'nee' en verdween toen in de badkamer. Daar bleef ze een hele tijd, althans voor haar doen. Toen ze weer in bed kwam, stak ze een sigaret op, liet de lucifer in een glazen kopje vallen, nam een paar diepe trekken en zei toen dat hij wél sloeg. Ik wachtte tot ze verderging; zij vroeg of ik koffie had. Glimlachend en met een barstende koppijn stond ik op om koffie te gaan zetten.

Elk in een hoekje van de chesterfield dronken we allebei twee koppen koffie en slikten twee aspirientjes met codeïne. Terwijl het langzaam helderder werd in mijn hoofd wachtte ik tot Milena over haar vader ging vertellen. Ze zei echter niets. 'Sloeg je vader jou ook?' vroeg ik.

Milena krabde aan het etiket van het buisje aspirines en bleef toen strak naar een botervlootje zitten kijken dat al twee dagen op tafel stond. De boter zat nog half in het zilverpapier en er zaten kruimels toost op. 'Toen ik een jaar of tien was,' antwoordde Milena na een poos, 'had ik precies zo'n botervloot op de grond laten vallen. Het was avond en we zaten aan tafel. Alleen mijn vader, mijn zusje en ik – het was een paar weken na de dood van mijn moeder. Het was een warme zomeravond, de boter was zacht en vloeibaar geworden en spetterde in het rond. Het was wel een half pond, geloof ik. Ik begon zenuwachtig te lachen en mijn zusje ook. Mijn vader keek naar de grond, schonk zijn glas weer vol en zei toen dat ik op mijn knieën moest gaan zitten en het oplikken.'

'Oplikken? Echt? Wat een klootzak! Heb je het gedaan?'

'Hij duwde me hard tegen de grond, bij mijn nekvel. Ik zat op handen en knieën naar die boter te kijken en wist niet wat ik moest doen. En toen, wáám! sloeg mijn vader me voor mijn kont en riep: "Nou, waar wacht je op? Vooruit!" Dus toen deed ik het maar. Of ik probeerde het althans. Ik werd er niet alleen misselijk van, ik kon het ook haast niet in mijn mond krijgen. Maar toen beet ik een grote homp af, stond op, met mijn gezicht onder de boter, en keek naar mijn vader. En toen naar Violet, die begon te huilen.'

'God. En toen? Wat gebeurde er toen?'

'Ik keek weer naar mijn vader, die zat te grijnzen, en toen spoog ik die boter in zijn gezicht.'

'Prima! Goed zo! En toen ben je zeker als een gek weggerend? Wat deed hij toen?'

'Hij pakte me bij mijn haar en slingerde me in het rond tot mijn voeten door de lucht zwierden en hij liet pas los toen ik begon te gillen en Violet begon te gillen en hij met slierten haar in zijn handen stond.'

Nadat ze een poos in haar eentje op het balkon had gezeten, ging Milena zich aankleden, zei dat ze geen zin had om ergens te gaan ontbijten maar leek ook geen haast te hebben om naar huis te gaan. Ze ging weer op de bank zitten, joeg de brand in een verse sigaret en keek uitdrukkingsloos naar de muur. Ik ging brood roosteren en gevulde eieren maken, die Milena niet aanraakte. En daar zaten we dan, in een dichte mist van Virginiatabak.

'Je vader was zeker erg jaloers, hè?' flapte ik er ten slotte uit. 'Dacht altijd dat je moeder iemand anders had.'

'Eh, ja, maar hoe...'

'En hij dacht dat zijn kinderen niet van hemzelf waren?'

'Hoe weet je dat? Ik bedoel, wie zegt dat?'

'Ik heb zo mijn bronnen. En je vader heet Walter, toch?'

'Jeremy, wat ben je aan het...'

'Heeft je vader je ooit... misbruikt? Seksueel bedoel ik?'

De as van Milena's sigaret viel op haar schoot, die ze snel afklopte. 'Dat gaat je niks aan,' zei ze met een blik op de achtergebleven grijze veeg. 'Maar nee, dat heeft hij nooit gedaan. Iemand anders wel.'

Ik keek naar Milena en wachtte tot ze verderging, terwijl de emoties door me heen gierden. De staande klok tikte, een regelmatig geklak als van paardenhoeven, even luid als mijn hartslag. De telefoon ging en ik nam niet op. Het antwoordapparaat sloeg aan en weer af. Milena keek me aan en zuchtte. 'Een huisvriend...' Ze zweeg even om zich nog een kop koffie in te schenken, maar ze dronk er niet van. Ze staarde naar het botervlootje, diep in gedachten. Een volle minuut verstreek.

'Als je het liever niet wilt vertellen, Milena...'

'Je weet niet waar je je in begeeft... Een huisvriend, zo zal ik hem maar noemen, heeft mijn zusje en mij "gebruikt". Jaren geleden. Ik weet dat dat veel voorkomt. Hopelijk denk je nu niet: o ja, weer zo eentje, iedereen kruipt tegenwoordig in de slachtofferrol, zoekt zondebokken, wil schuld op iemand afschuiven...'

'Dat denk ik helemaal niet.'

'Ik weet dat massa's vrouwen, en ook mannen, zoiets te verwerken krijgen. Ik geloof dat ik er inmiddels overheen ben, dat ik het achter me heb gelaten. Maar bij ons kwam er nog iets bij waardoor het veel, veel moeilijker te verwerken was.'

Ik wachtte, mijn gedachten fladderden als vleermuizen door mijn hoofd en ik haalde nauwelijks adem.

'Ik weet ook niet waarom ik jou dit allemaal vertel, echt, je weet niet half waar dit heen gaat. Mijn vader had ons eh... verloren.'

'Verlóren?'

'Ja, bij het gokken. Hij had ons vergokt. Hij gaf ons aan die huisvriend om zijn gokschuld te voldoen. Een verslaafde zoals hij vergokt alles wat hij maar bij de hand heeft.'

'Dat kan toch niet!' riep ik en ik hoorde zelf hoe zwak dat klonk. 'Heeft je vader je zomaar wéggegeven? Waarvoor? Aan wie? Wie was die huisvriend?'

'Die ken je niet. En je zult hem ook nooit kennen.'

'Wie? Hoe heet hij?'

Milena hield de rook in haar mond en liet hem in kleine pufjes ontsnappen. Ze keek me recht aan en zweeg even. 'Denny.'

'Denny? Die vriend van je die zich opgehangen heeft?'

'Een vriend van mijn vader, niet van mij.'

'Jezus! Dus hij heeft zelfmoord gepleegd om wat hij jou heeft aangedaan?'

'Dat dacht ik ook – heel even. Maar hij was niet het type voor berouw. Bovendien was het geen... Eerst dacht ik aan een seksspelletje waarbij iets mis was gegaan – wurgseks of zo. Maar toen ik de politie binnenliet – mijn vader wilde het niet doen – zag ik dat zijn handen achter zijn rug waren vastgebonden.'

'Ja, dat heb ik gehoord... Jacques zei... Dus het was geen zelfmoord.'

Milena haalde haar schouders op. 'Er waren sporen van een worsteling. Zoals dat heet.'

'Dus jij hebt het lijk gevonden? Op de dag dat ik hier introk zag ik je daar naar binnen gaan...'

'Ik ben na een paar dagen naar Denny's huis gegaan omdat hij spullen had die nog van mijn moeder waren geweest – die had mijn vader ook vergokt. En hij had ook nog spullen van mij.'

'Jezus, hoe verwerk je zoiets? Je zult wel nachtmerries hebben en... ik weet niet...'

'Van dat lijk? Dat vieze, stinkende lijk? Helemaal niet. Al was zijn gezicht bijna zwart en hing zijn tong uit zijn mond...'

'Nee, ik bedoel over... wat hij met je heeft gedaan, dat misbruik.'

'Ik heb wel heel vaak nachtmerries gehad, ja, maar dan zag ik nooit dat misbruik, het was trouwens eigenlijk geen misbruik in lichamelijke zin... of misschien ook wel. Ik bedoel, we moesten dingen van hem doen, hij maakte polaroidfoto's van me, van mijn zusje, van ons samen. En soms probeerde hij ons ongemerkt drugs te geven, in onze cola, maar dat lukte nooit want we hadden hem door. Maar dat poseren was echt verschrikkelijk, vernederend, ik was zo preuts op mijn lijf, op sommige van die foto's lopen de tranen over mijn gezicht... Toen je me zijn huis binnen zag gaan – ik zal het maar eerlijk zeggen – kwam ik voor die foto's.'

'O god. Wat... afschuwelijk, ik weet niet wat ik zeggen moet. Je hebt ze toch wel gevonden?'

'Ja. En ik heb er meteen ter plekke een lucifer bij gehouden. Als ik ze niet had gevonden, had ik dat hele kuthuis in brand gestoken.'

Ik knikte. 'Heeft hij je... je weet wel, behalve die foto's... heeft hij je aangeraakt, gemolesteerd, verkracht?'

'Mijn vader had ons aan Denny gegeven, op één voorwaarde: dat hij ons nooit met een vinger zou aanraken. En dat hij hem anders vermoordde.'

'En heeft hij dat gedaan? Je aanraken?'

'Eén keer.'

'Heb je het tegen je vader gezegd?'

'Ja.'

'God. En wist je moeder ervan? Heb je contact opgenomen met de politie?'

'Mijn moeder was al dood toen het allemaal begon. En we hebben de politie niet gebeld, nee. Ik weet niet, mijn vader was heel overheersend, we waren bang voor hem. Bovendien zei hij dat hij door een knokploeg zou worden doodgeslagen als we hem niet hielpen – met zijn schulden dus – en dan waren we helemaal alleen en moesten we naar het weeshuis. En ik moet toegeven dat ik later ook een soort medelijden met hem kreeg. Hij had in Europa een heel zwaar leven gehad bij zijn familie en hij was vervolgd, in elkaar geslagen en zo. Hij kwam uit het noorden – ten noorden van Praag – en daar zijn de vervolgingen het ergst. En hij was geobsedeerd door het waanidee dat wij – mijn zusje en ik – niet echt van hem waren. Dat zal Vile je wel hebben verteld. Zijn leven is in veel opzichten moeilijker geweest dan het mijne. Met Denny is het een ander verhaal... Maar als ik eraan denk, als er iets gebeurt waardoor de herinneringen weer bovenkomen, zie ik eigenlijk niet oom Denny voor me, of iets anders. Het is moeilijk uit te leggen, maar dan wordt het opeens helemaal rood in mijn hoofd, een soort explosie van rood, en dat is eigenlijk zo erg nog niet, want dan kan ik op de een of andere manier niet meer denken of voelen of dood willen...'

'Dood willen! Christus...'

'Ik snap echt niet waarom ik je dit allemaal vertel, ik heb het er nooit over en ik ken je niet eens. Maar ik zal er niet meer over beginnen. Het gaat wel weer. Ik ben er nu echt overheen, ik kan het loslaten. Een heleboel kan ik me niet eens meer herinneren. Maar ik wil niet dat je nu anders tegen me gaat doen of medelijden met me krijgt of dat je geen domme grappen meer durft te maken of zo. En verder hoeft niemand het ooit te weten, oké?'

Milena vertrok zonder nog iets te zeggen, ook niet of ze nog terugkwam en wanneer. Ik probeerde kalm te blijven terwijl ze als een fata morgana de trap af en de deur uit zinderde. Toen ik haar vanaf het balkon had nagekeken tot ze verdwenen was, kroop ik in bed en trok de dekens over me heen.

Ik bleef de hele dag zo ziek als een hond in bed liggen wachten op de bel, de telefoon, Milena die me kwam genezen. Die nacht strompelde ik misselijk en slapeloos de Boulevard op en neer, en met mijn bloeddoorlopen ogen keek ik niet naar vrouwenlichamen maar naar mannengezichten, ik keek diep in hun ogen, in hun ziel. Kon je seksueel misbruik maar aan iemands gezicht aflezen, zoals koorts en ziekte! En jij? Wat voor duistere geheimen heb jij?

De volgende dag was ik nog steeds ziek – koorts en overgeven van de gevulde eieren, en Milena liet niets van zich horen. Die nacht liep ik weer mijn rondje en nu keken de mannen achterdochtig naar míj, alsof zij wisten dat ik het wist. Het sloeg middernacht toen ik thuiskwam en ik viel op het kleed in de huiskamer in slaap terwijl de beelden van Calverley en zijn doodsbange kinderen door mijn hoofd kolkten.

Ik weet niet hoeveel later schrok ik wakker van de bel. Omdat het buiten donker was, draaide ik me om en wilde verder slapen, overtuigd dat het een verwarde dronkelap was of een sardientjesetende Zuid-Amerikaan. Weer ging de zoemer. Milena. Dat ik daar niet aan had gedacht! Milena! In boxershort schoot ik mijn geïmproviseerde koortsbed uit en het balkon op. Milena – dat kon toch niet. Ik keek naar beneden. Ze was het! Ze liep de trap af.

'Milena! Milena! Ik ben thuis. Ik kom naar beneden!'

Ik rende de badkamer in om mijn haar goed te doen, plensde wat Andron over me heen en holde de trap af. Ik haalde diep adem en probeerde me te vermannen. Een, twee, drie... ik gooide de deur open. Voor me stond mijn Dark Lady in een gekreukte blauwe regenjas en met nat haar dat in krankzinnig krullende slierten langs haar hoofd droop. Ik keek diep in haar ogen, haar ogen die zo mooi waren dat je hart ervan oversloeg, en het scheelde weinig of ik had haar op mijn knieën een aanzoek gedaan.

'O, ben jij het,' zei ik kalm. 'Daar ben je weer. Kom boven.'

We liepen de trap op, ik voorop, de zieke, rommelige huiskamer in. 'Kan ik je iets inschenken?' vroeg ik terwijl ik bekers, tijdschriften en pijnstillers opraapte en kleren, Kleenex en Kaopectin in een hoek schopte. 'Ga zitten. Een biertje? Sigaret? Heb ik niet in huis, maar ik kan ze wel halen. Wil je een sardientje? Of misschien heb ik nog Lucky Charms of...'

'Jeremy, neem een Prozac. Ik kom alleen die band halen.'

'Band?'

'Die video.'

'Video? O ja, natuurlijk. Die bantoevideo.' Ik zeeg op het kleed ineen.

'Een vriend van me wil 'm zien.'

Een vríend? Om één uur 's nachts? Victor Toddley misschien? Een of andere bard uit een ontwikkelingsland? 'Ik pak 'm wel even,' zuchtte ik.

'Sorry dat ik je uit bed haal, ik had eerst even moeten bellen. Ben je ziek?'

'Nee, nee. Ik eh... met mij is alles best.' Ik veegde mijn voorhoofd af met een gebruikte Kleenex.

'Trek een broek aan. En ga even koffiezetten. Als je er zelf ook trek in hebt.'

Ik keek naar mijn blote benen. 'Ja, daar heb ik wel trek in, ik wilde net gaan zetten, het water staat al op, ik bedoel het koffiezetapparaat kookt, eh staat aan.'

Milena, die nog min of meer hetzelfde aanhad als op de docentenborrel, zat op de bank een New Yorks blad te lezen, *Bomb*, toen ik met een pot koffie, drie keer zo sterk als normaal, twee bekers en een pondszak suiker uit de keuken kwam. Milena drukte de filter van de duwpot met beide handen omlaag alsof ze een lading dynamiet tot ontploffing bracht. Toen begon ze suiker in haar koffie te scheppen. Ik ook. We dronken in stilte. Zij pakte haar blad weer op, ik pakte de afstandsbediening van de tv. *Nog drie... twee... een...*

én aan... Zap... volgens een recent onderzoek zou 37 procent van alle Amerikanen voor een miljoen dollar zijn huisdier van een klip gooien... Geluid uit. Waarom was Milena teruggekomen? Dat moest toch iets betekenen. Nee. Ze moet gewoon die video hebben. Een 'vriend' heeft die video nodig. Ik zette de radio aan. *De meeste muziek waarvan men meent dat die van Pergolesi is, is niet door hem gecomponeerd, maar postuum aan hem toegeschreven door geldbeluste uitgevers...* Waarom hebben we elkaar niets te zeggen? We hebben niet eens genoeg gespreksstof voor een kop koffie. Waarom lijk ik toch niet wat meer op Victor? Milena valt natuurlijk niet op zo'n saaie piet als ik. Een academische oplichter, niet eens tot politiek denken in staat. Wat heb ik nou te bieden? Ze komt waarschijnlijk om in de mannen van het type Victor. Of vrouwen van het type Victor. *Pergolesi dankt zijn succes dus goeddeels aan zijn vroege dood...*

Met heel kleine stukjes tegelijk schoof ik dichter naar haar toe. Ik nam grote, zenuwachtige slokken koffie en luisterde met een half oor naar een stuk dat niet van Pergolesi was. Met een plotseling impulsief gebaar bracht ik mijn hoofd tot op een haarbreed van haar slaap. Ze verstijfde en ik ademde de geur van haar haar en haar lichaam in, haar unieke, gekmakende geur. Ik kuste haar nek, haar oor, haar wang – maar licht, bijna onmerkbaar. Ze liet me begaan zonder weg te schuiven maar ook zonder me aan te moedigen. Ze leek elders met haar gedachten. Ze bleef roerloos zitten, het blad open op haar schoot. Ik wachtte en vroeg me af wat ik nu moest doen.

'Weet je wat, bespring me gewoon,' zei Milena, 'dan hebben we dat gehad.'

Ik trok haar dicht tegen me aan, hard; zij legde haar handen op mijn rug, licht. Het blad viel op de grond. Ze keek omlaag. Ik leunde achterover op de bank en trok haar naar me toe, voelde haar lijf verstrakken in verzet, hoorde haar hart door de dunne wand van haar borst.

'Gaat het?' vroeg ik.

'Jawel. Of eigenlijk niet. Ik... ik heb hier geen goed gevoel over.'

'Ik snap het.' Je wilt een platonische vriendschap. Je gaat naar Victor. Veel plezier met de video.

'Zou je het erg vinden als ik vannacht hier bleef, Jeremy?'

Ja! Ik wist het wel, ze blijft! 'Ja, natuurlijk. Ik bedoel, nee, dat vind ik niet erg...'

'Op de bank, bedoel ik? Ik heb mijn rekeningen al een tijdje niet betaald. Ze hebben de stroom afgesloten.'

14

'Reizend door de lucht, de aarde nauwelijks rakend...
Niets blijft lang ver en niets dichtbij.'

– *Shakuntala*

Noch de wekker noch ikzelf kreeg Milena de volgende ochtend op tijd wakker voor haar werk. Milena sliep vast, comateus, alsof ze zich in een grot had verstopt zolang het licht was, om slaap in te halen. Er was veel overredingskracht voor nodig, verbaal en fysiek, om haar zover te krijgen dat ze haar ogen opendeed. Toen ik voorstelde dat ze het restaurant even belde, zei ze: 'Het restaurant kan de pest krijgen' en sliep weer verder. Dat deed ik toen ook maar. We brachten de volgende negen dagen samen door: negen duizelingwekkende dagen, althans voor mij.

'Milena, het is een prachtige dag,' fluisterde ik in haar oor bij mijn derde poging haar te wekken. 'De zon schijnt – laten we opstaan voordat hij weer ondergaat.' Geen reactie. 'Milena, ik steek een sigaret voor je op.'

Toen deed ze haar ogen halfopen en worstelde zich omhoog uit de slaap alsof ze uit een diep gat klauterde, een donker oord vol spinnenwebben en vleermuizen. Pas na sterke filterkoffie en sterke filterloze sigaretten was Milena in staat iets te zeggen.

'Waar wilde je gaan eten?' vroeg ze dof door de rook heen.

Al die negen dagen gingen we op de Boulevard ontbijten, in een van een drietal cafés: een goedkoop Québécois eethuis waar je de hele dag eieren met spek en 'goddelijke patates' kon krijgen, de beste plek om te weten te komen wie het met wie deed; de Franse *charcuterie*, waar de eigenaar uit Nancy nog steeds spottend naar me keek; en een Italiaanse pastatent die goed en goedkoop maar wel erg schel verlicht was.

Op straat keken de mannen haar vaak na, wat ze onuitstaanbaar vond, als ze het tenminste merkte. Ze kon mannen überhaupt niet uitstaan (alle mannen in Montreal, zei ze een keer tegen me, waren 'ijshockeyfans, leugenaars of randdebielen' – ik weet niet bij welke categorie ze mij indeelde) en deed dan ook nooit moeite om hen aan te trekken. Zodat zij zich natuurlijk des te sterker tot haar aangetrokken voelden.

We liepen langs de stervende winkeltjes naar het kattenantiquariaat, waar Milena peinzend naar binnen ging, voor de dieren en voor de boeken. Ze leek de kattenvangster van Hamelen wel zoals ze aan het hoofd van een stoet adorerende poezen door de vervuilde gangetjes tussen de boekenkasten liep. Ernst Kesselstadt, de nurkse Duitse filosoof-eigenaar, leek Milena ook aardig te vinden – misschien was zij zelfs wel de enige mens ter wereld die hij aardig vond. Op een keer vertelde Ernst, Milena (nooit mij) verlegen aankijkend met zijn vermoeide groene ogen, ons een zelfbedachte 'mop'. 'Zegt een meisje tegen haar vriendin: "Had ik er eindelijk eentje gelijmd, was hij al gebonden – ik voelde me zo genaaid!"' Daarop maakte hij een hard blaffend lachgeluid, een soort geweerschot, zonder dat zijn gezicht meelachte. Ik begon echt aan zijn verstand te twijfelen. Milena lachte. 'Antiquaren vinden 'm altijd geweldig,' voegde hij eraan toe, alvorens weer terug te keren naar zijn wereld van plastic bekers, shag en umlauts.

Terwijl Milena twee gestreepte tijgers aaide die streden om haar aandacht, ontdekte ik in een kast een curiosum: een in roze plastic gebonden dagboek met een slotje en een foto van narcissen en aardewerken eendjes op het voorplat. Op het ruggetje stonden roze anjers, een roze kop en schotel en het woord 'Droom'. Binnenin zag je, als je het met het bijbehorende speelgoedsleuteltje had opengemaakt, nog meer bloemen, keukengerei, potten en pannen. De bladzijden waren zo zwaar geparfumeerd dat ik ervan moest niezen. Op het titelblad stond een gedichtje:

Een goede vrouw is als een goed boek:
onderhoudend, inspirerend en leerzaam,
soms wat al te woordrijk, maar mits
goed ingebonden en verzorgd, onweerstaanbaar.

Terwijl Milena een gesprek in het kats voerde, rekende ik af. Een dollar vijftig – te geef. 'Mag ik een tasje?' vroeg ik. 'Tasje is niet nötig,' zei Ernst.

Ik gaf het dagboek aan Milena. 'Cadeautje.'

'Het is niet ingepakt. Cool. Ik had er vroeger ook zo een.' Ze las het gedichtje, fronste haar wenkbrauwen en begon in haar tas te rommelen. In het vierkantje met 'Dit boek is van' schreef ze:

Jeremy,
Wanneer je later oud en grijs alleen bij 't haardvuur zit,
Neem dit relaas van je bestaan, en gooi 't erin.

Die keer vernam ik wat Milena wilde worden. Toen we weggingen, zei ze: 'Dat heb ik nou altijd willen worden – antiquaar. Niets doen, alleen maar zitten lezen met dieren om me heen, koffiedrinken, roken... en misschien schilderen.'

Lastig genoeg moesten we voor alle drie onze restaurants langs Cinéma La Chatte, waar de L van de neonletters van de naam werd gevormd door een paar gespreide vrouwenbenen en het telefoonnummer eindigde op ♋ . Een keer bleef Milena tot mijn verbazing staan om de poster voor een dubbele Shakespearefilm te bekijken: *Othella, de Hoer van Venetië* en *Venis in Uranus* (**'Hoe saligh syn de ballen eens ouderen mans'** stond er onder een van de plaatjes). Milena vond dat het theater een bomaanslag verdiende omdat het stond voor 'het erotiseren van dominantie en onderwerping', en ik moest aan Milena's verleden denken en aan wat Jacques had gezegd – dat er hier onlangs brand was gesticht, misschien wel door haar. Bij de ingang waren de muren nog zwart van het roet. 'Porno is de theorie, verkrachting is de praktijk,' mompelde Milena toen we verderliepen. Ik beaamde dat pornografie inderdaad een corrupte, verachtelijke bedrijfstak was.

Na ons ontbijt, om drie uur in de middag, gingen we weer naar mijn huis (Milena hield niet van zon), nietsdoen. Op een mooie nazomeravond gingen we in de schemering op het balkon wijn zitten drinken uit de zilveren bekers van mijn moeder; Milena had een overhemd van mij aan. Toen de wijn op was, stelde ik een kinderspelletje voor dat je ook nog best kunt doen als je volwassen bent: 'wereldboldraaien'. Op de plek waar je je vinger op de ronddraaiende globe legt, ligt je uiteindelijke levensbestemming. Milena liet de aardbol draaien en legde haar vinger op Hell-Ville, de hoofdstad van Nosy Be, een eilandje bij Madagaskar. Dat leek haar plezier te doen. Mijn vinger kwam midden in de Noordelijke IJszee terecht.

Nadat ze de wereldbol een tijdje had zitten bestuderen, waarbij ze hem langzaam ronddraaide, keek Milena omhoog, naar de berg. Ik vroeg wat ze dacht.

'Ik bedacht hoe heerlijk het zou zijn om weg te gaan. Ver weg van deze kutstad.'

Ik volgde haar blik omhoog en zag de vorm van een hart in de wolkenvacht. *Laten we samen gaan*. Ik wees. 'Wat zie jij in die wolk, Milena?'

'Welke? Die daar? Ik weet niet. Een varkenskop met uitpuilende ogen?'

'Precies. Weet je, ik zou ook wel uit deze kutstad weg willen.'

'Jij hebt hier van alles om voor te blijven – een baan, om maar wat te noemen.'

'Ik heb het gehad met de academische wereld. Die docenten met hun poeha – totaal geen contact met de realiteit. Misschien kunnen we samen gaan, Milena. Gewoon de deur achter ons dichttrekken. Inpakken en wegwezen. Naar Engeland, naar Ierland, naar York!'

Milena glimlachte flauwtjes en schudde haar hoofd. 'Ik zou dolgraag naar Engeland of naar Ierland willen, echt. Maar het kan niet. Ik heb schulden waar ik nog jaren aan vastzit. En er zijn ook... andere dingen.'

Ik kon haar niets lenen, ik had geen geld. 'Je kunt wel wat van me lenen.'

'Nee. Het kan niet, punt uit.'

'Dan kopen we loten. Of nee, het casino!' Ik had het nog niet gezegd of ik had er al spijt van.

'Doe niet zo stom. Dat heb ik toch al gezegd, ik ben antitoeval, ik háát alles wat met gokken te maken heeft.'

In de plots invallende stilte keken we naar Lesya die in haar tuin bezig was en naar de mensen van groenvoorzieningen die een rij bomen in de straat kwamen planten. Ze hadden het allermodernste gereedschap, waarmee ze in een paar seconden een jong boompje in de grond zetten. Nu had ik een boom vlak voor mijn balkon. Het was de kleinste en ielste van allemaal.

Ik draaide me om naar Milena en zei zomaar ineens: '*Je t'aime.*' (In het Frans klinkt het niet zo vreselijk, niet zo fout als in het Engels, net zoals *Gott ist tot* in het Duits minder erg klinkt.) Toen ik Milena in de ogen keek, dacht ze misschien dat ik een antwoord in dezelfde geest verwachtte.

'Wat moet ik daar nou op zeggen?' antwoordde ze. 'Ik beloof u trouw?'

Ik keek naar de grond. 'Ja,' mompelde ik, zo zacht dat ze het niet kon verstaan.

Op onze laatste avond samen, toen Milena onder de douche stond, zag ik aan de overkant iemand op de stoep zitten: een forsgebouwde man met een uitgezakte houding en een bleke vilthoed die hij schuin over zijn ogen getrokken had. Ik had hem al eens eerder gezien. Hij leek strak naar het balkon te kijken en wendde zijn blik niet af toen ik terugkeek. Ik voelde een onverklaarbare angst. Hij had iets van de grimmige boodschapper des doods. Maar het was donker buiten – keek hij eigenlijk wel naar mij?

Ik ging naar binnen, hoofdschuddend over mijn eigen rare gedachten, en wachtte op Milena. Eindelijk kwam ze de badkamer uit, met een handdoek om zich heen geslagen zoals Doris Day, en zei dat ze naar haar huis moest 'om nog wat spullen op te halen'. Ik keek stiekem toe terwijl ze zich aankleedde en bewonderde haar lenige gestalte en haar mooie billen. Toen liep ik achter haar aan de trap af, naar buiten. 'Hij slaapt zelfs met die hoed op,' mompelde Milena.

'Ken je hem dan? Volgens mij is het dezelfde gast die een paar dagen geleden naar jouw raam stond te kijken. Weet je nog?'

'Ja, dat weet ik nog.'

'Wie is het?'

'Mijn vader. Ik bel je over een uur of twee.'

15

'Uit kort genot een leed, dat hem verteert...'

– Lucretia

Milena belde niet na een uur of twee. Ze belde ook niet na een week of twee. Hoe kon ze me dit aandoen? Waarom? Hadden we niet negen duizelingwekkende dagen samen doorgebracht? Dagen in hoger sferen, in een wereld zonder zwaartekracht? Dat gold dus kennelijk niet voor ons allebei. In mijn herinnering liet ik onze dagen nog eens aan me voorbijtrekken, analyseerde al haar woorden en gebaren en probeerde te begrijpen waarom ze was gevlucht. Omdat ze spijt had dat ze me in vertrouwen had genomen? Vanwege mijn Gallische liefdesverklaring? Omdat haar elektra weer was aangesloten? Of was er een onfrisse derde in het spel? Victor? Een vader met ontvoeringsneigingen? Ze wilde me niet binnenlaten – wie hield ze in haar huis verborgen?

Ik belde haar weer, op het nummer van het lucifermapje, maar kreeg een ingeblikte vrouwenstem: 'Dit nummer is niet meer in gebruik.' Ik belde de centrale, maar daar wilden ze niet zeggen wanneer of waarom het nummer was afgesloten. Plotseling werd ik zenuwachtig, angstig. 'Maar... maar misschien is er iets gebeurd. Ze heeft me in geen dagen gebeld, misschien lijdt ze aan geheugenverlies. Ik bedoel haar vader... misschien heeft haar vader haar ontvoerd. Nee, ze heeft zelfmoord gepleegd!' 'Wilt u de politie spreken?' Ik legde neer, mijn hoofd stond in brand. Milena! Ik zag haar contouren in krijt op het zwarte wegdek van het steegje, zag haar witte lippen in het water van de Saint Lawrence, zag haar ronddraaien met het henneptouw om haar hals.

Ik fotokopieerde een poster om in de buurt op te hangen: MILENA MODJESKA, LANG, SLANK, GITZWART HAAR, DIEPE, SOMBERE OGEN, GROTE HAUTAINE MOND, VOOR HET LAATST GEZIEN IN RUE VALJOIE, GEKLEED IN WIT T-SHIRT, GESCHEURD GRIJS VEST, VAALZWARTE JODHPUR, BRUINE LAARSJES. HOGE BELONING. Ik hing ze niet op natuurlijk. Ik deed briefjes in haar brievenbus, volgde lange slanke donkere onbekenden op straat, keek of er op de Bladzijde soms een aanwijzing te vinden was. Wat had Shakespeare in zo'n geval gedaan? En Shakuntala? En Shaka? Nou nee, wat die had gedaan wil je niet weten. Moest ik de politie bellen?

Natuurlijk niet. Want Arielle had haar met Victor Toddley gezien. Victor Toddley, godverdomme. Op dat moment sloeg de realiteit weer toe. En het zelfmedelijden en de jaloezie. Ik was afgedankt, ik was een van Milena's afdankertjes, het zoveelste gezicht dat uit de foto was weggeretoucheerd, de zoveelste naam in 'Mannen bij wie vrouwen weglopen'. Niets bijzonders, het gebeurt overal ter wereld elke seconde wel een keer. Ze heeft mijn voors en tegens tegen elkaar afgewogen en nu lig ik eruit. Waar ben je, Milena?

'Ik neem vaak de steegjes als ik naar huis ga,' had ze een keer gezegd. 'Dat is de beste manier om mensen te ontlopen die je niet wilt tegenkomen.'

Ik liep door de steegjes, langs kilometers donkerte en afval, om een hertelling aan te vragen. Ik eis een hertelling van de voors en tegens. Er is een tragische rekenfout gemaakt.

'Maar dat is toch gevaarlijk,' antwoordde ik, 'je moet voorzichtig zijn, je moet in de verlichte straten blijven.'

Het gevaar bracht haar niet op andere gedachten; integendeel, ze deed het om iets te bewijzen – dat ze zich niet door mannen liet beperken enzovoort. Ik fantaseerde dat ik haar redde van belagers in donkere steegjes en overwoog zelfs een jongen in te huren om haar lastig te vallen. 'Laat af, schavuit!' zou ik dan roepen terwijl ik uit de schaduw naar voren sprong in mijn zwarte cape met in elke hand een rapier. Dezelfde fantasie die ik op mijn twaalfde over Bernadette had.

Op een avond, na een kilometerslange vergeefse zoektocht, zag ik iemand die me bekend voorkwam, of liever gezegd *iets*. Onder een kaal geel peertje tegen een tuinmuur zag ik een luipaardtopje – van het soort dat Milena's sexy zusje droeg. Zo te zien was ze midden in een nummertje-staand van twintig dollar, een verticale liaison met een klein mannetje met gargantueske sportschoenen. Hij stond met zijn rug naar me toe, de hare was tegen de muur gedrukt. Ze draaide haar hoofd mijn kant uit en keek me recht aan. Ik wendde me discreet af.

'Jeremy?' zei ze langoureus.

Ik draaide me om en zag dat ze zich losmaakte en de heer achterliet met zijn broek op zijn sportschoenen. '*Crisse de tabarnac*,' mopperde hij. Ze kwam naar me toe en streek haar rok glad met haar purperrood geverfde vingertoppen.

'Hallo Vile,' piepte ik.

'Jeremy, ik heb geld nodig. Heel erg. Je moet me helpen. Ik eh, ik betaal je wel terug.'

Ik zag de vage blik in haar zwartomrande ogen. Natuurlijk help ik je. Je bent het zusje van Milena. Zeg maar hoeveel. Ik trok mijn portefeuille. 'Heb je je zus de laatste tijd toevallig nog gezien?'

'Hoeveel heb je bij je?'

'Ongeveer... vijftig, vijfenzeventig... een dollar vijftig. Is dat genoeg?'

'Heel geestig,' antwoordde ze en ze keek niet naar mij, maar naar mijn portefeuille. 'Ik heb honderdvijftig nodig.' Ze rook naar zweet en bier en door haar cosmetische bleekheid-met-zwarte-vegen zag ze er in het vale licht spookachtig uit. Terwijl mijn blik omlaaggleed, naar de gleuf tussen haar borsten en haar zwarte bh, naderde er achter me een flappend geluid. Haar gezelschap van daarnet kwam naar ons toe op zijn hoge sportschoenen met losse veters. Ik glimlachte dommig tegen hem. Hij stak een goudkleurig sigarettenpijpje tussen zijn lippen.

'Ik kan wel even pinnen,' zei ik. 'Er is een geldautomaat om de hoek.'

Vile wierp haar vriend een vragende blik toe en hij knikte. 'O, dit is trouwens Rodrigue.' Rodrigue, die mijn hand negeerde, had een snor waarvan de punten nog nét niet met was waren opgedraaid, zoals mannen dragen die vrouwen op de treinrails vastbinden. Hij had brillantine in zijn krullende haar, dat van voren kort was en van achteren lang. Met dikke tong, alsof hij aan dementia pugilistica leed, zei hij dat hij '*32 piasses pour les niaiseries*' extra wilde – waarschijnlijk bedoelde hij vanwege de coitus interruptus. Een vreemd bedrag: een keizerlijk decreet.

Ze wachtten buiten terwijl ik mijn code intoetste. Ik deed de glazen deur weer open, overhandigde Vile een stapel knisperende biljetten en vroeg me ondertussen af hoe de lening me van nut kon zijn bij haar zus. Terwijl ze de biljetten telde, trok Rodrigue met zijn autosleutel patroontjes over het plastic neonbanklogo.

'Hier,' zei ze tegen Rodrigue. 'En nog honderd voor als je weer wat anders hebt.'

Rodrigue telde de biljetten, waarbij hij zijn lippen bewoog, en stopte even voor een anale explosie, waarbij hij als een hond zijn poot optilde. Het was blijkbaar in orde, want hij haalde een sigarettendoosje uit de mouw van zijn kleinejongetjes-T-shirt. Op zijn biceps stond een tatoeage van een vrouw met vlasblond haar, die kon opzwellen tot een duivel. Nadat hij Vile het sigarettenpakje had toegegooid, dat tegen haar voorhoofd kwam, paradeerde Rodrigue naar een gele auto die, heel toevallig, voor de bank geparkeerd stond. Er zat een grote spoiler achterop. Hij draaide zijn raampje omlaag alsof hij gedag wilde zeggen maar in werkelijkheid om op de stoep te spugen, gaf gas en liet ons in een wolk van verbrande rubber en gore uitlaatgassen achter.

'Goede vriend van je?' vroeg ik terwijl ik met mijn hand de lucht wegwapperde.

'Ja.'

'Niet echt een genetische topper, hè?'

'Watte?'

'Geen aanstaande Nobelprijswinnaar.'

'Ach, dat ben jij ook niet.'

'Weet je waarom die spoiler op zijn auto zit?'

'Nee,' zei ze na een paar seconden, 'maar dat ga jij me vast vertellen.' Ze was de inhoud van haar pakje aan het inspecteren en had de vraag waarschijnlijk niet verstaan.

'Die zit daar omdat zijn auto anders opstijgt als hij harder dan driehonderd gaat.'

'Op welk nummer woon je?' antwoordde ze.

'Negenendertig elf.'

‘Dan breng ik het geld wel langs, vanavond of misschien morgen. Kan ik het gewoon door de brievenbus doen?’

‘Ja hoor.’ Ik zweeg en probeerde te bedenken hoe ik het gesprek op haar zus kon brengen. ‘Vile, heb jij misschien… hoe gaat het tegenwoordig?’

‘Breek me de bek niet open.’

‘Hoe gaat het met hoe heet hij? Die muzikant. Max.’

‘Te gek. Maar ik word nogal zenuwachtig van hem. Ik word echt godvergeten zenuwachtig als ik met hem ben.’

‘Wat vind je dan zo leuk aan hem?’

‘Dat.’

Ik knikte begrijpend.

‘Nou Jeremy, tot kijk.’

‘Wacht, Vile. Heb je… heb je je zus de laatste tijd toevallig nog gezien?’

Vile fronste en schudde haar hoofd. ‘Nee, al een tijdje niet. Of wacht, ik dacht dat ik haar… gisteren even zag, bij die pastatent. Ze zat te ontbijten, met Victor.’

Met Victor. Bij de Italiaan. Óns restaurant. Ontbijten zelfs. ‘O ja, weet ik… Ze zei dat ze… Als je haar ziet, vraag dan of ze… m-me belt.’

‘Wil je een tip, Jeremy? Milena is niet… Je krijgt het niet makkelijk met Milly, als je begrijpt wat ik bedoel.’

‘Ach, een relatie is nooit makkelijk…’

‘Je moet een paar dingen over haar weten… Of nee, laat ook maar, het gaat me niks aan.’

‘Wat? Zeg dan. Bedoel je wat Denny heeft gedaan? Wat…’

‘Heeft Milena je dat allemaal verteld? Nou nou, bof jij even, ze neemt je in vertrouwen. Maar nee, daar heeft het niks mee te maken…’ Ze draaide zich om naar de bank en haar stem stierf weg. Er galmde een vaag klikkend geluid, als voetstappen van schoenen met noppen, door de steeg. Toen het ophield vroeg ik: ‘Vile? Waar heeft het dan wel mee te maken?’

Haar ogen dwaalden nu af en haar gedachten kennelijk ook, alsof ze niet zeker was van mijn vraag of zelfs van mijn identiteit.

‘Vile? Wat moet ik over Milena weten?’

‘Ik moet weg, ik moet kotsen.’

De bel loeide als een misthoorn door een droom waarin ik spiernaakt in een soort grote strijdwagen met paarden en roeiriemen boven de boomtoppen van Arden en Illyrië en het Italië van de Renaissance gleed, met een eveneens naakte Rosalind en Viola en Julia en Portia en Beatrice en Desdemona... Ik strompelde mijn bed uit en het balkon op en keek naar beneden. Het was Vile.

'Ik heb nog wat geld nodig, het is megadringend, vijftig maar, betaal je zeg maar morgen terug, gegarandeerd, ik krijg mijn geld zeg maar morgen.' Ze sprak met dikke tong.

'Wacht even,' zuchtte ik. 'Ik kom wel naar beneden.'

Ik deed de deur open en probeerde haar aan haar verstand te brengen dat ze al honderdvijftig dollar van me had geleend en dat het geld niet op mijn rug groeide. Vile, lijkbleek, keek me aan en glimlachte. Ik keek omlaag en zag dat ze een andere outfit had aangetrokken: een gevulkaniseerd rubber microrokje met een brede stalen rits middenvoor.

'Ik kan je ook, zeg maar, nu meteen terugbetalen als je wil,' zei ze.

'Nou, als je me, zeg maar, nu meteen kunt terugbetalen, dan heb je toch geen geld nodig?' Ik keek haar onschuldig aan en wachtte op een verklaring. Milena had eens gezegd dat ik 'erudiet maar onwetend' was – 'onverwoestbaar onwetend'.

Vile glimlachte weer en hief haar gehandschoende handen alsof ze zich overgaf. Ze rolde met haar slaperige ogen, greep naar de rits van haar rokje en trok hem langzaam omhoog.

Nee, dat meen je niet. Daar kan ik niet op ingaan. Jou pakken is een geliefkoosde fantasie van me, net als een triootje met jou en je zus, maar dit, dit is te... echt. Dit is vast een valstrik. Jij hebt het een en ander meegemaakt, ik niet. Nee, op dit... handeltje kan ik niet ingaan. Het zal mijn kansen bij Milena ook niet echt goeddoen, hè? Ik keek naar haar doorschijnende zwarte panty, waar op dijhoogte een scheur in zat, en naar haar witte ondergoed. Wit, net als dat van haar zus.

'Kom binnen,' zei ik.

In de slaapkamer maakte Vile haar rokje verder los, sloeg het open en liet het dramatisch op de vloer vallen. 'Volgens mij ben ik hier al eerder geweest,' zei ze terwijl ze om zich heen keek. 'Jaja, de buren van Denny, die geschifte Costa Ricanen of Panamezen of wat

het ook waren. Beetje opgeknapt wel. Nou, wat wil je? Ook foto's?'
Op het bed, met haar rug naar me toe, trok ze haar enkellaarsjes en haar top uit, waarbij ze een boel body-art in de vorm van tatoeages, brandmerken en nog meer decoratief maar griezelig littekenweefsel onthulde. Nu wist ik opeens waar ik haar eerder had gezien: op de polaroids! Ze draaide zich kalm om en ging tegenover me staan.

'Waddizzer?' vroeg ze toen ik als een roofdier naar haar bleef staan kijken. 'Je kijkt alsof ik een zombie ben. Nog nooit een tepelring gezien?'

'J-jawel. Dat is het niet, maar...'

'Hier heb ik ook een ringetje door.'

'Dat geloof ik graag. Ik weet alleen niet of, eh, de timing... op dit moment en zo... ik heb mezelf namelijk eh, aan je zus beloofd.'

Vile lachte. 'Nou, veel geluk. Dat heb je wel nodig met Milly, godverdomme, neem dat maar van me aan.'

'Hoeveel wou je ook weer hebben?'

'Met een paar honderdjes lukt het wel.'

Vile kleedde zich grinnikend weer aan. En lachte hysterisch tegen de tijd dat we bij de geldautomaat waren. Kennelijk een bijwerking van de drugs in haar aderen.

16

'...beiden uit één toon, als twee heidenen op één paard.'

– *Elk wat wils*

Ongeveer een week later zag ik Milena's vader weer – we zaten kennelijk in dezelfde baan. Ik dacht merkwaardig genoeg net aan mijn ontmoeting met zijn jongste dochter en vroeg me af of dit nou een van die gemiste kansen zou blijken te zijn waar je de rest van je leven spijt van hebt. Hij stond tegen een esdoorn geleund met een peuk in zijn mond en hij tuurde naar mijn raam. Hij negeerde me – zelfs toen ik met een kwaad gezicht vlak voor hem bleef staan – alsof ik een steen of een paal was. Wat wilde hij in godsnaam? Wat wilde hij nog meer voor schade aanrichten?

De telefoon ging op het moment dat ik binnenkwam. Het was Jacques, op een mobiele telefoon vanaf het dakterras van een vriendin in de oude stad. Ik dacht althans dat het een vrouw was – een oudere Europese gravin, ongetwijfeld. '*Quoi de neuf?*' vroeg hij op zijn gewone lauwe toon.

Ik bleef naar de straat kijken en zei dat mijn laatste nieuws was dat er een verloederde man met een vilthoed mijn huis in de gaten stond te houden en me wilde vermoorden. Toen dat doodsloeg op een verveelde stilte vertelde ik in grote lijnen mijn wederwaardigheden met Vile.

'Soort pijpt soort,' zei Jacques.

'Maar ik heb niet... ze heeft niet...'

'Nee? Je Engelse ridderlijkheid laat je ook nooit in de steek, hè Davenant? Maar goed ook, ze had je verslonden. Dat mens is een pijporgel, een duivelse, onverzadigbare fellatrix.'

'Wat weet jij daar nou van?' Ik wierp een blik op Viles vader, die juist met energieke pas wegliep. 'Ze heeft alleen een beetje een drugsprobleem en bovendien heeft ze een moeilijke jeu...'

'Een beetje een drugsprobleem? Een béétje een drugsprobleem? Heb je je hersens met vakantie gestuurd? Die meid is een professionele cocaïnehoer, Jeremy, een echte cokeslet. Die moeten ze straks in een Y-vormige kist begraven.'

'Ze stopt heus nog wel eens, dat zul je zien.'

'Ja, als ze stopt met ademhalen.'

'Jacques, waarom doe je zo...'

'Hoe vorder je trouwens bij haar sombere zusje? Is de doos van Pandora inmiddels officieel geopend?'

'Lazer op, Dion.' Ik ramde de hoorn op de haak. 'En bel me nooit meer.'

Met bonkend hoofd, mijn gedachten rondkolkend als een stofstorm, slofte ik weg om medelijden met mezelf te gaan zitten hebben in het park, tussen de door duiven ondergescheten beelden, onder een hemel die haast leek in te storten onder het gewicht van al dat loodgrijs. Ik 'vorderde' helemaal niet met Milena, o nee, het zag er belabberd uit. Onze relatie was voorbij, we pasten in geen enkel opzicht bij elkaar... Ik was net gaan zitten toen ik aan de andere kant van het voetbalveld een forse agent of agente zag die een hek dichtdeed, zo te zien dat van Milena's huis. Ik sprong overeind alsof het bankje een schietstoel was en schoot van een sukkeldrafje in een sprint, ongerust en nieuwsgierig, maar de politieauto reed al weg.

Daarna ijsbeerde ik minstens een uur voor Milena's huis op en neer met een wilgentak, symbool van de verlaten geliefde, in mijn hand en de ene sigaret na de andere rokend, mijn nieuwste ondeugd. Met een door de grasmaaier verminkt stompje potlood dat ik uit het gras had gevist begon ik een tragisch liefdessonnet op mijn pakje Players te schrijven, op de achterkant van het profiel van de zeeman. Wat rijmt er op 'valentijn'? Serafijn, levenslijn, ambrozijn, baldakijn, maneschijn. En op 'trouw'? Jouw, vrouw, hou, rabauw, lijkschouw.

Ik beklom het bordesje voor Milena's deur en stopte mijn ode in haar brievenbus; toen hij de grond raakte, ging de deur als bij toverslag open. Voor me stond mijn achterbuurtgodin, gehuld in paars en rouwzwart. Ik keek haar verstomd van smart aan, verscheurd, verwoest, mijn hart totaal van de rails geslingerd. Milena had een aureool om haar hoofd, kneep haar ogen halfdicht tegen de zon en glimlachte zacht. 'Jeremy. Fijn je te zien, ik... heb geprobeerd je te bellen.'

Ik probeerde antwoord te geven, maar mijn tong was geboeid en vastgesnoerd; waarom verandert Milena me toch altijd in een stamelende slaaf?

'Wat zeg je?'

'Urrggg.'

Mijn hart ging onregelmatig tekeer in mijn borstkas, haast als in een tekenfilm, en Milena bood haar excuses aan voor haar plotselinge verdwijning, maar gaf er geen verklaring voor. Ze 'moest wat dingen regelen – niets wereldschokkends'. Het vergde herculische inspanningen om de wereld te laten ophouden met schokken.

'O, n-niks aan de hand,' zei ik met een lachje. 'Denk er maar niet meer aan. Doe ik zelf ook niet.'

'O, ik heb mijn zusje trouwens net gesproken. Bedankt dat je... eh, dat je haar hebt gered.'

'Goed, hoor.'

'Ze betaalt je beslist terug.'

'Tuurlijk.' Maar hoe, vroeg ik me af.

Alsof ze mijn gedachten had geraden begon Milena te beschrijven hoe haar zusje met seks en drugs omging – wat haar tot dusver twee abortussen en een gevangenisstraf had opgeleverd. Was dat een waarschuwing dat ik uit haar buurt moest blijven? Wilde ze haar territorium afbakenen? Waarschijnlijk niet.

'Ik geloof dat je zusje me ergens voor wilde waarschuwen. Iets met... ik weet niet, een ziekelijk jaloers vriendje of een crimineel verleden of een ongeneeslijke ziekte of zoiets.'

Milena trok haar wenkbrauwen op.

'Geen van alle, al zijn er vast heel wat andere dingen waarvoor een waarschuwing op zijn plaats is. Zeg, ik zou je graag binnenvragen, Jeremy, maar dat gaat echt niet op het moment, het is hier nogal een troep...'

Mijn reukzenuw werd geteisterd door de rottingswalm die uit het huis kwam en de feloranje geschilderde trap was een aanslag op mijn netvlies. 'Ik wilde helemaal niet binnenkomen, alleen... weten of je weer stroom hebt en je... dit geven,' zei ik met een knikje naar de grond.

Terwijl Milena bukte om het vodje karton op te rapen, keek ik naar de opbollende voorkant van haar jurk, het afzakkende decolleté, haar borsten die rond noch vol waren en de grote donkere cirkels rond haar tepels. Ik voelde hoe mijn lid in mijn boxershort aanstalten maakte om zich te verheffen.

'Wat is dit?' vroeg Milena en ik keek snel weer naar haar ogen. 'O, ik zie het al, een gedicht. Ziet er... interessant uit. Veel rijm.'

'Even vlug opgekrabbeld.'

'Ja? Daar geloof ik niets van. Leuk, dat je hier "geluk op de puinhopen" laat rijmen op "de Australian Open".'

'Ja, dat symboliseert...'

'En "Milena alleen" op "alweer verdween".'

'Ja, door de vertaling gaat er wel het een en ander verloren.'

Milena schaterde. 'In welke taal klinkt het dan beter?'

'In het Sanskriet.'

'Wat doe je vanavond?' vroeg ze na weer een lachsalvo.

Ik had twee colleges waar ik beslist niet onderuit kon. 'Ik ben zo vrij als een vogeltje,' zei ik.

'Zullen we ergens gaan eten?'

'Hoe laat?'

'Uurtje of zeven?'

Mijn tweede college begon om zeven uur. 'Prima,' zei ik. 'Waar zullen we heen gaan?'

'Ik kom naar jou toe en dan zien we wel, goed?'

Ik kon wel een gat in de lucht springen en wilde Milena op de mond kussen, mijn hand in haar blouse steken, voor haar neerknielen (en dan niet om vergiffenis te vragen). 'Zie maar,' zei ik onverstoorbaar.

'Dan zie ik je om een uur of zeven, goed?' Ze kuste me op de mond en deed de deur dicht, met de ode in haar hand.

Ik zette koers naar huis, niet meer met slepende tred, maar alsof ik op luchtkussentjes danste. Binnen trok ik alle rolgordijnen dicht, kleedde me volledig uit, zette Ierse doedelzakmuziek en de

Screaming Moist Accountants op en begon de kamer door te pogoën. Ik hief mijn gebalde vuisten. Zíj had voorgesteld uit eten te gaan; ik had niets gezegd. Zo cool als wat. Dat gedicht was een gouden idee geweest. Het was aangekomen. Boppa-boem boppa-boem boppa-boem. Alleen die colleges waren even een probleempje. Ik zette de muziek zachter. Ik zou een briefje met een smoes op de deur van de zaal kunnen hangen. Of iemand vragen voor me in te vallen. Maar wie?

'Vauvenargues-Fezensac,' zei Jacques nadat de telefoon tien keer was overgegaan.

'Jacques, ik heb vanavond een college. Je moet voor me invallen.'

'Ik moet helemaal niets.'

'Over de sonnetten 57 en 147.'

'Die heb ik geen van beide gelezen.'

'Dat lieg je. Je moet van allebei drie vertalingen bekijken, hun merites bespreken, als ze die tenminste hebben, en de beste uitkiezen. Ik zal je mijn aantekeningen geven.'

'Alsjeblieft niet, zeg.'

'Doe je het of niet?'

'Wat levert het me op?' Jacques blufte. Hij was al eens eerder voor me ingevallen; hij miste het college geven, het schmieren, het geboeide publiek. Het enige vervelende was dat hij officieel niet meer op de campus mocht komen.

'Visvamitra. Ik trakteer.' Chez Visvamitra was een restaurant waar je Indiaas kon eten voor Himalayahoge prijzen. 'Ik kom over een uurtje langs met het materiaal.'

'Hoe laat heb je met Milly afgesproken?'

'Hoe weet jij dat ik met Milly – met Milena heb afgesproken?'

'Ik weet alles.'

'Ze zei om een uurtje of zeven.'

'Aha, de slag om de arm van het "uurtje of". Dat betekent dus dat ze – hoe laat denk je, tegen negenen komt?'

'Als ze al komt.'

De modelflat van Jacques, in een hippe buurt aan de andere kant van de berg, leek wel een miniatuurbibliotheek. Alle kamers, zelfs de keuken en de badkamer, werden overheerst door welvoorziene, tot aan het plafond reikende boekenkasten. Jacques wist van alle auteurs precies waar ze stonden. 'Céline? Boven de wc.' Wee degene die de alfabetische volgorde door elkaar gooide.

Jacques deelde zijn huis met een dier, een Maine Coon-kat die Juvenalis heette en zich gedroeg alsof hij hondsdol was. Bezoek trad hij zonder vrees tegemoet, al was hij wel als de dood voor onweer, en hij begroette iedereen met een klauw of beet in de enkels. Hij genoot ook een zekere roem, want hij had meegedaan aan een vijftien seconden lange reclamespot voor kattenvoer – een poging van Jacques om de theorie van Warhol uit te breiden tot het dierenrijk.

'Treed binnen in het heilige der heiligen,' zei Jacques met zijn bekakte stem terwijl hij zijn haar met een paarse handdoek droogwreef. Hij was gehuld in een roodzijden kamerjas met gouden kwastjes, een soort kardinaalskazuifel, maar dan zonder de bijbehorende onderlaagjes. Juvenalis stond op zijn achterpoten naar de zoom van dit gewaad te meppen – of naar Jacques' bungelende geslacht, dat was moeilijk uit te maken. Toen ik mijn jas uittrok, wierp het beest me een woedende blik toe maar viel niet aan.

Jacques dirigeerde me met een hoofdknikje naar de woonkamer en liet zich in een ruime fauteuil van jadegroen leer zakken die twee keer zoveel had gekost als al mijn aardse bezittingen bij elkaar. Hij legde zijn voeten op de ottomane, waarvan de bekleding door de kat aan repen was gescheurd, maar bood mij geen stoel aan. Aan de muur achter hem hing een portret van hemzelf in een koperkleurige lijst.

'Zoals je nu zit, lijk je een beetje op mijn oom Gerard,' merkte ik op.

'O ja? Hoe gaat het trouwens met dat sinistere familielid, die infame rokkenjager?' Jacques zag er ontspannen en majesteitelijk uit, als een farao in zijn vrije tijd.

Ik ging op een stalen stoeltje zitten. Ik praatte graag over Gerard, want Jacques hield vol dat hij niet bestond, dat hij aan mijn fantasie was ontsproten, net als Milena. Hij zei dat Gerard 'te stereotiep was om waar te zijn' en dat hij 'niet eens probéérde van het prototype af te wijken'. Maar dat zei Jacques over de meeste mensen. 'Zo is hij echt,' betuigde ik. 'Heus.' Maar was dat wel zo? Wie wás Gerard? Ik kende hem eigenlijk nauwelijks, los van zijn belangstelling voor al wat exotisch, erotisch en demonisch was. Hij vertelde nooit iets over zijn privé-leven – althans niets waars, en niet aan mij of aan iemand anders die ik kende. Hij misleidde en bedroog iedereen die te dichtbij dreigde te komen en trok een rookgordijn van sprookjes, sterke verhalen en leugens op, als een spoor van anijs, op de grond uitgestrooid om verwarring te zaaien onder de jachthonden. Het beeld dat ik van Gerard had, was een vervormde uitvergroting, ongeveer even helder als mijn perceptie van Milena. Hoe minder je weet, hoe meer je gaat idealiseren. Het komt er waarschijnlijk op neer dat Jacques in principe gelijk had.

Tegen zijn gewoonte in was mijn gastheer een en al oor voor de laatste berichten over Gerard: zijn zeer succesvolle verdediging tegen de beschuldiging dat hij Franse staatsloten zou hebben vervalst. Jacques hield pas op met luisteren toen ik het gesprek weer op Milena bracht, mijn *féministe fatale* zoals hij haar noemde, mijn verloren maar waardige zaak.

'Volgens de "fietstheorie" blijf je, zoals jij waarschijnlijk niet weet, overeind zolang je voorwaarts in beweging blijft. Jij, Davenant, beweegt je momenteel achterwaarts met je voet tussen de ketting...'

Jacques gaf zo op haar en onze relatie af dat ik voor de tweede keer het vermoeden kreeg dat hij jaloers op haar was, jaloers op de tijd die ik met haar doorbracht of, erger nog, dat hij alles tussen haar en mij voorgoed stuk wilde maken. Ik zette de gedachte van me af. Zie je wel, ik leed aan paranoia. Ik concentreerde me op de muur tegenover me, die van een teer eendeneiachtig blauw was en waaraan een serie tekeningen van extreme tantrische orgieën hing.

'...dit is dweilen met de kraan open, Davenant, snap je dat dan niet? Je verdoet je tijd, je zit met je vinger in de dijk. Straks word je nog krankzinnig. Bovendien begint de hele kwestie me danig te vervelen...'

'Het begint jóu te vervelen? Wat heb jij er in godsnaam mee te...'

'Ze maakt een jankerige rukker van je...'

'Vraag ik jou wat? Godverdomme. Ik heb het gevoel dat het best wat kan worden.'

Jacques knikte. 'Hetgeen je onderbouwt met de volgende oligofrene redenatie...?'

'Het is een gevoel, ja? Maar daar heb jij natuurlijk nooit last van.'

'Denk aan wat er met je ex-buurman is gebeurd.'

'Wat bedoel je daar nou weer mee?'

'Misschien ben jij de volgende. Ik heb wat speurwerk verricht – er zijn mensen, onder wie niet in de laatste plaats de politie, die geloven dat Milena Denny heeft vermoord.'

Dat was ik wel van Jacques gewend; hij moest altijd alles dramatiseren en iedereen choqueren; ik wist wel dat ik dat met een korreltje zout moest nemen. 'Dat Milena Denny heeft vermoord?' krijste ik. 'Jezus Christus, Dion, je ziet ze vliegen! Denny heeft zelfmoord gepleegd, god nog aan toe. Jij probeert ook alles om ons uit elkaar te drijven. Jij mag haar niet, goed, maar ik wel. Dus sodemieter op.'

Met een toegeeflijke glimlach drukte Jacques een paar knopjes op zijn afstandsbediening in. Dat resulteerde in muziek: *Der Tod und das Mädchen* van Schubert.

Had Milena Denny vermoord? 'Vergeet die negen dagen niet die Milena en ik samen hebben doorgebracht,' zei ik met trillende stem terwijl Jacques het volume hoger zette. 'Negen aaneengesloten, heerlijke, duizelingwekkende dagen...'

'Die is zij dan duidelijk vergeten. Sentimentele idioot.'

'Ik wakker het vuur weer aan...'

'Je doet te hard je best. Je legt te veel houtblokken op het vuur, dan gaat het juist uit.' Hij leunde achterover en glimlachte. 'Mooie metafoor, hè?'

'Zie je, ik heb het gevoel dat ze graag bij me is, dat ze gelukkig is, of althans gelukkiger, als ik bij haar ben. Ze kan niet makkelijk een man vertrouwen, een man toelaten in haar intimiteit, dat weet ik. Het lijkt wel alsof de ene kerel na de andere haar op een gruwelijke manier in de kou heeft laten staan, ook haar vader en de ex van haar moeder, allebei gewelddadige gokverslaafde alcoholisten. Milena en Vile zijn allebei weggelopen en hun vader wilde ze niet terug hebben. Zoiets verwerk je niet zomaar. Luister, ik heb al vaak geprobeerd het op te geven, maar dat lukt me niet, ik moet op haar blijven inzetten, en elke keer dat ik haar zie, val ik weer voor haar, in een smeltende spiraal van puberale verering. Ik heb er geen zeggenschap over.'

Jacques rolde met zijn ogen. 'Jaja, zij is de kaarsvlam en jij bent de mot. Het slachtoffer met de verbrande vleugeltjes.'

'Pleur op.' Dat zei ik niet tegen Jacques maar tegen Juvenalis, die mijn sokken had ontdekt, zijn rode lap. Toen ik de kat een klap wilde geven, krabde hij me over mijn knokkels. 'Schurftig sekreet!' schreeuwde ik. 'Als ik tetanus krijg...'

Met een overdreven zucht verhief Jacques zich van zijn smaragdgroene troon om een met suède beklede en met paarlemoer ingelegde cassette open te maken. Terwijl hij met zijn rug naar me toe stond, zacht meeneuriënd met de muziek, maakte ik aanstalten om de kat tegen het plafond te schoppen. Een, twee... Net voor 'drie' knalde er een luide donderslag uit alle quadrafonische speakers. In paniek rukte Juvenalis zijn klauwen uit mijn sok en schoot de kamer uit, waarbij zijn poten als in een tekenfilm over de houten vloeren slipten.

'De enige manier,' zei Jacques terwijl hij terugviel in zijn stoel. 'Hij is als de dood voor onweer.' Zonder iets te zeggen bleven we naar de onweersgeluiden zitten luisteren. Minuten verstreken. Jacques' gezicht verdween achter een in kastanjebruin Nigeriaans geitenleer gebonden boek terwijl ik om een of andere reden aan Clyde Haxby moest denken. Zou ik Jacques vertellen wat Philippe op die borrel had gezegd? Nee, dat was strikt vertrouwelijk.

'Zeg, ik weet dat het me niets aangaat, maar zat Haxby echt achter jouw ontslag?'

Jacques liet langzaam zijn boek zakken, totdat ik zijn ogen kon zien. 'Wie zegt dat?' vroeg hij kalm.

'Philippe.'

'Die ouwehoer, die slappeling, die kletsende roddelnicht...'

'Hij was dronken – en hij zei dat ik het aan niemand mag doorvertellen.'

'Dus jij kunt je mond al net zo goed dichthouden als hij. Als je er maar nooit met een woord over rept, tegen niemand, versta je. Ik zou het je zelf wel hebben verteld, maar geheimhouding was een onderdeel van de afspraak. Ik ben trouwens niet ontevreden. Ik vind mijn reputatie niet zo belangrijk. Ik hoef niets meer uit te voeren en daar heb ik wel een smetje op mijn blazoen voor over.'

Ik bleef nog even zitten en keek toen op mijn horloge. 'Ik moet weg,' zei ik. 'Hier zijn de spullen waar ik het over had. Wil je mijn artikel over de Dark Lady zien?'

‘Waarvoor in godsnaam?’

Ik stond op. Jacques gooide mijn aantekeningen neer en nam me met een misprijzende blik op. ‘Leuke outfit,’ zei hij.

Toen ik mijn jas ging pakken, keek ik even in Jacques’ grote spiegel in de gang: wit T-shirt, grijs zijden vest, gescheurde zwarte jodhpur, bruine laarsjes.

‘Als je haar niet kunt krijgen, kun je haar altijd nog wórden,’ riep mijn gastheer vanuit de kamer.

In de onderste hoek van de spiegel zat Juvenalis me met zijn luie agaten ogen laatdunkend op te nemen en zijn best te doen nog hooghartiger te kijken dan zijn baas.

17

'Zelfs als men lang is, kan men er niet bij,
vergeefs reik ik, een dwerg, dus naar die vrucht.'

– *Kalidasa*

Om precies vijf voor zeven was ik weer thuis; om precies vijf voor negen drukte Milena op de bel. Dwangmatige punctualiteit versus ongegeneerde slordigheid.

'Hoi Jeremy, kom je?' vroeg ze.

Geen excuses. Geen verklaring. Nooit. Ze beweerde dat iedereen die ze kende zo was – wat deed ik toch moeilijk? Dus ík deed moeilijk. Arielle had een keer verontschuldigend uitgelegd dat Milena 'in een Caribisch ritme leefde' en dat tijd voor haar een rekbaarder begrip was. Toen snapte ik het wel: dat tempo namen Sabrine en ik op Jamaica ook aan na een zonnesteek en wat ganja. 'Oké, daar kan ik mee leven,' zei ik tegen Arielle. 'Oké, ik kom eraan,' zei ik tegen Milena.

Omdat ze krap bij kas was, gingen we ondanks mijn tegenwerpingen naar een Portugees restaurant waar je tegen betaling van drie vijfennegentig plus btw een bord stront kon krijgen. Waar de verlichting en de inrichting (fluorescerend en geel) de ergst denkbare aanslag op de zintuigen waren, alsof de obers elk moment tot ondervraging konden overgaan. Naast de kassa stonden blikjes aspirines. Het was het soort tent waar ze na sluitingstijd de stoelen opstapelen om de indruk te wekken dat de vloer gedweild wordt. Maar Milena en haar kennissen vonden het er cool en onburgerlijk.

We gingen achterin zitten, op een bankje met gescheurde nepleren bekleding. De tafel lag vol kruimels en as van onze voorgangers en misschien ook wel van hun voorgangers. Ik vroeg Milena hoe het haar de afgelopen paar dagen was vergaan. Ze zei dat het niet geweldig ging, dat ze haast de hele dag sliep en dat ze een aanzoek had gehad.

'Echt waar? Van wie?' Van Victor?

'Van iemand die hier op bezoek is, familie van mijn vader.'

'Dat meen je niet. Wat is het voor iemand?'

'Een soort stier in de aanval, met zijn kop omlaag. Hij zegt dat hij van me houdt en dat hij ook met me zou willen trouwen als ik geen Canadees paspoort had.'

'Wanneer is de grote dag?'

'Op sint-juttemis. Ik heb hem uitgelegd dat de Californische woelmuis en de albatros de enige dieren zijn die monogaam zijn en voor het leven paren. Ik geloof niet dat hij het begreep.'

'Zou je wel met mij willen trouwen?'

Milena keek me uitdrukkingsloos aan, of liever dwars door me heen. 'Ober,' zei ze.

Ze bestelde een lamsbrochette en ik iets wat naar vis klonk en de *soupe du jour*. Wat voor *soupe* je kreeg hing af van de insecten die er die dag in waren gevallen. Het lamsvlees en de vis smaakten ongeveer hetzelfde. Een beetje naar verbrand hout. Milena leek zich er niet aan te storen.

'Alles naar wens?' vroeg de ober.

'Kon niet beter,' zei ik. 'Maar de volgende keer neem ik jullie vermaarde *bisque d'homard* en de zwaardvisamadine.'

'Wat zegt u?'

'Heel geestig,' zei Milena. 'Let maar niet op hem. Hij doet gewoon lullig.'

Wat ik me van het daaropvolgende gesprek vooral herinner is de frequentie en de hartgrondigheid waarmee Milena 'fuck' zei. Dat was op zich niet ongewoon, maar we zaten naast een groepje ballerige types die ons de hele tijd met opgetrokken wenkbrauwen aankeken. Toen ze weggingen, bleef een van hen bij ons tafeltje staan. 'Mag ik u eraan herinneren dat dit het niet-rokengedeelte is,' zei hij bijterig met zijn handen in de zij. Hij had een pens die als een buidel over zijn onderbuik hing en hij droeg zijn haar in een Ken-kapsel.

'O fuck,' zei Milena. 'Weer zo een. Dat streven naar een cafeïnevrije wereld, wat heb ik dáár de balen van.'

'Ik zou de eigenaar moeten aanspreken over de taal die u uitslaat,' ging hij verder. Hij klakte afkeurend met zijn tong.

'Maak je niet druk. Als ik "fuck" zeg, is het met ph.'

'De volgende keer dien ik een klacht in bij de eigenaar, en dat meen ik.' Hij draaide zich triomfantelijk om en liep naar de uitgang.

'Fuck you,' zei Milena nog, 'en fuck de eigenaar.'

'Tijd voor het dessert,' zei ik opgewekt.

'Doe geen moeite,' zei Milena. 'Ik heb iets voor je. Uit Praag.' Ze sprak het uit als 'Praha'. Uit haar rugzak haalde ze een in aluminiumfolie gewikkeld pakje, dat ze me overhandigde. Ik maakte het open. De inhoud zag eruit als een maanzaadbroodje. '*Makový kolác* heet dat. Heeft mijn tante me gestuurd. Die kan geweldig goed koken.'

De ober schoof mijn brandoffer, mijn gevangenismaal, opzij en zette er een kop koffie voor in de plaats. Het schoteltje, waarop net zo veel koffie lag als er in het kopje zat, vertoonde een duimafdruk van de ober.

'Kun jij koken?' vroeg ik.

'Nauwelijks. Ik heb er een hekel aan.'

'Als je mocht kiezen tussen een kok, een chauffeur of een huishoudster, wat zou je dan nemen?'

'Een kok. Absoluut. Met iemand die goed kan koken, zou ik wel willen trouwen. En jij?'

Ik moet toegeven dat ik verbaasd was, of zeg maar gerust verbijsterd, door wat Milena daar zei – over dat potentiële huwelijk. Ik keek een paar seconden in mijn koffie. 'Tja, ik kan zelf koken, dus ik zou de chauffeur kiezen.'

'Kun jij koken? Echt? Waarom heb je dan nog nooit voor mij gekookt? Wat is je specialiteit?'

'Ik wil morgenavond best voor je koken. Waar hou je van?'

'O, van alles. Wat maak je zoal?'

Ik nam een lange teug van mijn brak smakende koffie. 'Nou, gewoon klassiek.'

'Gewoon klassiek?'

'Je weet wel... Frans, de Franse keuken.'

'Wát uit de Franse keuken?'

Ik zweeg weer. 'Nou, je weet wel, Franse gerechten, zoals... boeuf bourguignon, canard à l'orange, eh... coq au vin, bouillabaisse... coquilles Saint Jacques en zo.'

'God, zo te horen ben je een volslagen chefkok.'

'Dat zou ik nou ook weer niet willen beweren. Het is gewoon een hobby.'

'En je maakt alleen Franse gerechten?'

'Eh... ja.'

'Dat had ik nooit achter je gezocht.'

'Ach, ik heb zo mijn geheimen. Kom je morgenavond eten?'

Milena lachte. 'Nou... misschien wel. Als je echt zin hebt om al die moeite te doen.'

'Natuurlijk. Waar heb je trek in?'

'Dat laat ik aan jou over – jij hebt er verstand van.'

Ik zweeg instemmend. We namen nog een schoteltje koffie en stapten op. Milena zei dat ze naar haar zusje moest (altijd een handig excuus), maar dat ze de volgende avond beslist kwam eten.

'Je moet wel op tijd komen,' zei ik, 'de timing luistert heel nauw.'

'Natuurlijk. Hoe laat?'

'Zeven uur?'

'Prima.'

'Niet om een uurtje of zeven. Echt om zeven uur.'

Ze lachte. 'Ja, ik snap 'm.' Milena sloeg haar armen om me heen en kuste me; bij het afscheid was ze altijd hartelijker dan bij de begroeting. Toen zette ze koers naar het huis van haar zusje – als ze tenminste van plan was eerst de hele aardbol rond te lopen. Ik liep in de richting van zeven uur.

Onderweg liet ik per ongeluk mijn haar knippen. Ik kwam langs een nieuwe hightechkapsalon aan de Boulevard, die Chez Délilah heette, en besloot naar binnen te gaan, deels uit nieuwsgierigheid maar vooral omdat ik dacht dat ze me daar een knapper uiterlijk konden bezorgen, voor Milena. Ik zei dat ik een afspraak wilde maken 'ergens in de nabije toekomst' en zij zeiden dat ze wel een gaatje voor me hadden in het onmiddellijke heden. Iedereen was uitbundig beleefd en liep met naamkaartjes van cellofaan op. Ik werd uit mijn jas geholpen en kreeg een cappuccino. Na de eerste slok werd ik meegenomen naar een kamertje, waar ik mijn overhemd uit moest trekken en een gebloemde rode kapmantel omslaan. Dat deed ik, enigszins ten koste van mijn waardigheid. Toen lag ik opeens op een gecapitonneerde ligbank, tussen twee eveneens horizontale vrouwen die met hun hoofd in een zwartgeëmailleerde wasbak lagen. Er waren twee shamponeurs: ik kreeg 'Jean-Marc', die met wroetende vingers in trage draaiende bewegingen mijn haar begon te wassen. Het was meer een massage dan een wasbeurt en ik viel erbij in slaap. 'Ik kom morgen weer,' zei ik met dikke tong toen Jean-Marc me wakker maakte.

Nog wat slap in de benen liep ik achter hem aan naar degene die me zou knippen. 'Yvan', die zijn naam op zijn in spandex gehulde dij had gespeld, had een kapsel van afwisselend korte en lange plukken, de ene helft zwart en de andere geel, en minstens vier ringetjes met kettinkjes langs de randen van beide oorschelpen. Hij droeg een vestje over zijn blote bovenlijf en een maillot, waardoor hij eruitzag als een trapezeacrobaat. Ik zei dat ik er een heel klein stukje af wilde, overal ongeveer een centimeter, en hij antwoordde dat hij uit Saint-Tite kwam. Met de schaar in de aanslag boven mijn hoofd bestudeerde hij me in de spiegel voordat hij begon.

'Oké? *À l'attaque*?' vroeg hij. Ik knikte.

Als ik gemasseerd word, mijn schoenen laat poetsen (een keer in New York door een *cool dude* van een jaar of tachtig), me kleren laat aanmeten of bij de kapper zit, raak ik in een soort zwevende, nirwana-achtige trance. Het hééft iets als een vreemde zich zo over je ontfermt. Ik sloot mijn ogen en zweefde weg. Toen Yvan iets zei (niet tegen mij) deed ik mijn ogen open en keek even in de spiegel naar zijn maillot. Ik deed mijn ogen weer dicht en zweefde een film binnen die ik in de oude Tower Cinema in York had gezien toen ik een jaar of acht was. Burt Lancaster en Tony Curtis speelden twee trapezeacrobaten. De film ging over hun wederzijdse vertrouwen en over een moeilijke stunt die Tony moest doen, een driedubbele salto geloof ik. Toen ik die film pas had gezien, droomde ik telkens dat ik zonder vangnet door de lucht vloog in het volste vertrouwen dat mijn partner me op zou vangen. Maar altijd als ik die uitgestoken handen zag, werd ik wakker. Niet omdat ik bang was dat ik niet zou worden opgevangen, nee, ik wist zéker dat ik niet zou worden opgevangen, want de stunt die ik probeerde was niet gewoon moeilijk, hij was onmogelijk. Het was zo'n Sisyfusdroom waarin je je uitslooft om het onmogelijke mogelijk te maken. Die heb ik nou altijd.

Ik deed mijn ogen open. Yvan nam net een hijs van een joint van vier vloeitjes. Ik sloot mijn ogen en deed ze toen snel weer open. Degene die ik naast hem in de spiegel zag, had net zulk haar als hij. Nee, dat kon niet. Ik kreeg het plotseling warm. Zweetdruppels welden op langs mijn haargrens. Yvan bood me een trekje van zijn megajoint aan.

'*Ça va?*' vroeg hij.

'Nou nee, eerlijk gezegd niet... Dit is niet wat we hadden afgesproken, dit had ik niet gevraagd...'

'Je kunt het hebben. Je hebt er het gezicht voor. Jij kunt het hebben, man, echt – en dat kan je lang niet van iedereen zeggen, maar van jou wel. Met jouw gezicht – geen enkel probleem. Ik heb kijk op haar, ik begrijp jóuw haar.'

'Maar ik zei toch een heel klein stukje. Zei ik niet een centimeter, *un demi-pouce*?' Ik bevrijdde een arm uit de kapmantel en gaf met duim en wijsvinger aan hoe weinig dat was.

'*Excuse-moi.*'

Ik keek weer in de spiegel. Dit moest een vergissing zijn. Dat was ik toch niet, dat kon niet. Dat was iemand aan de andere kant. Ik veegde het zweet van mijn voorhoofd. Nee, ik was het wel degelijk. Met op mijn hoofd een wrede bespotting van het stekeltjeskapsel met een boosaardige parodie op de bakkebaard en bovenop een soort Woody Woodpecker-kuifje. Een practical joke misschien. Staat er een camera achter die spiegel? Kom maar te voorschijn, Alan Funt. 'En *cut*! Het staat erop' – kan iemand dat nu alsjeblieft zeggen? En dan iemand van de make-up roepen om dit eraf te halen. Of de scène achterstevoren afdraaien. O jezus. O nee. Ik wil mijn haar terug. Ik wil het terug, nu meteen, versta je? Yvan, doe terug. Alsjeblieft. Ik ben docent. Schrijf honderd keer op het bord: *ik moet beter leren luisteren ik moet beter leren luisteren...*

Ik keek naar de grond, waar mijn vroegere haar lag, en vroeg bijna om een *doggie bag*. Als een robot liep ik naar de kleedruimte en ging in het halfdonker verdoofd op een bank zitten. Toen ik eindelijk weer te voorschijn kwam, wees iemand me erop dat ik de gebloemde kapmantel nog aanhad. Ik trok hem uit en iemand hield me een schaal met snoepjes voor. 'Nee, dank je,' fluisterde ik. Bij de ruimteschipachtige toonbank waar de kassa was, zag ik in de spiegel dat er een wit lollystokje uit mijn mond hing.

'En twee maakt vijftig,' zei de jongen achter de kassa terwijl hij mijn wisselgeld op de toonbank legde. 'Veel plezier met je haar.'

Ik sloop door de steegjes naar huis, uit het zicht van de mensheid. Ik ging onder de douche, waste mijn haar opnieuw en deed er een mengsel van allerlei crèmes en conditioners door in de hoop dat het dan weer wat langer zou lijken. Met de föhn bracht ik het opnieuw in model, kamde het, trok eraan en probeerde het uit te rekken. Opnieuw keek ik in de spiegel, die bijna brak. Milena zou het vast ontzettend komisch vinden. En mij natuurlijk minder leuk. Onze eetafspraak kon niet doorgaan.

Op weg naar de keuken nam ik twee van de antidepressiva die Milena had laten liggen en zette het gas aan, niet om een eind aan mijn leven te maken maar om te controleren of het fornuis het wel deed. Dat was het geval. Het stonk ook – de vorige huurders hadden het misschien gebruikt om iets te prepareren of voor duistere chemische bewerkingen. In de gangkast vond ik tussen de spullen van mijn moeder een stel kookboeken. In mijn wanhoop belde ik mijn beschermengel, al was het in York vijf uur in de ochtend.

'Huize Gascoigne.' De stem klonk kristalhelder.

'Oom Gerard! Hoe gaat het? Dat je op bent, om deze tijd!'

'Jeremy, mijn jongen, wat leuk! Fijn om van je te horen! Ik was aan het schokken. Waar zit je, in de Cock?'

De Cock and Bottle is een pub in York, aan de Ouse, vlag bij de Skeldergatebrug. Volgens de overlevering spookt het er. Gerard had dus duidelijk gedronken.

'Nee, ik zit in Montreal. Wat bedoel je met "schokken"?'

'Cybergokken, op internet.'

'Heb je dan een computer?'

'Natuurlijk niet. Een kennis van me.'

Ik lachte. 'Zou jij niet naar Montreal komen? Ik heb je brief gekregen. Wanneer kom je?'

'Binnenkort. Zal ik wat voor je inzetten op internet?'

'Eh, vanavond maar niet, ik heb nogal haast. Ik heb advies nodig. Wat moet ik klaarmaken om een poepgoeie indruk op iemand te maken?'

'Interessante woordkeus. Wat dacht je van gedroogde pruimen?'

'Nee, serieus.'

'Italiaans of Frans?'

'Het moet Frans zijn.'

'Dan moet je beginnen met de koning of de koningin van de gerechten – tournedos Henri IV of chartreuse de perdreaux.'

'Wacht even, dat moet ik opschrijven. Tournedos Henri IV, chartreuse de perdreaux. Hoe kom ik in godsnaam aan een patrijs?'

'Je kunt er ook ander gevogelte voor gebruiken. Wat heb je daar in Quebec? Alle soorten kleinwild zijn goed. Wie is de eregast?'

'Milena, mijn mogelijke toekomstige verloofde. Ze zei dat ze wel zou willen trouwen met iemand die goed kan koken…'

'Trouwen? Hoor ik daar gerammel van ketenen? Struikrovers eisen je geld of je leven…'

'…het huwelijk eist allebei. Ik weet het.'

'*Ik zou wel willen trouwen, maar een vrouw, daar vind 'k niets aan, ik zou wel willen trouwen…*'

'*…maar alleen met mijn vrije bestaan,*' zeiden we in koor.

'Een huwelijk, afschuwelijk…'

'Bedankt, Gerard – tot snel.'

'Verloofd, verdoofd…'

'Dag oom.'

'Trouw, berouw…'

Ik vlooide mijn kookboeken uit op zoek naar de koning en de koningin, maar vergeefs. Ik ging naar bed, stond weer op, nam drie Dormexjes in, ging weer naar bed en droomde van patrijzen. Ergens hoog op een berg bood een oude boerin die op mijn huisbazin leek me een patrijs te koop aan, maar alleen als ik hem zelf de nek omdraaide en plukte. Ik huiverde bij de gedachte, maar ging akkoord. Ik vroeg haar of ze het koninginnenrecept wist en ze zei ja, maar naar haar beschrijving te oordelen haalde ze perdreaux en pierogi door elkaar. Ze stelde ook voor het gerecht met peren te serveren. 'Met peren serveren,' herhaalde ze drie keer met een akelig heksenlachje.

Behalve op mijn zaterdagen in York ben ik 's morgens nooit echt mijn bed uit gesprongen, maar deze ochtend deed ik dat wel. Ik trok snel mijn kleren aan en nam een taxi naar een grote Franse boekwinkel die ten onrechte La Plus Grande Librairie au Monde heette. Nadat ik eerst buiten in de kou had moeten wachten tot de luie klootzakken opengingen, verwees een slaperige verkoper met een sleutelbos me naar een andere winkel, La Cuisine Classique, een culinaire boekhandel in het westen van de stad. Ik stapte weer in een taxi en vond uiteindelijk een boek waar beide recepten in stonden. Het was dus voorbeschikt.

'Henri IV': gegrilleerde dungesneden filet mignon met geblancheerde artisjokkenbodems gevuld met sauce béarnaise en geserveerd met mooi opgestapelde Pont Neuf-aardappeltjes. 'Chartreuse de perdreaux': in koolbladeren gewikkelde gestoofde patrijs met een garnituur van groenten (om en om een rij erwtjes en raapjes, haricots verts en fijngesneden worteltjes), gesauteerde uien en een garnituur van plakjes worst en bacon. Ik besloot de chartreuse te maken. Milena was marxistisch feministe – een man, en dan nog wel van koninklijken bloede, kon echt niet.

Op een overdekte markt die Les Nouvelles Halles heette slaagde ik erin de patrijzen (diepvries) en ook alle andere ingrediënten op de kop te tikken. Bij een bloemist kocht ik een boeket wit gipskruid met roze veren van spirea, die ook wel bruidskrans wordt genoemd, en wat driekleurige viooltjes, omdat een vrouw volgens Puck dolverliefd wordt op de eerste die ze ziet als je in haar slaap wat sap van die bloem op haar oogleden druppelt.

In de taxi naar huis dacht ik na over de tekst van onze advertentie in *The Gazette* en zag ik mezelf al met een gardenia in mijn knoopsgat door het middenpad lopen. Ik begon de Bruidsmars van Mendelssohn uit *Een midzomernachtsdroom* te fluiten.

De Haïtiaanse taxichauffeur neuriede mee, knikte op de maat en grijnsde me toe in de achteruitkijkspiegel. Ik gaf hem een fabelachtige fooi.

Die dag rommelde ik van elf tot halfzeven als een schildpad in de keuken rond. De oven loeide als het vagevuur. *Poken, poken! Dubbel stoken! vuur, gij, vonk'len! Ketel, smoken!* Ik maakte zelfs een salade (met roosmarijn en wijnruit) en een dessert: Poires Bourdaloue (gepocheerde peren met amandelroom). Toen de klok kwart voor zeven sloeg, bedacht ik opeens paniekerig dat ik geen wijn had gekocht en dat de Société des alcools net haar deuren had gesloten. Ik rende naar de plaatselijke dépanneur, waar een van de eigenaars me ervan overtuigde dat ik een 'heel uitstekende' plaatselijke wijn moest nemen, Harfang des Neiges. In een nis stonden dozen vol van het spul met een stempel erop, zo te zien de uiterste verkoopdatum. Ik kocht een heel kistje.

Terwijl ik in mijn 'wijnkeldertje' naar een kurkentrekker zocht, stuitte ik op een vergeten fles bordeaux die de moeder van Sabrine me ooit voor mijn verjaardag had gestuurd. Hij had al die tijd rechtop gestaan, wat niet goed is, zeggen ze. Château Chasse-Spleen 1983. Schitterend. Ik liet het stof erop zitten.

De achtergrondmuziek, besloot ik, moest Frans zijn, fin de siècle, iets tonaal impressionistisch. De sfeer moest magisch worden, betoverend, transcendent. Mocht dat niet lukken, dan kon ik altijd nog de Symfonie in F van Fux opzetten.

Het was inmiddels kwart over zeven. Milena maakte gebruik van het privilege van de bruid en was te laat. Ik had de benedendeur opengelaten met een briefje: KOM BINNEN. Terwijl ik de tafel aan het dekken was, bedacht ik dat dat door voorbijgangers verkeerd kon worden uitgelegd. Zoals de visbandiet bijvoorbeeld. Voordat ik er echter iets aan kon doen, kwam Milena als een droom door mijn niet-afgesloten deur naar binnen zinderen als een luchtspiegeling.

'Ruikt verrukkelijk,' zei ze terwijl ze de keuken in gleed. 'Sorry dat ik zo laat ben.'

Ik keek haar bewogen aan. 'Milena, liefde is: nooit sorry hoeven zeggen.'

'O ja. Dom van me. Hoe kon ik dat vergeten. God, ik hoop niet dat je te veel moeite hebt gedaan. Ik ben niet zo kieskeurig. Ziet er geweldig uit. Mooie bloemen. Ik had wijn mee moeten brengen. Wat zijn dat voor groenten?'

'Kerst, omaatjes. Sla lauwe Harry. Ko, worteltjes rapen!'

Milena grinnikte en trok een gezicht. 'Het is nooit te laat voor een gelukkige jeugd, hè? Ik denk wel eens... laat maar.'

'Wat denk je wel eens?'

'Dat je stiekem eigenlijk het liefst nog op de basisschool had gezeten.'

'Niks stiekem. Ik geef het openlijk toe.'

'Je was vast een heel bijdehand jongetje op school.'

'Juf Gurney vond van wel.'

'Zie je wel. En nu val je terug op je vergane glorie. Ze moedigde je waarschijnlijk aan omdat ze dacht dat je later heel slim zou worden. Terwijl je toen al op je hoogtepunt was.'

Ik lachte. Milena ook. 'Ik geloof niet dat ik jou ooit met een baseballpet heb gezien,' merkte ze op terwijl ze naar mijn verdwenen bakkebaarden keek. 'Of überhaupt met iets op je hoofd.'

Ik haalde mijn schouders op en draaide me om toen ze dichterbij kwam. 'Ja, eh, dat is een eh, een speciaal petje...'

'Ben je naar de kapper geweest, Jeremy?'

'...dat ik nog van mijn oom heb gekregen. Een oude cricketpet eigenlijk, die hij...'

'Ik mag je haar niet zien, hè?'

'Mijn haar? Ach, er is eigenlijk nauwelijks iets af. Je mag het straks zien – na de tweede fles wijn.'

'Goed.' Milena kneep haar ogen tot spleetjes en barstte toen in lachen uit. 'Hoe heet dit?' vroeg ze toen maar met een knikje naar mijn pièce de résistance.

'Chartreuse de perdreaux.'

'Ik wist echt niet dat je dit kon. Indrukwekkend hoor.'

'Ach welnee,' zei ik bescheiden. Ik hoorde Mendelssohn weer. 'Niks aan, zo klaar. Hopelijk ben jij niet zo iemand die vindt dat koken een kunst is. Je doet gewoon wat er in het kookboek staat.'

'Maar iemand moet die recepten toch bedenken. Daar komt wel creativiteit bij kijken.'

'Kwestie van vallen en opstaan. Is scheikunde kunst? Kom, laten we gaan zitten.'

Ik maakte de wijn open, die ik dus niet eerst had laten ademen – toen ik daar mijn excuses voor aanbood, zei Milena dat dat toch allemaal gelul was. Terwijl ik de kurkentrekker in de uitgedroogde kurk draaide, viel die uit elkaar in de fles. Ik schonk Milena een glas vol kurkgruis in. Ik wisselde de glazen om en schonk het andere vol. Zelfde resultaat. Ik ging een theezeefje pakken.

De salade was goed geworden, het hoofdgerecht implodeerde op de schaal toen ik het wilde serveren, het vlees was te gaar, de groenten niet gaar genoeg. Milena kreeg touw in haar mond. Toen ik de wijn door een theedoek ging zeven, gooide ik de bloemen om. Milena vroeg of ik andere muziek wilde opzetten omdat ze deze zo 'deprimerend' vond, zei dat het vlees naar hasj rook en at nauwelijks. Maar ze zei wel dat de tweede fles wijn, de Harfang, 'heel goed' was. Het dessert zag er niet uit als op het plaatje in het kookboek, maar het was wel zoet. Toen we klaar waren, keek ik Milena aan en ze schoot in de lach. Ik ruimde af en sjokte naar de keuken. Terwijl ik de restjes van de schalen in de vuilnisbak schraapte, voelde ik Milena's hand op mijn schouder.

'Sorry, het was echt heel lekker,' zei ze. 'Heus. En ik weet dat je er een hoop moeite voor hebt gedaan. Ik waardeer het enorm.'

Die avond klapten we de bank uit en zetten een video op, ik weet niet meer welke. Milena begon aan een fles whisky uit de Hebriden, waar ze een heel eind mee kwam, en viel ten slotte in mijn armen in slaap.

18

'Ontlaad nooit dat wapen in dit zachte lichaam,
als vuur in een bloem...'

– *Shakuntala*

'Milena.' Ik streelde zacht over haar wang en fluisterde zacht in haar oor: 'Milena, we moeten naar bed. Het is kwart voor zes. Milena?'

Ze knorde en ging anders liggen.

'Milena, als je niet opstaat kus ik je. Op je mond.' Geen reactie. 'Milena, ik meen het.' Ik telde tot elf, boog me over haar heen, rekte me moeizaam uit en kuste haar op de mond. Ze deed haar ogen open en in plaats van terug te trekken keek ze me slaperig aan, een blik die moeilijk te duiden was. Toen ik haar in haar hals kuste begon ze te hoesten, echt te hoesten geloof ik. Ze maakte zich los, nam een slokje whisky en toen ze haar glas neerzette, kuste ik haar weer. Zacht, heel zacht, begon ik haar gezicht te strelen, haar schouders, haar armen.

'Wat doe je?' vroeg ze in mijn mond toen ik mijn hand op een borst legde.

'We hoeven niet verder te gaan.'

'Weet ik.'

'We kunnen ook op het eerste honk blijven.'

Milena fronste. 'Wat? Ik had even het gevoel dat ik terug in de tijd ging.'

'Jaren vijftig?'

Milena knikte. 'En wat kan ik op het tweede honk verwachten?'

'Een trio. Mijn vriend Jacques komt straks ook.'

Milena glimlachte. 'Ha ha ha. Ik zal maar niet vragen wat het derde honk is.'

Ik schoof de klep van mijn pet achterstevoren en probeerde haar weer te kussen; ze wendde haar gezicht af en zei: 'Ik ben niet aan de pil of zo.'

Voor wat ik nu ga doen heb je geen anticonceptie nodig. Ik liet me voor haar op mijn knieën vallen, maakte de veters van haar laarsjes los, liet mijn vingers over haar enkels glijden en over de blote huid van haar kuiten, knieën en dijen, legde mijn hoofd in haar schoot. *Mijn hemel zij in ener jonkvrouw schoot.* Ik maakte haar riem los en keek omhoog. Milena glimlachte nerveus (was het wel een glimlach?) met afgewend hoofd. Ik maakte langzaam haar rits los – een tantaliserend geluid – en trok haar jodhpur omlaag tot onder de knie. Een ouderwetse witkatoenen onderbroek, niet hoog opgesneden, maar wel hoog in de taille. Wat nu? Vederlicht streek ik met mijn lippen langs de binnenkant van haar dijen. Weer stopte ik even om naar haar gezicht te kijken: ze had haar ogen dicht en haar gelaatsuitdrukking was raadselachtig. Wat dacht ze nu? Ik reeg de pijpen van de jodhpur van onderen los en trok hem langzaam uit. Ik duwde haar benen uit elkaar. Mijn mond ging hoger en hoger.

Al snel tolde ik rond in een carrousel van sensaties die al mijn zintuigen tot de rand toe vulden. Allemaal op een na: geruststellende geluidjes maakte ze niet. Ze trok me omhoog, naar haar andere lippen, en legde haar handen op de blote huid van mijn rug.

'Wil je naar de slaapkamer?' fluisterde ik enkele duizelingwekkende ogenblikken later. Ik moest het herhalen.

'Weet ik niet,' antwoordde ze.

'Als je niet lekker ligt...'

'Ja, goed.'

Ik pakte Milena's hand en trok haar mee naar de slaapkamer, onhandig, ongelovig dat dit gebeurde, met mij, met ons. Op het zachte dons gingen we liggen, heup aan heup, hart aan hart. 'Langzaam,' zei Milena toen ik zenuwachtig knoopjes begon los te maken. 'Ik heb dit heel lang niet gekund.'

Tijdens mijn invasie bleef Milena roerloos liggen. Ze probeerde op me te gaan liggen – of eigenlijk wilde ik dat ze dat probeerde, maar de poging was halfhartig en mijn lid half onwillig. Het condoom voelde aan als een tourniquet. Na veel gezwoeg eindigde ik bovenop en hield haar handen boven haar hoofd vast om haar donkere oksels beter te kunnen zien. Ik wist wel dat ik het zo niet moest doen – te macho, te dominant, te missionarisachtig – maar ik deed het toch. Ik drong bij haar binnen als een dief. Toen ik in haar ogen keek, wendde ze zich af, naar de muur. Het ging niet zoals het hoorde, niet zoals in de film. Ik voelde me een groentje.

Een paar minuten later lagen we op onze rug, naast elkaar in het donker. Terwijl ik krampachtig een romantisch zinnetje probeerde te bedenken en de draadversleten liefdesclichés stuk voor stuk afkeurde, viel Milena in slaap. Ik lag nog uren wakker, althans zo voelde het, en keek naar haar silhouet in het bleekgroene schijnsel van de wekkerradio. In een plotselinge opwelling van postcoïtale tristesse liep ik op mijn tenen naar de keuken, waar ik een halve pot olijven leegat. Ik had het waardeloos gedaan, een vier, onvoldoende. In de huiskamer ging ik op de grond liggen en sloeg ik mijn pocketeditie van *Shakuntala* open en weer dicht. Ik legde het boek weg en ging op mijn tenen terug naar de slaapkamer.

Milena sliep nog en de lakens en dekens lagen ineengeknoedeld op de grond. Ik tuurde in het halfdonker naar haar naakte lichaam. Mijn levende beeld, mijn Indiase koningin, ben je het werkelijk? Een bundel zonlicht sneed door een kier in de luiken en kruiste haar volmaakte gestalte. De chemicaliën in mijn hersenen zouden dit beeld voor altijd fixeren. Ik kroop naast haar in bed.

De volgende zes dagen, warme dagen vol genegenheid, brachten we samen door, hoewel zonder opnieuw te vrijen. De tweede dag was een woensdag, dus ik moest werken en terwijl ik weg was, zat Milena thuis op me te wachten, als een huisvrouw. In de taxi naar de universiteit voelde ik een warme innerlijke gloed, de zekerheid dat de geliefde thuis op je wacht; toen zag ik haar in een flits mijn kasten doorzoeken en in mijn Boek der Zaterdagen bladeren. In de collegezaal, op het podium, stelde ik me Milena naakt in bed voor, met haar lange middernachtzwarte vlechten tot op de grond. Wat is ze donker en mysterieus! Wat is ze mooi! 'Vandaag wil ik het hebben over...'

Na twee colleges waarbij de studenten ofwel te laat ofwel helemaal niet aanwezig waren, twee verkorte colleges waarbij de aanwezigen alleen oog hadden voor mijn haar, liep ik Clyde Haxby tegen het lijf, die net binnenkwam. 'Vanwaar die haast, Davenant?' vroeg hij feodaal terwijl hij me met een blik op zijn horloge de weg versperde. 'Wat is er in vredesnaam met je hoofd gebeurd? Ben je bij een sekte gegaan?' Ik bromde wat en probeerde erlangs te komen. 'Ik was nog niet klaar,' ging hij door en hij leunde met een arm tegen het deurkozijn. 'Ik dacht dat wij nog iets te bespreken hadden. Mijn vernedering door jouw toedoen...'

'Je had iemand beledigd die ik hoog heb zitten.'

'Iemand die jij hoog hebt zitten? Wie kan dat wel zijn? Dat slonzige mulattenmeisje? Die heeft vast indiaans bloed. Of bedoel je je vriend – of je minnaar? –, die valse nicht, Jacques de Vauvenargues-Fezensac?'

Ik keek naar Haxby's deftige, met militaire precisie geperste en gestreken kleren, zijn stijfselgezicht en zijn wespenogen. Ik kreeg het steeds warmer en voelde een sterke aandrang om hem een klap te geven. Mijn vuisten gingen krampachtig open en dicht.

'Je hebt ons geheim geraden, Clyde. Jacques en ik hebben inderdaad een relatie. We fantaseren zelfs over jou, dat je in een rubberen brandweeroverall voor de spiegel staat en met je brandslang speelt.'

Haxby's neusvleugels trilden. 'Nu moet jij eens goed luisteren, Davenant. Wat jij kunt, kan ik ook, ik waarschuw je. Ik houd je nog steeds in de gaten...'

'Ach, krijg toch de pest.'

Ik negeerde zijn arm en liep door, naar buiten, op zoek naar een taxi. Toen er een naderde, zwaaide ik, maar ik liet mijn arm zakken toen ik een groepje van vier in het oog kreeg dat even gretig de aandacht van de chauffeur probeerde te trekken als ik. Ik keek of Haxby er nog stond en zag hem inderdaad bij de deur. Hij had zijn koffertje op de radiator gelegd en stond aan het combinatieslot te prutsen.

Merkwaardig genoeg reed de taxi het groepje voorbij en stopte bij mij. Ik stapte in en de chauffeur ging er als een bezetene met gillende banden vandoor, flitste van de ene baan naar de andere en scheurde als een ambulance de berg af. Ik vond het best. Want mijn lief met de ravenzwarte lokken wachtte – en Clyde met de ravenzwarte ziel was ongetwijfeld zijn duelleerpistolen aan het opzoeken. De chauffeur, die de indruk maakte van iemand die op een overtreding was betrapt, leek dat allemaal te weten. Door de rookglazen kogelvrije scheidingswand wierp hij het hele eind naar de Rue Valjoie telkens steelse blikken op me, wat zijn rijstijl niet ten goede kwam. Ik sprong uit de taxi, sloeg het portier dicht en was al halverwege de trap toen de chauffeur iets tegen me brulde. Ik ging terug en schoof het geld door het raampje. Terwijl ik weer naar boven liep, reed hij met gillende banden weg.

Ik klopte drie keer op mijn deur. Geen reactie. Ik ging naar binnen en riep: 'Lieverd, ik ben er weer!' Nog steeds geen reactie. 'Milena?' Onheilspellende stilte. Er hing een zurige lucht in huis. 'Milena?'

'In de badkamer,' antwoordde een verstikte stem.

'Mag ik binnenkomen?' vroeg ik schaapachtig. 'Ik moet je wat vertellen, over Haxby. Iets heel grappigs.'

'Nee.'

De deur stond op een kiertje. Natuurlijk keek ik om de hoek. Milena stond bij de wastafel met haar rug naar me toe. Haar haar was een schuimende zwarte massa en er liepen donkere straaltjes langs haar gezicht.

In de huiskamer ging ik mechanisch in de krant zitten bladeren zonder dat de tekst tot me doordrong. Ben ik bedrogen? Is Milena geen echte Dark Lady? Hoe kan dat? Ze is toch Indiase, verdomme, haar schaamhaar is zwart, en het haar onder haar oksels. Of zou ze dat ook verven?

Milena kwam uit de badkamer met haar natte haar in Medusaachtige slierten om haar hoofd. Zonder iets te zeggen ging ze tegenover me zitten. Ik keek niet op. Althans niet meteen. Ten slotte keek ik over de krant heen en zag dat ze een gehavende paperback zat te lezen. Ik kon de titel niet zien.

'Wat lees je?' vroeg ik nonchalant.

'De autobiografie van George Sand.'

Ik knikte. 'Wist je dat zij *Elk wat wils* van Shakespeare heeft vertaald?'

'Ja.'

'Ik wil je haar wel drogen.'

'Hoeft niet.'

Ik haalde een handdoek en een föhn en begon haar haar te drogen. Ik vroeg of ik het ook moest borstelen en ze zei geen nee. Dus ik borstelde maar door en ging met mijn vingers door haar heerlijke golvende haar. Eerst las ze gewoon door, maar toen sloot ze haar ogen en haar boek.

'Je verft het, hè?'

Er ging een schokje door haar heen, alsof ze wakker schrok. Ik moest het herhalen.

'Ja,' antwoordde ze toen.

'Waarom? Is zwart dan niet je eigen kleur?'

'Jawel, maar ik word voortijdig grijs. En ik ben ijdel.'

'Jij? Jij bent wel de minst ijdele van alle mensen die ik ken, dat vind ik juist zo leuk aan je. Een van de talloze dingen die ik leuk aan je vind.' Ik sloeg van achteren mijn armen om haar hals en begroef mijn gezicht in haar glanzende blauwzwarte manen. Als een boeketreeksheldin hoopte ik dat we het toch samen zouden redden, al leek het nog zo onwaarschijnlijk.

Die avond bleven we thuis, bestelden iets te eten en lieten uren achtereen tweedimensionale schimmen aan ons voorbijtrekken. Onder een reclame voor diepvriesfrietjes, waar een kunstschaatser in meedeed, vroeg Milena naar mijn mooie mood ring. Nadat ik de waarde iets had overdreven, deed ik hem af en schoof hem om haar vinger. *Met deze ring…* Van blauwgroen werd hij prompt zwart.

'Ik wil hem aan jou geven,' zei ik.

Ze deed hem af. 'Ik wil hem niet.'

'Echt. Ik wil dat jij hem draagt.'

'Ik niet.'

'Ik meen het.'

'Ik ook.'

'Echt.'

'Ja, echt.'

'Toe nou.'

'Nee.'

Milena verplaatste haar aandacht weer naar de reclame en ik bleef voor me uit staren. Ze draaide zich met een zucht om, haalde haar schouders op en schoof de ring aan haar middelvinger, die ze tegen me opstak. Nu kan ik haar stemmingen volgen, dacht ik. Maar nee. De volgende dag verloor ze hem al – in bad, dacht ze. *Bij het baden verliest Shakuntala de ring... LET OP: Ring niet in water onderdompelen.*

Op onze tweede avond samen zat Milena naast me te lezen, tegen me aan geleund, toen ik vroeg of ze zin had om in het sportcomplex van de universiteit te gaan tennissen. Als ik met mijn docentenpas zwaaide, lieten de studenten ons vast wel binnen. Ik herhaalde mijn vraag. Ze keek me aan en trok haar wenkbrauwen op. Niet dus. Toen ik een wedstrijd tussen de Canadiens en de Black Hawks voorstelde, begon ze te lachen. In Milena's optiek was sport 'dom' (niets tegen in te brengen) en 'door mannen gedomineerd' (idem). Op de middelbare school hebben we allemaal wel een Milena gekend, die de gymles uitsluitend in gewone kleren vanaf de zijlijn volgde en op de wc ging roken terwijl de rest zich verkleedde.

'Doe jij nooit aan lichaamsbeweging?' vroeg ik.

'Nee. Ik heb gelezen dat je van lichaamsbeweging alleen maar meer vrije radicalen in je lichaam krijgt en vrije radicalen veroorzaken kanker, hartziekten en voortijdige veroudering.'

Ik schoot in de lach. 'Dus daarom hou je niet van sport?'

'Ik heb de pest aan al die regeltjes, die hiërarchie, en aan mensen die bevelen tegen je schreeuwen. En ik heb er principieel iets tegen om achter ballen aan te lopen.'

'Dat heb ik gemerkt.'

'Maar sommige solitaire sporten gaan wel. Zoals langeafstandslopen.'

'Heb jij dat gedaan?'

'Eén keer. Mijn rokerslongen sprongen zowat uit elkaar en ik ben door allebei mijn knieën gegaan. Maar het idee sprak me wel aan – heel ver weg lopen.'

Ik probeerde iets anders te bedenken en stelde voor naar een dansvoorstelling te gaan, *The Survival of the Luckiest*. Geen gerol met ogen, geen spottend gelach dit keer. 'Nee, daar heb ik geen zin in,' zei ze alleen.

Behalve een tripje naar de Boulevard voor een espresso leek iedere verplaatsing Milena een kolossale onderneming toe, zoiets als het beklimmen van de Mount Everest. Misschien was dat ook een verklaring voor haar eeuwige telaatkomen.

'Zullen we?' zei ze opeens.

'Zullen we wat?'

'Wat dacht je?'

In het theater stond Milena erop voor ons allebei te betalen, al protesteerde ik voor de vorm. Toen staken we de straat over om sigaretten te kopen, want anders was ons avondje uit wellicht tot mislukken gedoemd. Ik vroeg maar niet verder. Milena rookte in hoog tempo een halve sigaret en knipte hem toen de goot in.

Binnen waren de roodpluchen stoelen niet gereserveerd en voor het merendeel leeg. 'Laten we bij het gangpad gaan zitten,' zei Milena, 'voor als we plotseling weg moeten.'

We gingen bij het gangpad zitten en keken zestig minuten lang hoe halfnaakte lichamen zich in vijftien centimeter water op elkaar stortten. Na afloop, na het partijdige applaus van familie en vrienden, zei Milena dat ze het een goede voorstelling vond – erg mooi zelfs. Asjemenou. Hoe meer ze het gebodene prees, hoe meer ik erin zag. 'Ja hè? Ja, dat vond ik ook... Precies, dat dacht ik ook net... Inderdaad, zo moet je dat zien...'

Toen ze over seksueel-politieke onderdrukkingssymbolen begon, zag ik daarbij blote borsten voor me. 'Ja, dat wilde ik ook net zeggen...' We waren allebei zeer te spreken over de hoofdrol, een atletische platinablonde die mij moeiteloos door de zaal had kunnen slingeren en tijdens de voorstelling naar me knipoogde – of was het naar Milena? Op de terugweg liep ik over een orgie à trois te dromen en zei dat die danseres mooi was. 'Nou en?' Daarop volgde een discussie over schoonheid waarbij ik al pratend een fascinerende theorie ontwikkelde.

'Stel dat Woody Allen knap was geweest,' besloot ik, 'dan was hij nooit zo creatief en geestig geworden. Als Margaret Atwood mooi was geweest, had ze niet over dezelfde onderwerpen geschreven – ze zou zelfs nooit schrijfster zijn geworden.'

'Gelul.'

'Dan was ze vanaf haar prilste jeugd verwend geweest, had altijd haar zin gekregen en speciale privileges gehad. Dan had ze gebruikgemaakt van haar uiterlijk en was nooit gemotiveerd om te schrijven. "Een mooie vrouw moet al jong haar spiegel breken," zoals Gracianus zegt...'

'Jij zei toch dat die danseres mooi was?'

'Ja, maar ik...'

'En wat bedoel je met "mooi"? Dat is toch subjectief? Ik vind Margaret Atwood toevallig heel mooi.'

'Eh, nou ja, ik ook... ik bedoel, ja, maar we weten toch allemaal wel wat écht mooi is, geloof ik, ook al is dat misschien, eh, aan verandering onderhevig, of...'

'Dus jij beweert dat mooie vrouwelijke auteurs niet bestaan.'

'Nee, ik beweer...'

'Je beweert dat mooie mensen nooit kunstenaar worden.'

'Nou nee, ik geloof dat er soms wel... uitzonderingen zijn of...'

'Je lult uit je nek.'

In een gespannen stilte liepen we de Boulevard af en gingen de Noctambule in voor een espresso, want daar dronk Milena liters van, dag en nacht. Ik goot drie kopjes naar binnen terwijl zij met vrienden aan het tafeltje naast ons over gender en politiek, porno op internet en lesbisch ouderschap zat te praten. Ik ging na wat ik over die onderwerpen wist en hield mijn mond.

Op de koude wc-bril, met mijn gezicht vertrokken van de koffiekakkramp, keek ik naar de karikaturale geslachtsdelen en politieke graffiti op de muren (QUEBEC VRIJ – WEGENS GEBREK AAN BEWIJS / ONAFHANKELIJKHEID NU – OF ANDERS... MORGEN / HET GEWELD GAAT DOOR TOT IEDEREEN GELUKKIG IS) die bijna onleesbaar waren geworden onder de harde obscene opschriften in het Frans. Ik trok door, waste mijn handen met roze zeepkorrels en pijnigde mijn hersens af voor een spitse bijdrage aan de conversatie. Bij ons tafeltje aangekomen zei ik iets wat in een tekstballon niet had misstaan en werd meteen door Milena overstemd met: 'Ben je zover?'

We liepen naar mijn huis. In het donker had ik moeite de benedendeur open te krijgen, ik had de verkeerde sleutel te pakken of stak hem er verkeerd in. Ik voelde Milena's ongeduld achter me al opsteken en boven mijn hoofd hangen. Met de bovendeur ging het iets vlotter. Toen ik eindelijk het sleutelgat had gevonden en duwde, wachtte me een griezelige verrassing – de deur wilde maar een paar centimeter open, de lengte van de ketting.

'Wat krijgen we...' Ik keek naar Milena en tuurde door de kier. Alle lichten waren aan. Ik laat nooit het licht aan. Er klonken ook vage geluiden alsof er – geloof het of niet – een stel aan het vrijen was. We keken elkaar aan, niet wetend of we nu geamuseerd of geschrokken moesten zijn. We besloten tot het laatste. We gingen weer naar beneden en renden naar een telefooncel, waar we het alarmnummer belden.

Enkele minuten later kwamen er twee agenten. Ze leken merkwaardig veel op elkaar, allebei zo'n een meter negentig lang en met even grote snorren in dezelfde kleur. Een van de twee kende Milena. Ik zette de situatie kort uiteen, waarop we mijn huisbazin gingen vragen of ze het poortje van de steeg wilde openmaken. Ze zei nee en sloot de deur. We belden opnieuw; ze deed weer open. Milena legde rustig uit wat er aan de hand was, waarop Lesya mompelde: 'Problemen, zij maak problemen' en de sleutel haalde. Gevijven – Lesya, Milena, ik en de beide agenten – liepen we in ganzenpas achterom en Lesya ontsloot het poortje. Daarna ging ze in zichzelf mompelend weer naar binnen en wij namen de brandtrap. Mijn achterdeur stond wijdopen.

De politie ging het eerst naar binnen, de hand op de holster. In alle kamers brandde licht, zoals ik al zei, en de televisie en de video stonden aan. De band was afgelopen, het beeld was blauw. Ik drukte op 'eject' om de band te bekijken, ramde hem er toen weer in en sloeg op 'off'.

De slaapkamer, waar Milena en de tweeling in het blauw waren gaan kijken, zag eruit alsof er een tornado had gewoed; de inhoud van mijn kast en laden lag over mijn bed verspreid en de grond lag bedolven onder de blaadjes en polaroids. Hevig opgelaten probeerde ik de meer expliciete of herkenbare exemplaren in de kast te schoppen terwijl Milena zwijgend toekeek. De agenten keken ook; een van hen bukte zelfs om een blaadje op te rapen.

Het enige wat weg was – daar zag het althans naar uit – waren een paar videobanden en een oud leren jack uit Amsterdam; op de hanger van het jack hing nu de vinyl jas van de inbreker. (Mijn adresboekje was ook weg, ontdekte ik een paar dagen later.) De dief of dieven hadden duidelijk naar geld of sieraden gezocht, want al mijn duurzame huishoudelijke apparaten waren er nog. Ik moest meteen aan de vroegere huurders denken, de wilde azteken, en voelde een eerste vlaag woede opkomen. Of was het de visvretende Zuid-Amerikaan, wiens eerste bezoek dus had gediend om het terrein te verkennen – een beroepsinbreker?

Na zorgvuldig onderzoek van de plaats-delict en enig combineren en deduceren, stelden de agenten vast dat er een inbraak had plaatsgevonden. 'Hij, of ze, is, of zijn, over het poortje geklommen, de brandtrap op gegaan en door de niet-afgesloten deur binnengekomen.'

'Daarna,' voegde de andere eraan toe, 'hebben ze de ketting op de deur gedaan om niet te worden betrapt.'

Waarop, agent – op inbreken of afrukken?

'Waarom had u de achterdeur niet afgesloten?' vroeg zijn partner. Twee keer. Ik antwoordde niet.

'Doet u in het vervolg die achterdeur op slot,' zei de andere terwijl hij zijn snor streelde en naar mijn haar keek. 'Als u hem tenminste open had gelaten.'

De enige aanwijzingen, afgezien van het vinyl jack met de geurige oksels, was een drol in de wc die niet van mij was, en twee sigarettenpeuken op het kleed, Lucky Strikes met filter die volgens Milena niet van haar waren.

'Kunt u geen DNA-test uitvoeren op die uitwerpselen?' vroeg ik gretig aan een van de agenten. Hij keek zijn partner aan, smoorde een proestbui en begon zijn rapport te schrijven. 'Of in elk geval kijken of er vingerafdrukken op die peuken zitten?' hield ik aan. Ook dat viel in zeer goede aarde.

'We nemen contact op met het lab,' antwoordde hij en hij kneep zijn lippen stevig opeen. 'En als we toch bezig zijn,' vervolgde zijn partner, 'laten we ze ook even kijken naar afdrukken op die *blaadjes*.' Dat vond ik heel vermakelijk.

'U zei dat u binnen mensen hoorde?' vroeg de ander. 'Dat het klonk alsof ze aan het vrijen waren?'

'Eh, ja, dat eh… dat was dan zeker de video.' Ik wierp een blik op Milena. Ze stond daar als een etalagepop, ondoorgrondelijk. Ik kreeg de aanvechting mijn handen uit te steken voor de handboeien.

19

'Ja, van dromen,
En die zijn kinderen van een spelend brein,
Verwekt door niets dan ijle fantasie...'

– *Romeo en Julia*

Milena sprak me er nooit rechtstreeks op aan, liet nooit merken dat er iets mis was – integendeel, ze troostte me en was vol medeleven. Ze begreep, zei ze, hoe het voelde als er iemand in je privé-ruimte was binnengedrongen en alles overhoop had gehaald. Maar ze bleef die nacht niet bij me, noch de volgende nacht of de nacht daarop. Mijn aandelen waren duidelijk gekelderd: het preferente aandeel Davenant was aanzienlijk in waarde gedaald. Ik was geen goud, maar tin, geen dollar maar een zloty, een *gourde*. De dagen gingen als decennia voorbij. Ik wist dat ik haar nooit terug zou zien.

Maar natuurlijk zag ik haar terug. We liepen ongeveer een week later over de Boulevard, elk aan een andere kant en in een andere richting. Ik stond even stil om Arielle te kussen, die op het punt stond in de bus te stappen, toen ik haar in de verte zag, als een regenboog. Arielle zwaaide, Milena zwaaide terug en de bus verdween in het verkeer. Ik stelde me voor hoe Milena in softfocus en in slowmotion naar me toe kwam rennen, in mijn armen. Ik rende naar haar toe; ze leek steeds verder weg. Ik omhelsde haar hartstochtelijk; zij beantwoordde mijn omarming met een vernederende terughoudendheid. Ik nam haar hand teder in de mijne; zij liet los. Ik liep met haar mee, hoewel ik de andere kant uit moest. 'Ik moest toch deze kant op,' zei ik.

We liepen in bijna volstrekte stilte voort; Milena hield af en toe de pas in om een munt in een honkbalpet te gooien. We kwamen bij de dwarsstraat waar haar zusje woonde. 'Hier moet ik zijn,' zei ze; het klonk ongeveer even levendig als de begraafplaats Mont Royal. Ik knikte, zuchtte en keek haar na.

'Milena, we moesten het nu maar officieel maken.'

Milena stopte, draaide zich om. 'Wat?'

Ik deed een paar stappen naar haar toe. 'Ik word gek van deze toestand. Je bent zo gesloten, zo kil. Ik geloof trouwens niet dat we veel gemeen hebben, dus we moeten elkaar maar niet meer zien. Hier rust geen zegen op. Dus vaarwel. Het beste verder.' Nu was ik aan de beurt om weg te lopen, wat ik dramatisch deed, met een brok in mijn keel.

'Jeremy.'

Ik draaide me meteen om. 'Ja?'

'Wat doe je morgenavond?'

'Morgen? Morgen is het... dinsdag? Niets... nee, jawel, ik heb een afspraak, maar...'

'Oké. Met Arielle?'

'...maar je kunt wel mee. Ik ga bij mijn huisbazin eten.'

'En vanavond?'

'Vanavond is het... maandag? Ik geloof dat ik... nog niets heb.'

'Mag ik dan langskomen? Om een uur of acht?'

Ik haalde mijn schouders op. 'Als je wilt.'

Nauwelijks tot spreken in staat keek ik haar na terwijl ze met pantersoepele passen naar het huis van haar zusje liep. Wat deed ik vanavond? Diep in gedachten verzonken stak ik over, hoorde een vrachtwagen toeteren, misschien wel tegen mij, botste bijna tegen een langsskatend stel met aërodynamische helmen op en bleef toen wezenloos voor Cinéma La Chatte staan. De zwartberoete muren brachten een chemische reactie in mijn hersenen teweeg. Met andere woorden, ze brachten me op een idee. Een manier om te bewijzen dat ik niet onverbeterlijk was. Ik liep naar de Portugese cadeauwinkel twee straten verderop en keek in de etalage, waar de meeste koekoeksklokken tien over vier aanwezen. Ik had nog bijna vier uur. Ik liep even binnen bij de plaatselijke dépanneur voor een flesje aanmaakvloeistof, dat ik op de pof meekreeg, en jogde naar huis. Voor de deur van mijn huisbazin stond ik stil, keek schichtig om me heen en pakte toen haar krakkemikkige barbecue.

Terwijl ik op mijn wankele balkon alles in gereedheid bracht, riep een stem van beneden mijn naam. Ik keek naar beneden. Tussen de torenhoge planten ontwaarde ik de blozende wangen van mijn huisbazin, die iets riep waar ik geen touw aan kon vastknopen. Ik lachte en zwaaide. Ze riep nog iets – harder nu, iets waar het woord 'problemen' in voorkwam – en maaide met haar armen om haar ongenoegen kenbaar te maken. Ik bracht de barbecue weer naar binnen. Shit. Dan moest het maar in de steeg. Ik keek uit het raam en zag Victor dode bladeren van zijn patio vegen. Nee, ik kon niet riskeren dat Victor me met een barbecue de steeg in zag gaan, dan barstte hij uit elkaar van watertandende nieuwsgierigheid. En de brandtrap, achter? Ik ging bovenaan staan en keek naar beneden: mijn Italiaanse buurman was zoals gewoonlijk op zijn zonloze achterplaatsje aan het rommelen. Shit. Ik ging door de voordeur naar buiten, negeerde Victors groet en liep snel naar de Griekse ijzerhandel, waar ik een rol touw kocht.

In de badkamer maakte ik het touw aan de barbecue vast en liet hem in de steeg zakken, aan de kant van mijn spookbuurman. Ik rende de brandtrap af, ontsloot het poortje met Lesya's sleutel en maakte de barbecue los. Toen rende ik de brandtrap weer op, vulde een groene vuilniszak, bond het touw eromheen en takelde hem omlaag. Weer rende ik naar beneden en toen weer naar boven omdat ik de aanmaakvloeistof had vergeten, en toen weer naar beneden.

Zwetend als een otter sleepte ik alles naar het smalle halve steegje achter het huis, tussen een rottende matras en een hark met grote hiaten in de voortanden. In de barbecue bouwde ik een piramide van papier, die ik met aanmaakvloeistof doordrenkte. Ik gooide er een lucifer op en de hele zaak explodeerde zowat (de aanmaakvloeistof was wat te veel van het goede geweest), het papier kronkelde bij een temperatuur van tweehonderdvijftig graden. Een voor een gooide ik de celluloid banden erin en ze begonnen knetterend te smelten, waarbij giftige gassen vrijkwamen. De vlammen laaiden steeds hoger op terwijl ik mijn brandstapel hoogglanzend papier en polaroids bleef voeren. Het was mooi, symbolisch, druïdisch. Nou ja, misschien niet druïdisch. Net toen de laatste bladzijden tussen de sintels omkrulden en stierven, kwam er een politieauto door de steeg naast de mijne aanrijden. Hij remde en reed achteruit. Ja, dat zat erin. Shit, en als het nou diezelfde twee sarcastische agenten waren? Ik deed een stap naar achteren, op de tanden van de hark, en rende weg om pas bij het park te stoppen.

Aan de voet van Mont Royal sprak ik een paar eekhoorns, aan wie ik in grote lijnen uitlegde wat ik zojuist had gedaan. Een van de twee was duidelijk geïntrigeerd en kwam steeds dichterbij om geen woord te missen. Zo te zien was ze zwanger. Ik gaf haar het enige eetbare wat ik bij me had, een Rolo. Zij rende de ene kant op en ik de andere, zij de boom in en ik naar huis, naar de drek des onheils. Van achter een muur keek ik de steeg in. De matras en de hark waren er nog, maar verder was alles weg, zelfs de barbecue van mijn hospita.

Om het reinigingsritueel te voltooien nam ik een heerlijk frambozenschuimbad – alsof ik me vlekk'loos rein waste door het bloed van het Lam, dacht ik. Maar ik voelde me nauwelijks gelouterd. Wat ben ik toch een kind, dat ik dacht dat door dit brandoffer alles weer goed zou komen! Waarom had ik niet gewoon alles in een zak aan de vuilnisman meegegeven? Vanwaar deze *coup de théâtre*? Waarom moest ik alles dramatiseren en symboliseren? En aan wie had ik dat brandoffer trouwens opgedragen?

Zonder een spier van zijn koperen wijzerplaat te vertrekken liet mijn staande klok een enkele slag horen. Halfacht. Ik sprong uit de badkuip. Milena zou 'om een uur of acht' langskomen, zal men zich herinneren. Zou ik haar vertellen wat ik had gedaan? Had ik het voor haar gedaan of voor mezelf? Maakt niet uit.

Om negen uur voelde ik me prima. Het komt zo vaak voor dat je op iemand moet wachten. Niets ongewoons, heeft niets te betekenen. Ik kan toch een detective gaan lezen of naar Beethoven of Betty's Not a Vitamin luisteren. Hoeft helemaal niet zonde van de tijd te zijn. Ze deelt mijn obsessie met punctualiteit niet, dat is alles. Ik moet me niet zo druk maken, iets van haar leren, me ontspannen.

Ik selecteerde een track op een cd en drukte op pauze. Vile had me eens verteld dat Milena een nummer van My Bloody Valentine, 'Touched', zo mooi vond; de dag daarop had ik alles van hen gekocht, ook de import-cd's en de elpees. Het nummer stond ingeprogrammeerd: als Milena aanbelde, hoefde ik alleen maar op de knop te drukken.

Rusteloos op en neer kijkend van inhoudloos boek naar staande klok luisterde ik naar het irritante geluid van de verstrijkende tijd. Tien... We zijn allemaal klokken en tikken de tijd weg naar de dood, dacht ik. Wat een gelul. Elf... Er is haar iets overkomen, ik voel het, ze heeft geheugenverlies door die antidepressiva! Twaalf... Rode boer op de zwarte vrouwe. Een... Volgens een Frans gezegde tellen we de tekortkomingen van mensen die ons laten wachten. Twee... Milena heeft geen tekortkomingen. Ik hield mijn hand tegen de slinger om hem tot stilstand te brengen. Ik moest haar vinden.

Terwijl ik het hek van de voortuin dichtdeed, hoorde ik een knarsende, bekende stem. Aan de overkant, onder het schrille licht van een straatlantaarn, ontwaarde ik een grote, in een spandex fietsbroekje geperste paarse kont. Die behoorde natuurlijk toe aan mijn charismatische buurman, die ook net zíjn hek dichtdeed. Als hij een opmerking maakt over de toevalligheid daarvan, ontplof ik. Als hij iets elizabethaans zegt, sla ik aan het moorden.

'Welaan, mijn heer!'

Moet ik nu mijn Zwitserse zakmes pakken? Kon je Toddley maar versneld afdraaien. Zonder geluid. Misschien valt hij wel in een put. Maar wacht even, misschien weet hij waar Milena is. Ik zal hem terloops maar omzichtig uithoren.

'Is dat even toevabbelig,' merkte hij op, 'we doen precies tegelijk het he...'

'Heb je Milena ergens gezien?'

Victor stak over en bood me een hand als een warme pudding. 'We doen allebei tegelijk het hek dicht. Dus jij was ook aan het nachtwandelen?'

'Nee, ik ben wakker.'

'Da's een goeie. Hé, ben je naar de kapper geweest? Staat je helemaal te gek, echt waar.' Hij glimlachte samenzweerderig. 'Hier, moet je kijken.'

Hij gaf me een 'humoristische' kaart, zo eentje die helemaal zwart is en die je vroeger in alle steden ter wereld kon krijgen. MONTREAL BY NIGHT, stond erop. Terwijl Victor grijnzend wachtte tot ik het in mijn broek deed, bleef ik strak naar de kaart kijken, ik werd al dat zwart in getrokken en verdwaalde in mijn dolende gedachten –

over de schoonheid van donkere steden, steden in het holst van de nacht, als je even kunt zien hoe een stad zou kunnen zijn, zou moeten zijn, zonder al die kutauto's, de uitlaatgassen, het kabaal, de gevaarlijke ruimteverspilling...

'Eh, Jeremy, hier Aarde. Jeremy, hier Aarde. Ontvangt u mij?'

'Sorry, ik was even...' Ik gaf hem de kaart terug.

'Ik weet dat het laat is en zo, maar ik moest deze kaart gewoon meteen sturen.'

'Dat snap ik.'

'Dit overkomt me niet vaak, want ik ben meestal vroeg op, ik ben een zonsopgangsfreak – geweldig, als je dan aan het joggen bent. Ik sta doorgaans met de zon op.'

'En ik met de maan. Ik geloof dat ik nog nooit de zon heb zien opgaan.'

'Heb jij nog nooit de zon zien opgaan?'

'Jawel, een keer op tv.'

Victor glimlachte. 'Je houdt me voor de gek, Jer, je bent echt het zonnetje in huis. Hé, een woordgrapje!' Hij stompte me speels tegen mijn schouder terwijl hij met zijn vrije hand de kaart vasthield. 'We hadden het net over jou, weet je...'

Terwijl we samen naar de brievenbus liepen, ik met zwoegende flanken, probeerde ik het gesprek weer op Milena te brengen. Victor daarentegen had meer belangstelling voor zijn droomroman, zijn nachtelijke lozingen. Hij had een héél geïnteresseerde uitgever gevonden: Presto Press. Volgens Jacques had Presto twee specialismen: uitgaven in eigen beheer en piratenedities.

'Ik noem het *De stof*,' zei Victor. Hij zweeg even en gaf me een bijzonder vette knipoog. 'Vat je 'm?'

'Ja.'

'Wij zijn van de stof waar dromen van gevormd zijn...'

'Ja, ik ken...'

'"'t Leven is van een slaap omringd." Dat is uit *De storm*. Daar moet ik jou voor bedanken, Jeremy, want zonder jou zou ik nooit op het idee zijn gekomen een titel uit Shakespeare te kiezen.'

'Het is "'t *korte* leven".'

'Wat zeg je?'

'Laat maar.'

'Ik heb weer een hele nieuwe lading droombeelden die ik op jou wil uitproberen, als je zin hebt. Ze zijn metaforisch of symbolisch maar ik weet niet precies waar het metaforen of symbolen van zijn. Het zijn er drie, een triumviraat van beelden, in jouw jargon. Ik noem ze "onirische metaforen". Misschien laten ze zich wel niet precies interpreteren.'

'Ambigu.'

'Precies. De eerste is als je uit de douche komt en je kijkt in de spiegel en je kunt je gezicht niet zien omdat de spiegel helemaal beslagen is? Ken je dat?'

Ik knikte.

'En dan pak je de föhn en je zapt ermee langs de spiegel – woessj woessj woessj – en de mist trekt op en je gezicht komt weer te voorschijn.'

Ik wachtte tot hij verderging. 'Ga door.'

'Nou, dat is het. Wat vind je ervan?'

'Wat ik ervan vind?'

'Ja.'

'Tja, dat is... moeilijk te zeggen.' Ik pijnigde mijn hersens af voor een snedige opmerking, iets wat een Shakespearekenner paste.

'Mag ik eens proberen?' vroeg Victor.

'Ga je gang.'

'Volgens mij is het zoiets als je andere ik ontdekken nadat je in een nevel hebt geleefd. Of dat de techniek het mysterie elimineert – technologische demystificatie. Zie jij dat er ook in?'

'Ja.'

'Het tweede is als je een straat oversteekt maar er stopt een auto die wacht tot hij kan keren, zodat je niet verder kunt? Ken je dat?'

Ik knikte weer.

'Dus je loopt eromheen, achterlangs, ja? Maar tegen de tijd dat je aan die omtrekkende beweging bent begonnen, rijdt de auto weg, dus je bent om iets heen gelopen wat er niet is. Je bent om een lege ruimte heen gelopen! Voor niets! Dat is toch ironisch? Waar zou dat een metafoor voor zijn, denk je?'

'Nou, dan zou ik eerst...'

'Ik geloof dat die voor de paradox van het leven staat, voor denkbeeldige barrières of zo.'

'Mooi.'

'De derde is als je je laatste vuilniszak uit de verpakking haalt en het eerste wat je in die zak doet is… de verpakking. De *verpakking*. Het omhulsel is het omhulde geworden. De verpakking verpakt. Omhulsel-omhulde, omhulde-omhulsel, zak in zak, een krokodil die in zijn eigen staart bijt. Of haar eigen staart. Wat vind je ervan?'

Ik vind dat je je smetteloze staat van dienst als totale imbeciel eer aandoet. 'Heel aardig.' We stonden wat ongemakkelijk voor de brievenbus, gereed om elk ons weegs te gaan. Ik wilde weg, maar dat kon niet. Nog niet. Ik moest informatie over Milena hebben, waar ze was, wat haar relatie met hem was.

'Hoe laat is het, Jer? Ik denk dat ik eens op huis aan moet, beetje maffen. Want dat houdt niet over de laatste tijd.'

'Ik begrijp wat je bedoelt. Zeg, als je toevallig… je weet wel, als je… Milena ziet, zeg dan… doe haar dan… de groeten van me.'

'Okido, komt voor de bakker.' Victor kuste de kaart en liet hem in de brievenbus glijden. Nadat hij me met zijn worstenvingertjes de hand had gedrukt, scharrelde hij weg en ik stapte op de lopende band.

De lopende band, zoals Milena het noemde, was een soort trottoir roulant, een vicieuze cirkel van een stuk of vier, vijf bars die zij en haar doelloze kennissenkring geregeld aandeden. In al die gelegenheden bood ik iedereen die haar zelfs maar vaag kende iets aan. Na de laatste ronde strompelde ik naar huis, stomdronken, en nam de langste route door de Milenische velden.

20

'Als de spiegel met vuil besmeurd is,
kan zich geen spiegelbeeld vormen'

– *Shakuntala*

'Dus Milena is anorgasmisch?' zei Jacques aan de telefoon.

'Wat?' Ik wreef de slaap uit mijn ogen. 'Dat heb ik nooit gezegd. Wat bedoel je?'

'Ze is frigide.'

'Dat heb ik nooit gezegd.'

'Het werd geïmpliceerd.'

'Waardoor?'

'Door wíe. Door jou.'

'Gelul.'

'Jij had het over passiviteit, gebrek aan reactie, vaginisme.'

'Ja? Heb ik dat allemaal gezegd? Wat is vaginisme?'

'Jij zei dat ze verstrakte, op slot ging, dat penetratie vrijwel onmogelijk was.'

'Je ijlt. Wanneer heb ik dat allemaal gezegd?'

'Vannacht, om vier uur. Je belde me stomdronken op, echt zielig.'

'O shit. Echt waar? Christus.' Ik wreef over mijn voorhoofd. Ik voelde de straf van een vreselijke kater, dus misschien had hij gelijk. Ik keek op de klok – mijn klok stond stil. 'Hoe laat is het in godsnaam?'

'*Waarachtig, als ik goed zie, is de koppelachtige wijzer van het uurwerk al vrijwel over den middag heen.*'

Ik sloot mijn ogen en onderdrukte een braakkramp.

'Gaat het?'

'Nee, het gaat niet.' Maar toch beschreef ik – vermoeid, zonder onderbreking of sabotage – mijn inbraak, mijn verbroken rendez-vous en mijn gebroken hart. Er verstreken enkele ogenblikken voordat Jacques iets zei. 'Jacques? Luister je?'

'Ik kom naar je toe om je op te vrolijken. Vanavond, om zeven uur.'

'Ik eet vanavond bij mijn hospita. Zin om mee te gaan?'

'Negen uur.' Klik.

Die avond, Halloween, om precies negen uur ontsteeg Jacques zijn taxi, geheel in het grijs gekleed – ook in het grijs geschoeid en gehandschoend – en met een niet-bijpassende bruine papieren zak in zijn ene hand. Na zijn spiegelbeeld in een autoruit te hebben geïnspecteerd en zijn jas te hebben rechtgetrokken voor een onberispelijke pasvorm, keek hij omhoog naar mijn balkon en begroette me met enkele hartelijke obsceniteiten. Ik bleef roerloos staan met mijn blik aan het schouwspel beneden genageld.

'Wat sta je daar te kijken, Davenant? Kom, we gaan. En neem die Superclown 2000's mee waar je me steeds over doorzaagt. En iets om mee te schrijven.'

Ik liet mijn overgebleven mini-Life-Savers en Oh Henry-repen op de overloop liggen om de zelfbeheersing van degenen die hier na mij kwamen op de proef te stellen, en rende toen achter Jacques aan. We liepen naar de Boulevard, langs etalages met skeletten, uitgeholde pompoenen met lichtjes en een vogelverschrikker in een stoel; we gingen Bar None, Noctambule en Pablo Fanques Fair in en weer uit. Nergens een spoor van Milena. In de Dame de Pique zagen we Asterix, Jean Chrétien en Kapitein Cook, Mata Hari, Cleopatra en Kapitein Haak. Maar nog steeds geen Milena.

'Hier,' zei ik toen we gingen zitten, 'een halloweencadeautje.' Ik legde mijn (tweede, voor de halve prijs) Supersound 2000 voor hem neer, waar ik vergeeflijk trots op was.

Vinger voor vinger trok hij zijn geitenleren handschoenen uit. 'Ik ben sprakeloos. Ik heb ook iets voor jou. Om je stakkerige toestand het hoofd te kunnen bieden.' Uit de papieren zak haalde hij twee flessen wijn, ongetwijfeld van een goed jaar en goed gerijpt.

'Hoe kom je daaraan?' vroeg ik.

'Die zaten met kerst in mijn kous.'

‘Die kunnen we hier toch niet zitten opdrinken.’

‘Jeremy, alsjeblieft, gedraag je alsof je wat van de wereld hebt gezien. Ober! Kurkentrekker!’

Ik lachte tegen Jacques en vroeg me voor de honderdste keer af of hij knap was. Sabrine zei dat hij er *déchu*, ‘gevallen’, uitzag, dat hij waarschijnlijk zo’n ziekte van vroeger had, zoals jicht of scheurbuik of absintisme (ze zei ook dat ze best met hem naar bed zou willen). En eerlijk is eerlijk, Jacques had weelderig haar – lang, golvend, asblond haar dat ondeugend over zijn voorhoofd viel – en zijn slagschipgrijze ogen waren levendig, vol licht en schaduw. Intelligente ogen. Alle beroemde scherpschutters uit de Amerikaanse Burgeroorlog, is me verteld, hadden grijze ogen omdat men dacht dat dat de scherpste waren. Jacques had me dat verteld.

De ober ontkurkte beide flessen, zoals hem bevolen was. Jacques schonk met gulle hand in en legde intussen uit dat ik aan ‘nymfolepsie’ leed. Toen de ober weg was, ontkende ik dat koppig en een dag of twee later zocht ik het woord op: *bezeten drang naar onbereikbaar ideaal.* Ik ontken het nog steeds.

‘Laten we wat rondlopen,’ zei Jacques. ‘In verschillende richtingen,’ voegde hij eraan toe toen ik aanstalten maakte om achter hem aan te komen. ‘En alles noteren.’

De meeste stemmen die ik opving waren vervormd door de luide muziek als ik te dicht bij een speaker stond, en door achtergrondgeruis als ik het volume hoger zette. Dit is wat ik te pakken kon krijgen, een deel ervan is vertaald. Ik begon bij een tafeltje honkbalpetten:

Dus die is er dan voor.

Wat?

Ze is ervandoor.

Nou, dan neem je toch wat anders. Je vond haar toch niet leuk.

Ja. Pijpen kon ze ook al niet.

Daar, een bloemetje dat nodig eens geplukt moet worden.

Waar?

Daar zou ik al mijn tanden voor overhebben.

Waar dan?

Op tv.

Moet je zien wat ze aanheeft.

Lekker sletterig.

Ik keek omhoog. Op een rij beeldschermen toonden vrouwen badkleding – van die strings, ik weet niet wat jij ervan vindt, maar ik vind ze nogal afstotelijk. Sabrine had er ook een. Het is niet eens zozeer dat touw in de bilnaad of het onesthetische, het ordinaire ervan – het is de haardracht die eronder moet: een genitale hanenkam. Wie dat bedacht heeft zou net zolang moeten worden geslagen tot hij zijn excuses aanbiedt.

Ik liep door, naar een stel baardige academici:

Ken je dat niet? God, het is hard op weg een Canadese classic te worden – vergeet niet dat het op de shortlist voor de Iris Lumby Award stond.

Dat is zo. Waar bestaat die prijs trouwens tegenwoordig uit?

Honderd dollar en een schilderij uit het kunstmagazijn van het Rijk.

Dus volgens jou vindt hij het transsubstantiële in het consubstantiële?

Precies.

Toen naar een man en een vrouw:

Zocht je iets van een bepaalde kunstenaar?

Nee, eigenlijk niet.

Of een bepaalde periode?

Nee, eigenlijk niet.

Dus je kijkt gewoon rond tot je een schilderij ziet dat je aanspreekt?

Nou, ik heb mijn huis net helemaal laten schilderen. Roze met ecru. Wat voor schilderij zou daarbij passen?

Toen naar twee vrouwen:

En hoe gaat het nu allemaal?

Ik weet niet; volgens mij hebben we niet zoveel gemeen...

Ik hield op met ademhalen. Ik zat aan de bar, stikkend, trillend. De laatste twee opmerkingen klonken achter mijn rug.

En ik geloof dat hij me elke dag wil zien of zo.

Nee hè.

En hij is ook een beetje een pornograaf... net als Denny.

Wat? Dat meen je toch niet?

Jawel. Een paar dagen geleden was er bij hem ingebroken en...

Hun stemmen stierven weg toen ik me van de kruk af liet glijden. Mijn instinct gaf me helaas in dat ik moest vluchten; was ik maar blijven zitten, dan had ik de rest ook gehoord. Langs omwegen ging ik weer terug naar ons tafeltje, waar Jacques in zijn eentje zat. Ik ging ook zitten en deed alsof er niets aan de hand was. Jacques zat te schrijven en keek niet op. Ik haalde mijn zakeditie van de *Sonnetten* te voorschijn en probeerde mijn handen stil te houden terwijl ik grote slokken wijn nam. Het was maar softporno, zou ik tegen haar zeggen, onschuldige erotica. En het is inmiddels as. Het was van de vorige huurders, zou ik uitleggen, ik bewaarde het alleen maar voor hen...

Toen Jacques zijn afluistersel begon voor te lezen, drong niets ervan tot me door – ik zag alleen zijn lippen bewegen. Ik deed mijn best op de juiste momenten te lachen. 'Ik heb niks interessants opgevangen,' zei ik. Er kwam een vrouw met een mand rozen langs. Er kwam een man aan ons tafeltje staan, zenuwachtig, duveltje-uit-een-doosjeachtig, koortsachtig en neurotisch, die drank uit een koffer verkocht en nog doorpraatte toen er allang niemand meer luisterde. Jacques zei dat hij zijn bek moest houden en wees met een hoofdknikje naar de deur. Milena ging weg.

Door een raam waarvoor allemaal hoofden in de weg zaten, zag ik hoe zij en haar zilverharige vriendin – Barbara Celerand! – buiten met het bloemenmeisje stonden te praten. Ze kusten haar op beide wangen. 'Vijf dollar, lager ga ik niet,' zei de drankverkoper. Milena en Barbara liepen weg, de Boulevard op.

Ik vloog mijn stoel uit alsof ik gelanceerd werd. Ik rende achter ze aan alsof mijn leven ervan afhing – maar een paar meter van hen af stond ik stil en keek hen na. En toen ging ik weer achter hen aan, zonder me te laten zien, tot ze bij Milena's huis waren. Toen ze naar binnen gingen, verstopte ik me achter een boom voor de deur, dezelfde die haar vader ook gebruikte, en vroeg me af waar ik in godsnaam mee bezig was. Dat wist ik niet, dus ging ik maar weer weg.

Ik maakte mijn voordeur open en deed hem toen snel weer dicht. Ik moest terug. Een stemmetje zei me dat ik terug moest. Ja, ik zou aanbellen. Dan vroeg Milena me binnen en werd het een geweldige avond! Ik zou de dames aangenaam bezighouden met mijn Supersound 2000!

Bij Milena's huis wilde ik al aanbellen, maar opeens durfde ik niet meer. Ik liep achterom, de steeg in, en keek door het houten hek.

Alleen bij Milena brandde nog licht. *Ga naar huis, ga naar huis,* zei een ander stemmetje. Ik klom over het hek, de brandtrap op, op mijn tenen als een inbreker. Ik loerde door het gescheurde gordijn en het haast ondoorzichtige raam – een deel van het glas was overgeschilderd – van haar woonkamer, geloof ik. Terwijl ik buiten adem naar binnen keek, begon ik te begrijpen waarom Milena me nooit binnen wilde laten. Het was een zwijnenstal. Het leek mijn huis wel voordat ik er kwam wonen, of als Milena een dag bij me was geweest. De ongemeubileerde kamer, waarvan de muren de vage rode sporen van een verfroller vertoonden, alsof de verf bijna op was, lag vol kleren en ondergoed (ook mannenondergoed?), pizzadozen en korsten, een pan rice-krispies uit de jaren tachtig, fijngeknepen bier- en colablikjes (wie drinkt er cola? – Milena niet), overvolle asbakken (peuken met én zonder filter), lekgeprikte en verschrompelde ballonnen (wat vierde ze toen?) en een omgevallen fles Ajax (waarvoor?). Toen ik stemmen hoorde, vrouwenstemmen, trok ik snel mijn hoofd terug. Ik spitste mijn oren om te horen wat ze over mij zeiden, maar ik hoorde alleen mijn eigen hartslag. Ik zette mijn Supersound 2000 op. Dus zover is het al gekomen, zei ik tegen mezelf, zo diep was ik dus gezonken, dit was wel het allerlaagste. *Ga naar huis ga naar huis.* Ik zette het volume hoger. Ik keek weer door het raam en ving een glimp op van Barbara Celerand, althans van haar rug. Ze zat in haar eentje op een deken en dronk rode wijn, zo te zien, uit een waterglas. Toen ik me in bochten wrong om meer te kunnen zien, schopte ik een leeg bierflesje om, maar ving het op voordat het de trap af kon rollen. In mijn koptelefoon maakte het een donderend kabaal. 'Hoorde jij iets?' vroeg Milena. Ik hoorde het stamp stamp stamp van naderende voetstappen, als in een slecht nagesynchroniseerde film.

Ik stond krampachtig roerloos en met ingehouden adem tegen de muur gedrukt, naast de deur, te bidden dat ze die niet open zouden doen (volgens een Frans gezegde heeft iemand die achter een deur kijkt, daar ooit zelf gestaan). Dat gebeurde niet. Plotseling klonken hun stemmen onduidelijk en vervormd – zit er garantie op dit apparaat? Toen volgde het geluid van de televisie en het klikken van een videorecorder. *Ga naar huis ga naar huis.* Ik keek opnieuw naar binnen. Weer zag ik de achterkant van Barbara's hoofd, maar Milena zag ik niet – althans niet meteen. Ze kwam plotseling in mijn blikveld doordat Barbara's met armbanden omhangen arm haar daarin trok. Milena keek me recht in de ogen, zo leek het tenminste. Ik dook weg. Ik hurkte roerloos in het donker neer en mijn hart bonkte als een moker. Toen ik weer naar binnen keek, bewogen de armbanden in kringetjes rond en streelde de hand erboven Milena's borst. *Nee! Zo staat het niet op de Bladzijde! De Dark Lady was niet lesbisch!* Ik rende de brandtrap af, de ijzeren treden weergalmden en ik zweette als een beest in doodsangst.

Van de andere kant van de spiegel keek een vroegoude vreemde met een triest gezicht toe terwijl ik een monoloog over liefde en dood afstak. Liefde is een luchtledige wereld, concludeerde ik, een wereld van draaikolken en neerwaartse spiralen; de dood is een ontsnappingsmogelijkheid. De relatie is dood. We zijn voor eeuwig van elkaar gescheiden. Wat een opluchting. Ik ga mijn huis schoonmaken, haar sporen uitwissen, haar geur verdrijven, haar geest uitbannen. Morgen.

'Als je je tanden poetst met de verkeerde hand,' had Milena eens tegen me gezegd, 'lijk je net een kind.' Ik pakte mijn tandenborstel en zag haar in de spiegel achter me staan; ze keek. Ik sloot mijn ogen. Toen ik ze weer opendeed, was Milena weg en had ik tandpasta in mijn haar.

Ik kroop in bed en lag met open ogen in het donker, bang dat ik gek werd, totdat het vroege verkeer me in slaap zong. Ik droomde dat ik een lemma in een encyclopedie was: DAVENANT, *Jeremy. Ander woord voor idioot. Zie ook* DWAAS.

21

'O gij speelpop! Onnooz'le hals!'

– *Othello*

Op een namiddag in de late herfst zit ik aan een picknicktafel niet ver van Milena's huis. Er is een week verstreken, of meer (mijn Boek der Zaterdagen geeft geen uitsluitsel). Het is een winderige najaarsdag, de blaadjes laten hun bomen los en de wolken jagen voor de stralende zon langs achter wolken aan. De caleidoscoop van rood-bruin-geel op de berg is zacht in beweging en een geur van versgemaaide klaver vult de lucht. Dat verzin ik allemaal ter plekke – mijn dagboek is leeg en mijn herinnering blanco.

Ik zucht melodramatisch. De stapel papier voor mijn neus wacht op de rode inkt, maar het is te koud om te corrigeren, mijn vingers zijn gevoelloos, mijn gedachten zijn elders. Twee vellen papier waaien weg terwijl ik naar het kruis op de berg zit te kijken. Terwijl ik ze opraap, komt de rest als een accordeon omhoog en wordt door de wind verstrooid. Als een tweede Jerry Lewis ga ik op papierjacht en probeer de blaadjes eerst in de vlucht te vangen door erop te gaan staan en vervolgens door ernaar te springen en me plat op mijn buik in het gras te laten vallen. Ik weet ze allemaal bij elkaar te drijven – op een na. Ik kijk het na terwijl het over het voetbalveld dwarrelt. Ik zeg wel dat ik het kwijt ben. 'Had je nog een kopie? Nee, geeft niet – ik heb het gelezen, het was heel goed. Een tien.' Terwijl ik dat hardop zeg, hoor ik opeens een schrijnend bekende stem.

'Hallo Jeremy.'

Ik maak een geluid dat niet op een bestaand woord lijkt, als het blaten van een schaap.

‘Hoe gaat het?’ vraagt Milena. ‘Tegen wie had je het? Iemand die ik ken?’

Ik knik. Milena glimlacht. Terwijl er krachtige stroomstoten door me heen schieten, doe ik mijn best kalm over te komen. Niet te heftig. Kalm blijven. Of moet ik me juist opwinden? Ik was toch kwaad op haar? Niet om wat ik door het raam heb gezien, maar omdat ze niet was komen opdagen. Die avond om acht uur.

‘Ik zag je door het raam,’ zegt ze lachend. ‘Je gaf een hele voorstelling.’

Ik wacht op excuses. Ik zeg pas wat als ze haar excuses aanbiedt. Ik eis een verontschuldiging. Ik haal diep adem, schraap mijn keel.

‘Gaat het?’ vraagt Milena.

Ik probeer het opnieuw. ‘Ja hoor prima zal wel een hele vertoning zijn geweest. Deed ik expres, heb je zin om bij de Italiaan te gaan eten?’

Milena lacht. ‘Ja, waarom niet. Straks.’

Ik haal nog eens diep adem. ‘Ik zag je eh…’ Waarom ga ik bij Milena altijd hakkelen en stotteren en stuntelen? ‘…een paar avonden geleden.’

‘Wanneer?’

‘De avond nadat je langs had zullen komen. Om ácht uur.’

‘Om acht uur? Had ik om acht uur bij jou langs zullen komen?’

Ach, hou toch op. ‘Ja.’

‘Echt? Sorry, dat was ik dan zeker vergeten. Dus je hebt me een paar avonden geleden gezien? Waar?’

‘Dat was… bij jouw huis. Ik liep een eindje om. Jij ging net naar binnen. Met een vriendin.’

Milena kijkt me aan zonder een spier te vertrekken. ‘Ja. Een heel rare avond. We hadden een hoop gedronken.’

‘Hoezo raar?’

‘Ik weet niet. Gewoon.’

‘Jullie hebben gevreeën, hè?’

Milena is kalm, opvallend onaangedaan. ‘Ik vind niet dat dat jou iets aangaat. Wie zegt dat trouwens?’

‘Niemand. Wat is er nou gebeurd?’

‘Dat zei ik al – dat gaat je niks aan.’ Ze hurkt neer en begint in haar rugzak te wroeten. ‘Er is niets gebeurd.’

'Niets?'

'Is dat dan belangrijk?'

'Jazeker.' We kijken elkaar aan. 'Oké, nee dan. Het gaat me niets aan.' Logica en emotie strijden om de voorrang en vervormen mijn hersengolven. Is ze met haar naar bed geweest? Gaat het mij iets aan? Ben ik jaloers? Kan het me iets schelen? Wie ben ik eigenlijk?

'Er is niets... noemenswaardigs gebeurd,' zegt Milena terwijl ze een lucifer afstrijkt. 'Ik was dronken, zij was dronken. Heb jij het wel eens geprobeerd?' Ze schermt een sigaret af met haar handen.

'Wat – met Barbara Celerand vrijen?'

'Nee, sufkop, met iemand van hetzelfde geslacht vrijen.'

Ik neem de tijd en zeg dan: 'Eén keer.'

'Hoe ging dat?'

'Ik heb geen zin om dat allemaal op te halen.'

'Goed.'

We zitten zwijgend bij elkaar en weten geen van beiden hoe de stilte te doorbreken. Ik zucht, zij blaast kringetjes waarmee ze de afgedwaalde wolken met een lasso vangt. Ik kan niet onder woorden brengen wat ik voel. Ik wil niet zeggen dat ik jaloers ben, wil het niet over onze 'relatie' hebben of een verklaring eisen. Milena is niet iemand die je ter verantwoording roept. Ik heb ook geen zin om seksuele zelfontdekkingsverhalen te vertellen. De stilte is ondraaglijk.

'Ik... vind het echt geen punt, Milena, als je met andere vrouwen vrijt. Tenminste als...'

'Tenminste als jij mag kijken?'

'Eh... ja.'

'Alle mannen zijn hetzelfde. Maar fijn dat je het goedvindt.'

'Was dat die avond je... eerste keer met een vrouw?'

'Nee.'

'Hoeveel... ik bedoel wanneer was de eerste keer? Hoe oud was je toen?'

'Ik heb ook geen zin om erop door te gaan. Het is trouwens een saai verhaal.'

'Prima.'

Er verstrijkt meer dan een minuut.

'Wist je,' vraag ik nonchalant, 'dat de oorspronkelijke titel van *Les Fleurs du mal* van Baudelaire *Les Lesbiennes* was?' Dat was zo'n conversatieparelt je dat niet alleen fascineert, maar ook gunstig op de fascinator afstraalt. Maar in dit geval niet.

'Baudelaire was een zak. Voor hem waren lesbische vrouwen decadent, genetisch misvormd, gedoemd tot eenzaamheid.'

'Verlaine vond vrouwenliefde juist mooi. In een van zijn gedichten noemt hij het *le glorieux stigmate*.'

'Prima.'

'Ze zeggen dat vrouwen van nature biseksueler zijn dan mannen.'

'Wie zijn "ze"?'

'Nou, de mensen. Baudelaire. Ben je het er niet mee eens?'

'Ik geloof dat er inderdaad meer lesbiennes een relatie met een man hebben gehad dan homo's met een vrouw, ja. Ik geloof ook dat vrouwen voor elkaar betere partners kunnen zijn – seksueel en emotioneel.'

'Waarom zijn dan niet meer vrouwen lesbisch?'

'Meer dan wat? Dan er mannen homo zijn? Als er inderdaad minder vrouwen lesbisch zijn, dan komt dat doordat vrouwen meer worden onderdrukt – seksueel, economisch – en omdat ze daardoor minder... bereid zijn nieuwe mogelijkheden te verkennen, of dat ze het niet durven. Seksuele mogelijkheden bedoel ik.'

Terwijl Milena dit zegt kijk ik naar de levendige gebaren van haar handen en vingers. 'Ik geloof dat de meeste vrouwen nog steeds het gevoel hebben dat ze een man nodig hebben om te kunnen overleven – in plaats van een vrouw. Bovendien zijn vrouwen veel sterker geconditioneerd op behoefte aan het moederschap dan mannen op behoefte aan het vaderschap... Luister je?'

'Natuurlijk.'

'Waarom zit je dan in mijn decolleté te kijken?'

'Dat deed ik niet. Ik keek naar je handen.'

'Wat zei ik dan het laatst?'

'Dat... vrouwen sterker geconditioneerd zijn op behoefte aan het moederschap dan mannen op behoefte aan het vaderschap.'

Milena trekt verbaasd haar wenkbrauwen op. 'Heel goed.'

'Arielle klaagt altijd over het "mannelijk tekort". Ik heb haar een keer voorgesteld om het dan met vrouwen te proberen.'

'Prima.'

'En waarom zijn er niet meer feministen – waarom is het feminisme geen doorslaand succes geworden? Waarom stagneert het en waarom keren vrouwen zich ervan af?'

Milena houdt rook in haar mond en blaast dan met kleine stootjes uit. 'Waarschijnlijk omdat er net zo veel domme vrouwen als domme mannen bestaan.'

'Arielle zei dat jij een feministe van de Nieuwe Golf bent. Wat bedoelt ze daarmee?'

Milena lacht. 'Lesbisch, denk ik.'

Naast ons zit een jong stel amoureus verstrengeld op een koud bankje. Aan de andere kant staan twee hondeneigenaren – de een met een poepzakje in zijn hand, de ander met een schep – tegen elkaar te schreeuwen terwijl hun slecht bij elkaar passende honden copuleren.

'Milena, waarom heb je nooit gezegd dat je... in vrouwen geïnteresseerd bent?'

'Ik dacht dat je dat wist. Iedereen weet het.'

'Jacques had het wel over... Vile zei iets... waarschijnlijk wilde ik het gewoon niet horen.'

'Of dacht je dat je me kon bekeren? Dat lesbisch zijn maar een fase is en dat alle vrouwen liever een man willen als ze de kans krijgen?'

'Nee, helemaal niet. Ik dacht dat je problemen te maken hadden met... je weet wel, je verleden...'

Milena zucht. 'Iedereen denkt altijd dat er automatisch een verband moet bestaan. Dat alle vrouwen die lesbisch zijn, dat zijn geworden door een trauma dat een man heeft veroorzaakt, of door een disfunctionele omgeving die hun homoseksuele kant naar boven haalt. Maar zo is het niet altijd. Soms is het een politieke keuze, het afwijzen van de patriarchale waarden, het accepteren van je identificatie met vrouwen.'

Ik heb geen idee waar ze het over heeft. 'Ik begrijp het volkomen. Sorry, ik voel me even heel dom.'

'Ik ook, dat ik het niet duidelijker had gemaakt. Misschien is alles voor mijzelf ook niet zo duidelijk. Ondanks wat ik daarnet allemaal zei.'

Ik zucht, sta op, ga weer zitten. 'Dus je geeft de voorkeur aan vrouwen – seksueel? Ik bedoel...'

'Ja.'

'Exclusief?'

'Ik heb wel eens een terugval, zoals je misschien hebt gemerkt. Maar jij bent de eerste sinds een hele tijd. Van welke sekse dan ook.'

'Dus eigenlijk... weet je het momenteel even niet, of...'

'Jeremy, ik weet het mijn hele leven al niet, in alle opzichten, verdomme.'

Minuten verstrijken terwijl we allebei wat zitten te draaien, ik kijk naar de wolken, zij naar de grond. Milena's gemengde bloed, bedenk ik, is half sereen Indiaas, half vurig zigeunerbloed. Maar is dat wel zo? Zigeuners komen oorspronkelijk uit India. Ik steek nerveus een sigaret op, probeer dat althans. Milena grist de lucifers en sigaret uit mijn handen, beschermt ze met de hare tegen de wind en jaagt er bedreven de brand in. 'Vertel eens hoe dat ging,' blaas ik met de rook uit, 'de eerste keer dat je met een vrouw vree.'

'Nee.'

'Best. Ik wil het ook niet weten.'

Milena lacht. 'Je bent soms net een mokkend kind. Maar goed, je krijgt je zin. Het stelt eigenlijk niet zoveel voor. Het was een meisje met wie ik op de middelbare school erg bevriend was, maar we verloren elkaar uit het oog nadat ze naar de Prairies was verhuisd – Saskatoon of Swift Current of... maakt niet uit. Op een dag kwamen we elkaar in de Noctambule weer tegen en daarna zagen we elkaar vaak. Ik wist dat ze lesbisch was, maar ik had nooit het gevoel dat ze me probeerde te bekeren of zo, al was ze wel altijd heel aanrakerig – lief. Op een avond toen we wat hadden gedronken, véél gedronken, gingen we op een gegeven moment naar een boekwinkel om een boek te halen waar ze heel enthousiast over was. De winkel was dicht, maar zij had een sleutel. Ze kende de eigenaar, geloof ik, of ze had er gewerkt. Hoe dan ook, we stonden in dat boek te kijken en plotseling kuste ze me op de mond en vroeg of ik wilde vrijen.'

'Zomaar?'

'Zomaar.'

'Dat is heel mannelijk.'

'O ja? Ik vond het gewoon eerlijk.'

'Hoe reageerde je?'

'Ik begon te lachen. Ik dacht dat ze een grapje maakte, maar nee. Niet. Ze meende het. Ik zei eigenlijk niets. Ze pakte mijn hand en trok me mee, de winkel uit, naar haar slaapkamer, boven de zaak. En dat was het.'

'Welke boekwinkel was dat?'

'Wat maakt dat nou uit?'

'Niets.'

'Fleur de Lysistrate. Nog meer vragen?'

'Dus toen hebben jullie gevreeën?'

'Dat zei ik toch.'

'Vond je het fijn?'

'Het was vreemd. Verwarrend. Ik had met haar op schóól gezeten.'

'Woont ze nog in Montreal?'

'Nee.'

'Waar dan?'

'Wat maakt dat uit? Ik geloof dat ze nu in Windsor woont. Iemand zei dat ze zelfs getrouwd was geweest. Heel kort.'

'Het vrolijke vrouwtje van Windsor.'

'Iemands vrouwtje – dat is niet iets om vrolijk van te worden.'

'Jij zou wel met mijn oom kunnen opschieten. Is ze mooi?'

'Waar slaat dat nou op?'

'Heb je haar gebeft?'

'Jezus Jeremy, jij bent echt niet te geloven. Jullie mannen moeten altijd overal een gedetailleerd plaatje bij zien. Jullie zijn allemaal pornografen.'

'Maar heb je haar nou gebeft?' Ik bloos om haar toespeling, maar doe gewoon alsof mijn neus bloedt.

'Laten we naar de bronzen engelen gaan.'

Ik had geen zin om naar de 'bronzen engelen' te gaan, een pleintje aan de voet van Mount Royal waar leeuwen en engelen groen staan te worden. Met de beelden is op zich niks mis, maar die troepen atavistische ritmeroffelaars moeten weg. Als Milena en ik arriveren zit een tiental Piltdown-mannen op huiden van dode beesten te trommelen. Ik haal minachtend mijn neus op. 'Godverdomme, wat ben je toch een snob,' zegt Milena.

'Als je echt helemaal niets kunt, kun je altijd dat nog doen.'

'Wat – snob worden?'
'Nee, drummen.'
'Doe niet zo dom.'
'Een allerlaatste poging van mensen zonder talent om toch nog mee te liften met iets muzikaals. Ik zie niets van vakmanschap of artisticiteit in dat gebeuk – jij wel?'
'Ja, het zijn heel gecompliceerde ritmes. En het is rauw en echt – oer.'
'Het is net zoiets als fotograferen.'
'Waar heb je het in godsnaam over?'
'Gewoon op een knopje drukken en er het beste van hopen.'
'Jeremy, haal ik de idioot in je boven? Worden je gedachtegolven trager als ik in de buurt ben? Kom, we gaan.'
We lopen terug door het park, in een stilte die ook een vorm van bekvechten is. 'Hé, is dat Victor?' vraagt Milena.
Jawel. De Meelevende Man, Voorvechter der Vrouw, de Menselijke Airbag, in zijn eentje midden op het voetbalveld, in een quiëtistische trance en met zijn pens naar voren. Hij maakt t'ai-chibewegingen in slowmotion. In een lycra maillot die strak om zijn ballen zit en met een petje op waar hij zich voor zou moeten schamen.
'Ja hoor,' zeg ik, 'dat is Broeder Teresa. Rukker bij de gratie Gods.' Milena werpt me een scherpe, bestraffende blik toe, die ik negeer. 'Heeft niet één oorspronkelijke gedachte in zijn vage krulletjesharses. Doet alles wat trendy is, schaart zich in zijn loservriendelijke column achter alle goede doelen die in de mode zijn. Ik kijk dwars door de klootzak heen.'
'O ja?' stuift Milena op. 'Goh. Dus als je je inzet voor vrouwenrechten, als je de onderdrukten steunt, dan is dat trendy? Bedankt, dat wist ik niet. Toevallig vind ik dat hij heel integer is en veel goed doet. Ik sta trouwens achter dezelfde "trendy" dingen als hij. Bovendien is hij een geweldige journalist.'
'Toddley – een geweldige journalist? Toddley is helemaal geen journalist. Hij moet bij zijn stiel blijven en poep uit afvoerbuizen halen, hij is loodgieter.'
'Toevallig is hij ook een erg goede vriend van me.'
'Hoe goed?'
'Wat bedoel je daar nu weer mee?'

'Hoe is-t-ie, mensen?' kwettert Victor. Onder zijn gele nylon jack met rode biezen heeft hij een T-shirt aan met: ☺ IF YOU LOVE SUMMER. Op de grond naast hem staat een tamtam.

Victor knuffelt Milena langdurig en veel te familiair, maakt speelse boksbewegingen tegen mij en klopt me op de rug met de warmte van een verloren gewaande broer. Hij doet zo uitzinnig enthousiast dat ik me afvraag of hij niet een prik tegen hondsdolheid moet hebben. Hij en Milena beginnen een levendig gesprek waar ik buiten sta, onderbroken door luid, gierend geschater. Wat – kan iemand me dat uitleggen – vindt Milena toch zo amusant aan Victor? Hij is ongeveer even geestig als Zeppo Marx. Milena feliciteert Victor met een prijs voor journalistiek die hij heeft gewonnen en Victor vertelt een verhaal over een immigrant die geen subsidie krijgt voor het schrijven van poëzie in het Punjabi. 'Natuurlijk, ik teken de petitie wel,' zeg ik. Hij vraagt of ik ook naar de demonstratie tegen fruitautomaten, casino's en gokverslaving ga. 'Uiteraard,' zeg ik. Milena trekt argwanend een wenkbrauw op. Victor wendt zich weer tot Milena en zegt: 'Gaat het nog door vanavond?' Milena knikt en blijft mij aankijken. Victor spint nu bijna hoorbaar.

'Zin om mee te gaan, matroos?' vraagt hij aan mij. 'Kennismaken met de mensen van *Barbed-Wire*?'

Matroos? Waarom noemt hij me nou weer matroos? 'Eh, nee. Ik hou niet zo van personeelsfeesten. Ik bedoel ik heb vanavond al plannen. Ik ga uit eten, in een restaurant, een Italiaans restaurant. Met een *vriendin.*' Ik kijk Milena recht aan.

'Welke kant gingen jullie op?' vraagt mijn onwetende buurman, die zich nu als Uriah Heep in bochten staat te wringen.

'Ik ging net naar *huis*,' antwoordt Milena, die terugkijkt.

'Ik ook,' geef ik terug.

'Ik loop met jou mee, Mil, ik moet ook die kant op,' zegt onze Prijswinnaar.

'Nou, jongens, dan zie ik jullie nog wel,' zeg ik en ik kijk naar de grond.

'Milena is geen jongen,' zegt de Zultkop.

'Nee. Sorry.'

Ze groeten met een knikje. Ik kijk ze na terwijl ze weglopen (of waggelen, in het geval van Toddley). Milena kwebbelt aan één stuk door. Duidelijk over ondergetekende. En ik heb mijn Supersound 2000 niet bij me verdomme.

Op weg naar huis trap ik in een hondendrol. Nadat ik mijn voet eerst in het gras en daarna aan de stoeprand voor de deur heb schoongeschraapt, stamp ik de trap op en sla met zo veel mogelijk deuren. Ik schop-smijt mijn onwelriekende schoen de gang in, storm de badkamer in en kijk in de spiegel. Een droevig, bezweet gezicht, zo rood als een kreeft, kijkt terug. Hoe kan het haar ontgaan zijn dat Toddley verstandelijk gehandicapt is? Ik zal haar eens een bril geven. Er zit niet één levende hersencel onder die ruimtehelm van 'm. Hoe is het mogelijk dat niemand dat ziet, behalve ik? Zijn moeder heeft hem zeker als baby laten vallen. Zoiets hoor je wel eens. Prijs voor de journalistiek, ammehoela. Het is uit, ik zet er hier en nu een punt achter, ik maak het uit, ik dump Milena. Ze krijgt er nog spijt van. Maar al gaat ze op haar knieën liggen, ik hou mijn poot stijf. Want de trieste waarheid is dat we niets gemeen hebben. Helemaal niets. Tussen ons gaapt een kloof zo breed als heel Azië. Zij is lesbisch feministe, ik ben hetero en pornofiel; zij is politiek bewust, ik ben een politieke onbenul. Mensen verkeerd inschatten begint een gewoonte van me te worden. Daar moet ik eens vanaf. Er moet toch iemand bestaan die beter bij me past. Arielle bijvoorbeeld. Attente, meelevende, knappe, heteroseksuele Arielle. Ja, die is ideaal! Waarom heb ik dat niet eerder ingezien? Ik draag mijn gevoelens gewoon op haar over!

Ik ren de huiskamer in, pak de telefoon en druk op de snelkiestoets. Ik leg weer neer. Waarom inbreuk maken op die platonische perfectie? *Sabrine.* Ja, de beeldschone Sabrine. We proberen het gewoon nog een keer. Verzoening! Dat doen zo veel mensen. Je gaat scheiden en dan trouw je opnieuw met elkaar. Een soort cyclus. Je verandert gewoon van mening, meer niet. Je geeft toe dat je fout zat en gaat terug naar een periode die nog niet zo slecht was als je even dacht. Het pre-Milenische tijdperk was helemaal zo kwaad nog niet. Ik toets Sabrines nummer in en hang op voordat de telefoon de eerste keer overgaat.

22

‘Zij, echte toveres, heeft met haar guich’len
Mij diep rampzalig, bedelarm gemaakt!’
– *Antonius en Cleopatra*

De volgende ochtend tegen elven werd ik wakker van mijn eigen stem: ‘*...un message après le timbre sonore. Spreek na de piep een boodschap in of stuur een fax...*’ Waarom denk ik er nou nooit aan om dat ding zachter te zetten, mopperde ik tegen mezelf, zo moeilijk is dat toch niet. Een aap kan het leren. Ik draaide me om en wilde verder slapen.

De stem van de beller was melodieus, als van een geschoold acteur, vertrouwd: ‘*Jérémie, c’est ton oncle...*’ Prompt maakte mijn woede plaats voor opgetogenheid, met de snelheid van het geluid. Eindelijk! Ik sprong uit bed en dook naar de telefoon. ‘Oom Gerard! Waar bleef je nou?’

‘Beste kerel, ik heb zo’n hekel aan die apparaten. Neemt hij ons nu op? Hoe gaat het met je, jongen?’

‘Wacht, ik zet dat rotding even uit. Hallo? Gerard, ben je er nog? Shit. Gerard? Oké. Waar heb je gezeten? Gerard? Je zou hier een maand geleden al zijn. Waar bel je vandaan? Wanneer kom je? Je kamer is al klaar.’

Gerard lachte. ‘Niet nodig. Ik wil je geen overlast bezorgen.’

‘Wanneer kom je? Waar zit je nu?’

‘Long Island. Hoort bij Yorkshire, Jeremy.’

‘Bij Yorkshire?’

‘In de zeventiende eeuw door koning Karel II aan de hertog van York gegeven.’

Ik glimlachte. ‘Dus je inspecteert onze domeinen?’

‘Nee, ik ben op weg naar een race. Een vriend van me die iets in de stallen doet, als hij tenminste niet achter de tralies zit, heeft me sterk aangeraden alles op Roan Barbery te zetten, in de derde race. Doe je mee? Het is een schoonheid, ze hebben haar de hele zomer ingehouden. Een gokje waard.’

‘Zet maar honderd in voor me.’

‘Pond of dollar?’

‘Grapje – geen van beide. Nou goed dan – pond.’

‘Makkelijk verdiend, jongen. Maak het maar zo snel mogelijk telegrafisch over. Naar American Express in Elmont. Straks is de koers minder gunstig en dat moeten we niet hebben, toch?’

‘Wanneer kom je me nu opzoeken? Meteen na de race? Ik eh... heb je nodig, ik moet je zien.’

‘Is er iets?’

‘Nee nee, met mij is alles best, prima.’

‘Amoureuze perikelen?’

‘Dat kan je wel zeggen.’

Gerard lachte. ‘Ik kom zodra ik kan, meteen na Saratoga. Daar logeer ik in het huisje van een vriendin vlakbij. Heel aardig van haar trouwens. Het zou nogal onbehoorlijk zijn om er meteen vandoor te gaan – arme meid, ze zou er kapot van zijn.’ Ik hoorde op de achtergrond een vrouw lachen. ‘Ik bel met de autotelefoon van mijn vriendin, dus ik kan het niet te lang maken. Ben je al jarig geweest, moet ik je feliciteren?’

‘Nee.’

‘Goed, mooi, tot binnenkort dan. Ik heb gehoord dat ze in Montreal een nieuw casino hebben – daar kunnen we wel afspreken.’

‘Rij voorzichtig,’ zei ik nog toen hij ophing. Zo te horen moesten ze nu even geen blaastest bij hem doen.

Ondanks mijn chronische slaaptekort en de fluittoon in mijn oren was ik nu in een euforische stemming. Het vooruitzicht oom Gerard weer te zien verdrong al het andere en verjoeg de muizenissen in mijn hoofd. Hij had geen beter tijdstip kunnen kiezen om te bellen! Ik was in de stemming voor een nieuw begin. Een ander leven. Ik zette TéléRencontres aan (de stijl van de gewone man) om mijn droomvrouw uit te zoeken. Een man met een snor als een hooiberg zocht een vrouw met ‘gevoel voor humor’. Ik zette de tv weer uit. Ik ging de deur uit, iemand ontmoeten. Meteen, buiten op straat. Een leuk iemand. Blond! Ik ging iets aan mijn haar doen, wat Andron opspuiten en een pronte blondine ontmoeten. Ik voelde de macht van Milena al wegebben en haar krachtveld zwakker worden. Wat een tijd en toekomstdromen had ik aan haar verspild! Een puberverliefdheid! Een puberale verliefdheid op een lesbienne! Maar nu ben ik een ander mens, een man, emotievrij. De Man van IJs. Ik denderde met drie treden tegelijk de trap af, als vrij man de straat op, helemaal opgetogen bij de gedachte dat ik Milena uit mijn leven ging bannen. Milena de molensteen, het gekkengoud. *Die heks, dat wijf, die toverkol*! Ik had me bevrijd van haar verpletterende gewicht, haar stralende betovering, haar vloek.

Met mijn ogen strak op de stoep gericht liep ik rechtstreeks naar de feministische boekhandel. Niks nieuw begin. Ik moest het begríjpen, verdomme. Milena was de ware, de enige voor mij. Milena, een vrouw uit miljoenen. Ik herhaal: onze verbintenis was voorbeschikt.

Twee verkoopsters stonden achter de toonbank te praten toen ik binnenkwam. 'Kan ik u helpen?' vroeg er een, misschien omdat ze voelde dat ik wel wat hulp kon gebruiken.

'Hebt u de nieuwe *Kontjes van Kenia*?' zou Jacques nu hebben gevraagd. 'Nee hoor, bedankt, ik kijk even rond.'

Ik liep door, tot helemaal achter in de winkel – weg van de drie vrouwelijke klanten die me van onder hun minachtend halfgeloken oogleden stonden te bekijken –, en nam een *Feministisch Woordenboek* op. Ik stak er op een willekeurige plek een vinger in. Bij de C.

> ***Cunnilingus:*** *De zoveelste oefening in machtsgebruik van de man die de socialisatie tot passiviteit bij de vrouw versterkt.*

O nee toch. Dat meen je niet. Dat wist ik niet! Verdomme, waarom heeft niemand me dat ooit verteld! Waarom heeft Milena niets gezegd? Waarom hebben we het er niet over gehad? Ik herlas het lemma. Maar dit sloeg nergens op. Macht? Passiviteit? En als zij nou bovenop zit, als in een rodeo, en je haren vasthoudt alsof het teugels waren? Is dat dan passief? En wat doen lesbische vrouwen dan? Ik dacht aan Shakespeares Adonis die de grotere en kleinere lippen mocht afgrazen – wat zouden mijn studentes nu denken? En wat dacht Milena toen ik bezig was met die 'oefening in machtsgebruik'? Plotseling werd het erg warm in de winkel. Zou ik het aan iemand vragen? Ik keek bij 'fellatio', maar dat stond er niet in. Ik liep de gangpaden door met het boek in mijn hand en mijn gedachten rondwentelend als een helikopter. Met overslaande stem vroeg ik een verkoopster of ze 'boeken over feminisme voor beginners' hadden.

'Of we wát hebben?'

'B-boeken over feminisme of homoseksualiteit bij vrouwen. Iets van *Feminisme voor dummies* of...'

'Ik kan wel even kijken. Nerissa! Nerissa! Hebben wij boeken over feminisme voor beginners? Of over homoseksualiteit bij vrouwen?'

'Wat?'

'Nee, nee,' mompelde ik, 'laat maar...'

'Boeken over feminisme voor beginners of homoseksualiteit bij vrouwen! Zoiets als *Feminisme voor dummies*!'

Nu keken alle klanten op. 'Ja, of voor iets gevorderden,' mompelde ik. 'Ik... weet er wel al iets van.'

Nerissa, die een naambordje droeg met 'De pot op!' ging me voor naar een afdeling ALGEMEEN, zonder een bepaald boek aan te bevelen. Ik straalde kennelijk een grote onwetendheid uit. Na veel geblader koos ik drie boeken uit, allemaal met een titel waar 'macht' in voorkwam: *De macht voorbij*, *Macht en passie* en *Seks, macht en pornografie*.

'Bestaan er ook lesbische clubs voor mannen?' vroeg ik bijna fluisterend toen ik ging afrekenen.

'Bestaan er wát?'

'Niks.'

Op straat haalde ik de boeken uit het plastic tasje en hield ze zo vast dat je de titels duidelijk kon zien. Ik keek om me heen of Milena ergens te bekennen viel, maar wie zag ik... Arielle, die als een bezetene aan kwam trappen. Ze remde, slipte en zei bij wijze van groet dat ik er ziek uitzag. 'Je lijkt wel een geslaagde hond,' zei ze.

'Een geslagen hond.'

'Je lijkt wel een geslagen hond.'
'Jij ziet er geweldig uit.'
Nadat ze mijn haar had bekeken zonder verbale reactie maar met veel mimiek, hield ze haar hoofd schuin om de titels van de boeken te lezen en schoot hardop in de lach, god mag weten waarom. Mijn nonchalante verklaring ('Ja, ik moet een artikeltje over Victoriaanse romanheldinnen schrijven...') stuitte op geknik en een wetende glimlach van het soort waar moeders en echtgenotes het patent op hebben.
'En het heeft niets te maken met jeweetwel?' vroeg ze.
'Wie? Bedoel je Milena? Natuurlijk niet, zo achterlijk ben ik nou ook weer niet.'
'Misschien moet je ook *Bluf je door het feminisme* kopen.'
'Bestaat dat? Heb jij het?'
Arielle lag dubbel, alweer. 'Ik hield je voor de gek.'
'Ja. Weet ik toch. Heel leuk.' Ik deed mijn best om mee te lachen.
'Jeremy, ik weet dat ik me niet met andermans zaken moet bemoeien en ik wil geen spaak in het wiel zijn of een wig drijven, maar, eh...'
'Maar wat?'
'Milena... is een moeilijk mens. Ze is heel aardig en zo, razend slim en beeldschoon, maar ze is...'
'Lesbisch, ja. En jij hebt iets met haar.'
'Welnee, dommerd. Maar jij kunt tonnen vrouwen krijgen. Ik ken tonnen mensen die met jou in hun nopjes zouden zijn.'
'Wat zei je? Waar zouden ze in zijn?'
'In hun nopjes. Met jou.'
'Nou, dat is... heel vleiend.' Niet vergeten: een eigentijds idioomboek voor Arielle kopen. 'Maar er is maar één iemand die ik wil, al wil zij mij niet. Daar zit geen logica in, Arielle. Zo is dat nu eenmaal.'
'Wat jij wil. Zeg, ik moet weg. Bel maar eens, dan gaan we iets leuks doen, goed?'
Terwijl ze wegfietste riep iemand (mogelijk een man) uit een auto: 'Ik wou dat mijn gezicht jouw zadel was!'
'Sodemieter op,' zei ik. Luid, maar tegen mezelf.

Toen ik de volgende avond thuiskwam na me bij mijn hospita te hebben volgepropt, stond er een bericht van Gerard op het antwoordapparaat. Hij had 'een lichte tegenvaller' gehad en kon bij nader inzien toch niet naar 'la belle province' komen. Hij zou nog bellen. Even dacht ik dat hij 'een lichte hartaanval' zei en kreeg er zelf bijna een. Ik was teleurgesteld, op zijn zachtst gezegd, en ongerust. Wie weet had hij met zijn dronken kop een ongeluk gehad. Ik belde het kantoor van American Express op Long Island. Nee, hij had het geld niet opgehaald. Nee, hij had geen adres achtergelaten.

De volgende drie dagen wachtte ik op bericht van Gerard en Milena en las ondertussen de boeken over macht, althans gedeeltelijk. Op die treurig stemmende bladzijden hoopte ik aanwijzingen te vinden voor een beter begrip van Milena, of van mezelf.

Op de avond van Guy Fawkes Day schreef ik Victor een brief waarin ik mijn bevindingen samenvatte, enkele bescheiden voorstellen deed om vrouwen te helpen en besloot met de suggestie dat verkrachters en mannen die kinderen misbruikten dezelfde behandeling kregen als jonge haantjes: chemische castratie door toediening van hormonen waarvan de testikels verschrompelen.

In mijn maniakale haast tikte ik alles vet. Ik was laaiend enthousiast. Eindelijk, dacht ik, komt er iemand met een oplossing – ik. Als ik tot de volgende ochtend had gewacht, had ik misschien niet gedaan wat ik nu deed: als een gek naar de overkant rennen, naar het huis van Victor Toddley, om een envelop in zijn brievenbus te doen.

Voordat ik weer in de nacht kon verdwijnen, hoorde ik zijn voordeur en zijn mond opengaan. 'Halt. Werda? Jeremy? Zijt gij het? Treed nader, bid ik u. Nee, serieus, kom even binnen!'

Schoorvoetend gehoorzaamde ik. Toen hij de deur achter ons dichtdeed, zag hij mijn envelop op de grond liggen. Ik bukte en raapte hem op, maar hij griste hem als een hongerige straathond uit mijn handen.

'Ik was al in mijn hansopje,' zei hij ademloos.

Ik wierp een blik op zijn siennakleurige pyjama met korte broek. 'Sorry, ik wilde je niet uit bed halen.'

'Ik lag niet in bed.' In zijn andere hand hield hij een tijdschrift: *Man! Mannenkwesties, relaties en verwerking*. 'Ik zat te lezen. Wat kan ik voor je betekenen? Is dit van jou?'

Ik voelde me belachelijk en opgelaten en had bijna mijn envelop teruggevraagd. 'Ach, ik had wat ideetjes op papier gekrabbeld ik bedoel getikt... voor je volgende artikel. Waarschijnlijk ouwe koek, bij nader inzien. En eigenlijk raken ze niet echt de kern van het probleem. Misschien moet je hem maar niet openmaken...'

Victor scheurde de envelop open, zette zijn bril op, boog zijn heel kort geknipte hoofd en bestudeerde mijn tekst. Uit een achterkamer hoorde ik gezang van bultruggen.

'Ik moet weg,' zei ik, 'we hebben het er later nog wel over, goed? Je hebt Milena zeker niet gezien?'

'Ziet er goed uit, jongen, heel goed. Groot veel merci. Ik ben blij met alle hulp die ik krijgen kan. Ik ben trouwens bezig met een artikel over de drummers en dansers bij de beelden. Dus als je ideetjes hebt, graag.'

'Is goed.'

Ik vluchtte naar huis, overtuigd dat ik mezelf totaal voor gek had gezet. Twee weken later werden mijn voorstellen met bronvermelding in Victors column gepubliceerd, door hem geredigeerd (wat een grote vooruitgang betekende). *Barbed-Wire*, 21-28 november 1996, lees maar na. Ik wil overigens niet opscheppen – *Barbed-Wire* is de *Village Voice* niet. Bovendien zijn mijn motieven niet moeilijk te doorzien. Ik, verliefde dwaas, gebruikte het feminisme om te verleiden. Dat zei Jacques tenminste. Wat vind jij?

23

'Geef me uw hand. Ik voorspel u de toekomst.
Ge zijt een dwaas.'

– *Two Noble Kinsmen*

In het licht van mijn jarenlange gespijbel en de ijver waarmee ik colleges en bibliotheken altijd meed, is het wel ironisch dat ik nu zelf college gaf en praktisch in bibliotheken woonde. De bergen boeken, de miljoenen woorden, waren mijn toevlucht als ik me stuurloos voelde, op drift op de Mileense Zee – vrijwel doorlopend dus. Als ik niet naar de wanden vol boeken zat te kijken, deed ik onderzoek naar de Dark Lady en probeerde vast te stellen of ze nu lesbisch was of niet. Toen het ene spoor na het andere dood bleek te lopen, belde ik Vrouwenstudies, waar ze me genoeg tips gaven om me jaren in bibliotheken bezig te houden.

Als zo veel afgewezen minnaars begaf ik me op een reeks archeologische tochten om relikwieën uit vroeger tijden te vergaren. Als de bibliotheken dichtgingen, maakte ik onze oude wandelingen, keek in dezelfde etalages als toen, hield stil bij dezelfde restaurants en bedacht wat ik had moeten zeggen en wat juist niet, probeerde het verleden opnieuw te ontwerpen, te veranderen wat niet te veranderen viel, te herleven wat dood was. Ik stapte op de lopende band, ondervroeg en herondervroeg haar vrienden na hen dronken te hebben gevoerd. Ik was het nieuwste en gulste lid van de Boulevard-club van pas-op-de-plaats-makers, draaideuratleten en sleursloeries. Ik weet wat je nu denkt, want dat dacht ik zelf ook: laat je eens nakijken.

Net als haar gramstorige vader ging ik naar haar raam staan kijken. Zelfs haar huis gaf golven, stralen af. Maar haar licht was uit en de gordijnen wreed gesloten. Was ze uit logeren? Bij een ander? Op een avond zag ik in de schemering een zwarte lap aan haar brandtrap hangen; hij wapperde in de wind. Het leek wel een zwarte piratenvlag: 'Verwacht geen genade,' betekende die, 'hier wordt geen kwartier gegeven.'

Ik was hulpeloos, in de ban van haar maar door haar verbannen. Steeds weer probeerde ik vanuit alle invalshoeken de tijd op te roepen dat we samen waren. Wat deden we eigenlijk? Niets, alles. We wandelden niet langs bergstroompjes, zwoeren elkaar geen eeuwige trouw in de maneschijn, hadden geen hartstochtelijke, bedschokkende seks. We sliepen, praatten, lazen, hingen wat rond. We volgden een banale routine die nooit banaal of routineus leek. De tijd had een andere manier van bewegen – de wijzers van de klok waren ontspannener, soepel alsof ze door een kind uit boetseerklei waren gevormd. De dagen waren niet verknoopt, niet gekalendreerd, niet volgestouwd met anticipatie of nostalgie. Het was het geluk uit mijn jeugd in Yorkshire, toen de dagen als uren voorbijgleden en de weken als dagen.

Maar dat was toen. Nu waren de wijzers weer star en bewogen ze zich met stijve rukjes voorwaarts, me luidruchtig herinnerend aan de knarsende voortgang van de tijd zonder haar. We zijn allemaal klokken die de tijd wegtikken naar de dood, dacht ik voor de zoveelste keer. 'We zijn allemaal klokken die de tijd wegtikken naar de dood!' schreeuwde ik. 'Waar blijft mijn oom nou verdomme?'

De volgende dag ging ik naar de dokter. Bij een plaatselijke medische groepspraktijk voor kansarmen, waar ik geen afspraak en geen eigen arts had, nam ik plaats in een bleekgroene wachtkamer vol kunstplanten en herinneringen aan pijn en vroeg me af wat voor ziektes ik eigenlijk had. Ik kwam niet voor mijn obsessieve gedrag of mijn naderende zenuwinstorting, maar voor mijn hart. Dat was gewoon te luidruchtig – ik was ervan overtuigd dat iedereen het kon horen. Een al te veelzeggend hart. Mijn deurbel en Milena hadden het de afgelopen maanden behoorlijk klop gegeven, met vele volts geschokt en met pijlen doorboord.

Ik wachtte en wachtte, keek naar chagrijnige gezichten en hield zoveel mogelijk mijn adem in. Een Chinese baby met een speen in zijn mond keek me de hele tijd strak aan. Na een uur en drie kwartier werd mijn naam omgeroepen.

'Ik wil graag alles even laten nakijken, dokter. Een onderzoek van top tot teen. De laatste keer was bij mijn geboorte. Let u vooral op mijn hart.'

Dokter Chiron glimlachte en begon aan het hele programma. Ze wroette en porde, controleerde pupil en pols en schreef getallen op een klembord alsof ze me de maat nam voor een doodskist. Ze luisterde weer naar mijn hart en riep er zelfs een collega(-begrafenisondernemer?) bij om ook even te luisteren. Ze overlegden even buiten gehoorbereik, waarna dokter Chiron zei dat ik een lichte hartruis had. 'Ik zou me er niet al te druk over maken als ik u was.' U zou zich niet *al te* druk maken? 'Alles lijkt prima in orde.' Líjkt, mevrouw? 'Natuurlijk moeten we het bloed- en urineonderzoek afwachten.' Natuurlijk. 'Wilde u verder nog iets vragen?'

In mijn oor loeide een sirene, in mijn hoofd was het zo donker als in een kerker, mijn hart was van versplinterd glas. 'N-nee,' zei ik. 'Niets.'

'Wilt u dat ik u naar een psycholoog doorverwijs?'

Waarom zei ze dat? 'Niet nodig,' zei ik.

'Ik zal u toch maar dit nummer geven.'

'O, dat was ik bijna vergeten. Ik heb soms black-outs.'

'Hebt u last van migraine?'

Pas sinds ik Milena ken. 'Ja.'

'Als u uw ogen dichtdoet, ziet u dan een beeld of aura van fel licht? Zigzaggend of als een kloppende lijn?'

Nou nee. 'Precies.'

'Ik zal u iets voorschrijven. Wat u hebt heet een scotoom of migraineaura.'

'O, en dan nog wat, dokter. Een vriendin van me krijgt soms rode explosies in haar hoofd als ze... als ze aan bepaalde dingen uit haar verleden denkt. Dan wordt alles rood in haar hoofd. Maar het is geen woede of zo. Ze zegt zelfs dat het helpt, dat het haar goed doet. Weet u hoe dat komt of hoe het heet of wat het betekent?'

'Nee.'

'Denkt u dat ze... nee, laat maar. Kunt u me ook slaappillen voorschrijven nu u toch bezig bent? Van die hele sterke?'

'Nee.'

Daarna is er waarschijnlijk iets misgegaan op de administratie, want toen ik twee dagen later belde, vroegen ze of ik terug kon komen omdat het bloed- en urineonderzoek over moest. Ja, rot op, zeg.

Als een vrouw vertelt dat haar beste vriendin in de steek is gelaten voor een andere vrouw, dan wordt die andere vrouw – een volslagen onbekende – doorgaans aangeduid als 'snol' of 'nymfomane'. Of erger. Als een man in de steek is gelaten voor een andere man, dan is die andere man 'een of andere rokkenjager' of 'een slijmbal'. Daar hecht ik geen betekenis aan, ik vermeld het alleen om mijn reactie te verklaren toen ik, uit de vierde hand, vernam dat Milena naar Europa was met een aantrekkelijke gothicvamp, een zekere Véronique. Véronique was choreografe, intelligent en charmant, en ik mocht haar wel. *Mocht*, verleden tijd. Nu was ze, als iemand daarnaar vroeg, een nymfomane en een rokkenjaagster. Maar toen ik haar twee weken later zag, verklaarde ze dat ze alleen in hetzelfde vliegtuig hadden gezeten, dat ze op de internationale luchthaven van Warschau afscheid hadden genomen en dat Milena, die een gratis ticket had gekregen van een vriendin die stewardess was, op familiebezoek ging. Tenminste, dat zei ze.

Het verhaal werd bevestigd door Vile. Ik liep haar tegen het lijf in een bar die Arielle me had aanbevolen (om iemand te leren kennen), een 'technotriphop/industrial goth'-doolhof met zwarte muren die The Hangmen's Ball heette. Vile lag met gescheurde kousen en een hoerig kinderjurkje op de grond in een klein vertrek met evenveel sfeer als een betonnen bunker. Ze kon niet praten – letterlijk. Haar vriend Max wel, maar nauwelijks. Hij vroeg of ik wilde chinezen, waarvoor ik vriendelijk bedankte zonder te weten waarvoor ik had bedankt. Ik keek hoe hij wit poeder op een stuk aluminiumfolie legde terwijl Violet daar na een paar mislukte pogingen een brandende lucifer onder hield. Van waar ik stond leek het net alsof ze Max' vingers in brand stak. Met hun mond tot een o getuit inhaleerden ze de brandende rooksliert, waarna ze in een toestand raakten die leek op slapen met open ogen. Ik vroeg Vile of haar zus in Polen zat. Twee keer. Met een vaag lachje stelde Max voor dat ik haar een andere keer raadpleegde, bij voorkeur telefonisch. Geen van beiden reageerde op mijn verzoek om haar telefoonnummer, maar Max, die zijn rode vingers bestudeerde, leek zich te herinneren waar ze werkte: 'Gods Hotel.' Dat sloeg nergens op. Toen ik om opheldering vroeg en hen om beurten aankeek, keken ze met glazige, starende ogen terug, als vissen.

Ik ging naar de bar om een biertje te halen en nadat ik had moeten schreeuwen om me verstaanbaar te maken liet ik een biljet van vijf dollar te water in een plas bier. Toen ik om me heen keek en halfhartig een nieuwe vriendin zocht, tikte er een hoekige man met witte jarretels op mijn schouder en vroeg of ik 'c' wilde. Ik schudde mijn hoofd en vroeg me af waarom hij in een bar vitamines aan de man probeerde te brengen. 'Of LoveStone? Heel betrouwbaar. Van paddenslijm gemaakt. Moet je in je kruis wrijven. Ik doe het wel even voor.' Ik liep energiek door, een L-vormige kamer in waar mensen in kleermakerszit op de geschuurde betonnen vloer zaten; sommigen keken naar tekenfilms zonder geluid, anderen naar de muren. Een heer, conservatief gekleed in driedelig pak, braakte in zijn hoed. In een groter, luidruchtiger vertrek, in wolken tabaksrook en koolzuur, keek ik naar meervoudig gepiercete, polygetatoeëerde dansers die heen en weer stonden te zwaaien op dreigende fin-de-sièclemuziek, entropische, onder dwang aan elkaar gekoppelde fragmenten Rudy Vallee met mokers, gregoriaans gezang met kettingzagen, Scarlatti en Accidental Goat Sodomy. Iedereen leek het mooi te vinden.

Die nacht droomde ik van Gods Hotel. Toen ik tegen het krieken van de middag uit bed kwam, was alles plotseling duidelijk: Vile werkte in het Hôtel Dieu, het plaatselijke ziekenhuis. Dat moest het zijn. Derhalve begaf ik mij zonder een spoor van besluiteloosheid derwaarts.

Bij Personeelszaken deelde een potige oude dame met aluminium haar en hoge basketbalschoenen me mee dat Violet in de kantine werkte ('als het haar uitkwam'). Ze moest er die dag zijn ('tenzij ze zich ziek heeft gemeld natuurlijk'). Ik bedankte haar en zette koers naar de kantine ('Ja, de vakbond is een zegen,' mompelde ze me achterna).

Achter de openstaande deur van een kamer in de buurt van de keuken trof ik Vile, over een tafel gedrapeerd en gekleed in een kort, bruingroen jurkje en zwarte legerlaarzen. Naast haar lag een rood besmeurd slagersmes. Een misdrijf? De adrenaline gierde door me heen, ik schoot op de tafel af en zag aan de andere kant van haar roerloze lichaam een bergje gesneden bietjes liggen.

'Godverdomme, wat is er? Wie... Jezus Christus Jeremy, ik schrok me wezenloos. Geef hier.'

Ik gaf haar het hakmes. 'Sorry. Ik... Max zei dat je hier werkte. Ik wist niet waar ik je anders...'

'Hoe ben je hier binnengekomen? Wat heb ik gedaan? Krijg je nog geld van me?'

'Weet je wat er met je zus is gebeurd?'

'Wat is er gebeurd? Wat is er met Millie?' schreeuwde Vile, die met het mes voor mijn gezicht stond te zwaaien.

'Niets. Rustig nou, leg dat mes neer. Ik vroeg me alleen af of jij wist waar je zus zit.'

'Jezus Jeremy, ik schrik me echt helemaal wezenloos. Helemaal wezenloos.' Ze schudde haar hoofd, zuchtte en ging in kleermakerszit op de tafel zitten. Dat leidde nogal af. 'Jij wilt altijd weten waar mijn zus is. Hang d'r dan een koeienbel om haar nek.'

'Weet je nou waar ze is of niet?'

Vile legde het mes op de tafel en begon in haar ogen te wrijven, waarbij ze mascara over haar wangen uitsmeerde. 'Ja, ik heb een kaart van haar gekregen. Ze zit in Polen, geloof ik.'

'Heeft ze je een adres gegeven?'

'Op die kaart, bedoel je?'

'Ja, op die kaart.'

'Nee, maar ik weet wel iemand die dat heeft.' Ze glimlachte.

'Wie? Victor?'

'Nee. Jouw ex.'

'Sabrine? Heeft Sabrine Milena's adres? Ze kennen elkaar niet eens.'

'Ik heb ze aan elkaar voorgesteld.'

'En hoe ken jij Sabrine nou weer?'

'Dat heb ik toch gezegd. Ik ken haar vriend, Bonze, jouw favoriete nachtportier.'

'O ja. Maar waarom denk je dat Sabrine Milena's adres heeft?'

Vile ging even verzitten, wreef krachtig met beide handen door haar haar alsof ze de vlooien eruit wilde schudden en trok haar knieën op tot haar borst. Ze had gaten in haar netkousen gemaakt, bij de knie en de dij. 'Omdat Sabrine iemand in Polen kent waar Milena kan slapen voordat ze naar onze tante gaat. Ene Madame Zoom?'

'Zoumromski. Shit.' Die kende ik maar al te goed. 'Weet je wanneer Milena terugkomt? Schrijf je haar nog?'

Vile onderdrukte een geeuw. 'Ik schrijf nooit. En we zijn niet zo dik met elkaar. Milly kan soms zo raar doen. Vind jij niet dat ze raar doet soms?'

'Nee, ik vind haar volkomen normaal. Vooral als je bedenkt wat... nou ja.'

'Als je wát bedenkt?'

'Nou, je weet wel, dat... wat haar is overkomen en zo...'

'Dus er is haar wél wat overkomen!'

'Nee, nee, er is haar niets overkomen. Ik bedoel niet nu. Maar vroeger, je weet wel, toen ze... je weet wel.'

'Waar heb je het in godsnaam over?'

'Toen jullie... misbruikt werden.'

Vile kneep haar zwartomrande ogen tot spleetjes en pakte met haar veelberingde hand het hakmes weer op. 'O ja, dat vergat ik even, ze had je in vertrouwen genomen. Nou, het gaat je geen ene reet aan. Niet te geloven dat ze jou dat allemaal verteld heeft.'

'Zeg maar niet tegen haar dat ik dat aan jou heb verteld. Maar geloof jij dat dat samen poseren misschien een verklaring is voor...'

'Het feit dat ze lesbisch is?'

'Eh, nee. Waarom jullie...'

'We moesten niet alleen samen poseren. Wou je dat soms weten? We hebben ook samen gevreeën, ja? Heeft ze dat ook verteld? Denny gaf ons geld, en drugs, om elkaar te likken. Heeft ze dat ook verteld?'

O god. 'Ja. Ik bedoel nee, min of meer. Het spijt me, Vile, het spijt me echt dat ik erover ben begonnen. Maar ik probeer te begrijpen... Is dat de reden dat jullie niet zo goed met elkaar kunnen opschieten, dat jullie afstand houden?'

'Jeremy, ik snap niet waarom je daarover begint, echt niet. Maar als twee mensen samen iets rottigs meemaken, krijgen ze óf een band met elkaar óf ze trekken een muur op. En wij hebben die muur, snap je?'

'Omdat die ander je doet denken aan iets wat je liever wilt vergeten?'

'Bingo.'

'Milena houdt van rood, ze schildert alles rood. Weet jij waarom? Is er een verband of...'

Vile haalde haar schouders op. 'Rood geeft het krachtveld energie, de *chakra*, het brandt kanker weg, verwarmt koude gebieden...'

'O ja.' Ik had geen idee wat ze bedoelde.

Vile zat afwezig letters in het houten tafelblad te krassen. 'Jeremy, ik weet dat je, eh, verliefd op mijn zus bent en zo, wat trouwens niet zo slim van je is, maar waarom vraag je me dat allemaal? Jezus, we zitten toch niet meer op school of zo?'

'Heeft Milena Denny vermoord?'

Vile schrok op. 'Heeft *Milena* Denny vermoord? Dat meen je toch niet, hè?'

'Nee.'

'Nog meer domme vragen?'

'Hoe gaat het met jou en Max?'

'Dat vraag je nou altijd. Prima, best. Hij neukt als een tantrist.'

Ik belde Sabrine en kreeg tot mijn opluchting haar stem op een bandje; ik liet de mijne achter. Toen schreef ik een lange, breedsprakige airmailbrief die ik vervolgens mondjesmaat aan de wc voerde.

Die ochtend heel vroeg, toen mijn hoofd nog loodzwaar was van de drie slaappillen, hoorde ik de gefragmenteerde stem van Sabrine: *...qu'elle va traverser la frontière, mais elle n'a pas dit laquelle... Est-ce que ça veut dire que tu vas tuer Milena? C'est drôle, n'est-ce pas...*

Ik sprong uit bed, plotseling in paniek door de woorden *tuer Milena*. Ik frutselde onhandig aan druk- en draaiknopjes, was vergeten hoe het antwoordapparaat werkte, hoe ik de tijd kon terugdraaien.

...Bent u geïnteresseerd in sparen op afstand? Dan hebben we...

...elle voulait l'adresse de Madame Zoumromski à Crakovie. En passant, tu sais qu'elle dit que c'est écrit dans ton destin, tu tueras ta prochaine amante? Est-ce que ça veut dire que tu vas tuer Milena? C'est drôle...

Ik gaf een ram op de stopknop en kroop weer in bed. Ik was witheet. Ik Milena vermoorden! Madame Zoum! Dit was niet de eerste keer dat ik tegen die heks aanliep.

Op een herfstavond, toen ik nog in hogere regionen woonde, deelde Sabrine me mee dat er een vriendin van haar moeder, *une dame merveilleuse, une gitane* uit Krakau, kwam eten en een nachtje bleef logeren. Madame Zoumromski arriveerde met een mand met twee langharige Perzische katten en bleef twee weken. Omdat ze vegetariër was, aten we in die tijd erg veel groente. Op een avond begon onze gast aan tafel vreemd te doen.

'Je moeder... je moeder is dood, Jeremy... dat weet ik... dat voel ik...' (Ja, en misschien heb je het ook van Sabrine gehoord.) 'Ik heb haar gekend... vele jaren geleden heb ik haar gekend...' (Dat gaf me een schok, althans in eerste instantie.) 'Vele eeuwen geleden heb ik haar gekend... door de nevelen van de tijd... ik zie een ongeluk, ik zie andere ongelukken... ik zie rode rivieren en een blauwe lucht en een drijvend lichaam... Je moet weten... je moet weten...' (Ja, wat moet ik nou weten?) 'Je bent een Weegschaal.'

'Nee hoor,' zei ik.

'Je bent een Weegschaal, net als ik...'

'Ik ben geen Weegschaal.'

Ze knikte wijs. 'Ik zie een getal... veertien... dertien... je moet weten...'

Waar het uiteindelijk op neerkwam was dat ik, net als mijn moeder, bij een ongeluk om het leven zou komen (dat las ik tenminste tussen de regels door), door een val van ons balkon op de veertiende (in werkelijkheid dertiende) verdieping. Terwijl zij doorging met het ontvangen en doorgeven van signalen likte een van haar katten van haar kom soep. Sabrine lachte hardop, maar de kat, die misschien dacht dat ik had gelachen, stopte met likken om me woedend aan te kijken. Plotseling voelde ik de drang om te vluchten. Wat ik ook deed, maar niet voordat ik tegen Madame Zoum had gezegd dat ze hartstikke gek was.

De profetische ingeving dat ik Milena ging vermoorden was misschien een goedkope wraakoefening van haar – of misschien van Sabrine. En nu ging Milena bij dat geschifte mens logeren! Ze was er misschien zelfs al en had al vernomen dat ik haar moordenaar zou worden. Godallemachtig. Dat was het laatste waar ik op zat te wachten.

Ik pakte mijn atlas om te kijken welke grens Sabrine bedoelde. Dwars over mijn bed liggend sloeg ik het boek op een willekeurige plaats open – bij de kaart van Polen – en ontdekte dat de twee landen die het dichtst bij Krakau lagen, de Tsjechische Republiek en Oekraïne waren. Oekraïne! SHAKHTYORSK! Natuurlijk! Ik moest de Bladzijde als leidraad gebruiken! Terwijl ik de stad in de atlas omcirkelde, begon zich een idee in mijn hoofd af te tekenen, een zo krankzinnig, opwindend idee dat ik nauwelijks kan wachten het je te vertellen.

Zodra ik de volgende dag op was, ging ik mijn huisbazin zoeken, die niet ver bleek. Ze stond voor het huis op de stoep in de ijzige kou, zonder wanten, als een verdwaald klein meisje, met naast zich haar karretje, leeg, met een kapot wiel. Het was een hartverscheurende aanblik. Ik ging snel naar beneden om te vragen wat er was. Ze antwoordde in het koeterwaals en ik stelde vragen die haar als koeterwaals in de oren klonken. Ten slotte werd het duidelijk: ze had zich buitengesloten. Ze had al haar boodschappen al gepakt, bij de kassa gezet en toen ontdekt dat ze geen geld bij zich had.

'Arme stakker,' zei ik. 'Heeft er nog iemand anders een sleutel? Sleutel, snap je? Sleutel.' Ik maakte draaibewegingen met mijn hand.

'Woly.'

Ja, maar Wolodko is dood. 'Nog iemand anders? Zus, broer, dochter...'

Lesya beet op haar lip, schudde haar hoofd. Ze rilde en haar handen waren rood van de kou.

'Nou, eens kijken wat we kunnen doen.' Ik zette mijn schouder tegen de deur en duwde met al mijn kracht, zonder ook maar het geringste succes. Toen begon ik met de hak van mijn laars op het ruitje in de deur te beuken. 'Maak je geen zorgen,' zei ik toen ze me wilde tegenhouden, 'ik heb hier wat ervaring mee.' Vanuit de onderste hoek verscheen er een perfecte diagonale barst in het ruitje. Ik duwde het in, stak zonder ongelukken mijn arm door het gat en ontgrendelde de deur.

Toen we binnen waren en ik haar karretje in de gang had gezet, greep Lesya me bij mijn arm en zei: 'Zitten.' Als een hond gehoorzaamde ik. Ze propte een plastic zak in het gat in het ruitje, dribbelde naar de keuken en kwam na enig bordengekletter terug met een blad, zo vol dat ik me afvroeg of ze me soms voor een groep Oekraïense worstelaars aanzag.

'Ben je wel eens in Shakhtyorsk geweest?' vroeg ik tussen twee happen koop door. 'Daar zijn jij en Wolodko toch geboren? Shakhtyorsk? Geboren?'

Lesya glimlachte en schoof me nog wat pierogi's en stukken kippenborst toe. Ik probeerde het nog eens, met mijn beste Oekraïense accent, wat erop neerkwam dat ik Shakhtyorsk precies hetzelfde uitsprak maar dan luider. Toen Lesya haar schouders ophaalde, schreef ik de naam op een papiertje. Dat bestudeerde ze met een diepe frons; ik dacht aan haar boeken, die ondersteboven stonden.

Ik ging naast haar verbleekte kaart van Oekraïne staan en legde mijn wijsvinger op de stad in kwestie. 'Daar ben je toch geboren? Op deze plek?' Lesya keek me uitdrukkingsloos aan, net als mijn studenten als ik hun een vraag stel. Ik herhaalde mijn vraag op verschillende manieren.

'Nee,' antwoordde ze ten slotte. 'Nozdrische.'

Ik schudde mijn hoofd. 'Nee, nee, je... vergist je waarschijnlijk.' Ik wees weer. 'Shakhtyorsk.'

'Nozdrische.'

'Shakhtyorsk.' Ik zuchtte. 'Daar ben je dan misschien niet geboren, maar je hebt er toch wel gewoond? Of Wolodko heeft er gewoond, zo is het toch?' Terwijl ik wees en gebaarde, glimlachte Lesya, toen begon ze te giechelen en ten slotte schaterde ze het uit van het lachen.

'Hoe kom je in Oekraïne, Lesya? Hoe kom je daar?'

'Hoe kom Oe-krine?' vroeg ze terwijl ze de tranen uit haar ogen veegde.

'Ja.'

'Boot.' Ze barstte weer in lachen uit.

‘Bedankt, Lesya. Zal ik de boodschappen voor je doen?’ Ik wees naar haar lege karretje. Ze hield op met lachen en schudde haar hoofd. ‘Weet je het zeker? Goed, ik moet weg, de deur staat nog open en ik moet bellen.’ Ik vormde met duim en pink een telefoon. ‘Ik kom morgen – dinsdag – eten, als altijd.’ Ik gebaarde met mijn vingers naar mijn mond. ‘Eten, ’s avonds? Morgen? Maak maar niks speciaals, je hoeft alleen de drie maaltijden op te warmen die nog op mijn bord liggen, goed?’

Lesya keerde nu haar portemonnee ondersteboven. Ze wierp me een blik toe die mijn hart deed smelten en gaf me twee kwartjes.

‘Nee nee, dat hoeft niet,’ protesteerde ik, maar ze liet de muntjes in mijn borstzak glijden.

‘Dank je, Lesya, maar dat is echt niet…’

Ze gaf me nog iets: een sleutel.

‘O – ja, goed idee. Nogmaals bedankt voor de lunch. Heerlijk. Tot morgen. Pas goed op jezelf.’

‘Jij zelfde.’

Thuis belde ik mijn reisbureau, waar ze zeiden dat ik alles aan hen kon overlaten en dat ze over tien minuten zouden terugbellen. Ze hadden een speciale ‘Oekraïense contactpersoon’. Ik hoopte maar dat dat niet mijn hospita was. Precies tien minuten later ging de telefoon, maar het was niet het reisbureau.

‘Jacques, ik heb nu geen tijd, ik ben op weg naar Oekraïne.’

‘Zeg dat nog eens.’

‘Je verstaat me best.’

‘Jeremy, wie gaat er nu naar Oekraïne? Uit vrije wil? Hoe ben je tot die keus gekomen? Blind geprikt op de wereldbol?’

‘Raad eens.’

‘Milena? Christus. Je mag wel een geigerteller meenemen. Maar wacht eens even, dat lijkt me wel een goed idee. Je kunt eens in Soci gaan kijken – een badplaats aan de Zwarte Zee.’

‘Dag Jacques.’

‘S-o-c-i. Dat is de sekshoofdstad van Rusland, waar de meiden hun broek nog makkelijker uittrekken dan hun jas.’

‘Jacques…’

‘Heb je de *Devoir* van vandaag gelezen? Een lullig ambtenaartje uit Ottawa komt in Soci zijn hotel uit en wordt aangesproken door een hoertje dat "persoonlijke dienstverlening" aanbiedt. Zo'n alles-kan-alles-mag-deal. Vierentwintig uur voor vierentwintig dollar – Amerikaanse dollars. Dan zakt ze tot tien, dan zegt ze dat een "cadeautje" uit de winkel van het hotel ook goed is, en ten slotte alleen een diner of een ontbijt. En hij geeft haar een ontbijtje. Jeremy, dit is geen mop. Dit is het moment om te gaan – de economie ligt er totaal op z'n gat. Daar moet je gebruik van maken, grijp je kans.'

'Ja, ik weet... wat voor kans?'

'Vijf roebel moet genoeg zijn. Of zelfs drie als je het handig aanpakt. Christus, dat is omgerekend zestig cent.'

'Ik moet ophangen...'

'En het is lekkerder dan met een paspop, zoals jij...'

Ik ramde de hoorn op het toestel. Dat ging een paar seconden later weer. Ik nam op. 'Lazer op!' schreeuwde ik. 'Sodemieter op, gore klootzak!'

Het was het reisbureau. Ze zeiden, zoals gewoonlijk, dat alles volgeboekt was, noemden een belachelijk hoog bedrag en 'zochten' toen iets goedkopers. Mijn route: Montreal-Warschau, Warschau-Kiev, per trein naar Shakhtyorsk, drie dagen in het enige 'westerse' hotel voor buitenlanders in de stad, de Inn Biggest Top. Ongeveer twee dagen reizen – tweeduizend dollar. Ik moest een visum hebben. En een Visa-card.

'Hoe ver is het van daar naar Soci?' vroeg ik.

'Naar wát?'

'Laat maar. Bedankt.'

III

24

'Wat dwaasheid ik bega, bega ik in uw naam.'

– Troilus en Cressida

Het was kerstvakantie. Mirabel, normaal een van de stilste luchthavens ter wereld, was afgeladen. Ik zat onderuitgezakt in de vertreklounge *Lesbisch marxisme* te lezen en deed mijn best een luidruchtig, in identieke geel-blauwe jacks gehuld Oekraïens contingent te negeren, duidelijk een of ander team. Er stond ook een lange rij rolstoelers, allemaal jonge mannen, ook met jacks. Geen van beide groepen leek Engels of Frans te verstaan, want na elke omgeroepen mededeling haastten ze zich allemaal naar de deuren, schreeuwend en ellebogend en voortwielend om vooraan in de rij te komen. Elke keer werden ze door het geduldige luchthavenpersoneel teruggestuurd. Maar bij elke volgende mededeling – 'Wil Marie Mountjoy zich melden bij de inlichtingenbalie...'– begon het hele proces opnieuw. De vertraging duurde nu al haast anderhalf uur, dus ze kwamen geen lichaamsbeweging tekort. Misschien gingen ze straks in het vliegtuig slapen.

Shakhtyorsk. Ik pakte mijn vulpen, begon de letters in een andere volgorde te zetten en kreeg ten slotte: SHAK.YORKSH. T. 'Shakespeare, Yorkshire Tragedy!' zei ik hardop. (Toepasselijk.) Toen: MILENA: MAILEN. (Klopte ook wel.) MALIËN. (Nee. Kolder.) I AM LEN en I'M NEAL. Shit! Milena is Len Neal! Leonard Neal! Die zat bij mij in de derde klas! Ik kreeg het opeens warm. Waarom doe ik dit? Wat doe ik op dit vliegveld? Ik veegde mijn voorhoofd af en knoopte mijn hemd open. Wat eerst een dramatisch gebaar leek, onverschrokken en onvermijdelijk, leek nu belachelijk. Waarom ga ik naar Shakhtyorsk? Leg nog eens uit? Vanwege de Bladzijde uit Yorkshire. Omdat ik Milena moet tegenhouden als ze zich van kant wil maken (ongelukkig-zijn en zelfmoord komen in haar kringen veel voor), omdat ik haar moet vertellen dat ik een paar boeken over macht heb gelezen. Dat ik het begrijp, of dat ik er nu tenminste iets meer van begrijp. Nee, ik moet zeggen dat ik er spijt van heb. Waarvan? Van het feit dat ik tot het onschone geslacht behoor? Van mijn papieren harem? En wat moet ik in godsnaam doen als ik eenmaal in het Donets-Kolenbekken ben? Zou zij in de Inn Biggest Top zitten? Ik heb het nummer van Madame Zoum, ik bel haar als we geland zijn, zij weet vast wel waar Milena zit. Mijn plan is sluitend. Tenzij het vliegtuig natuurlijk neerstort, wat wel waarschijnlijk is. Maar ik kan er nu niets meer aan doen, ik kan niet meer terug, voor de liefde zeg ik de wereld vaarwel en een blode knaap won nimmer 't harte ener schone...

Ik zocht troost in de wijsheid der eeuwen en toen die troost wegviel, in de alcohol. 'Geef mij maar wat zij daar drinken,' mompelde ik tegen de ober met een knikje naar twee managers die behoorlijk aangeschoten waren en allebei dubbel lagen van het lachen als hun mobiel overging in hun zak. Ze bleken 'boilermakers' te drinken, Crown Royal met Boréal Noir. Na twee glazen was ik ervan overtuigd dat ik het juiste besluit had genomen. Overtuigd dat er 'in mensenzaken eb en vloed was en men zich van de vloed moest bedienen' om geluk te hebben en 'de ganse levensvaart' naar Shakhtyorsk leidt.

Uit een holle aluminium kegel haalde ik een met as en sinaasappel bevlekte krant en zocht de horoscoop op. Die zou alles bevestigen, zei ik bij mezelf. Alles.

U hebt een neiging tot obsessief, verblind en infantiel gedrag, zodat u steeds in dezelfde fouten vervalt. Iedereen vindt u volslagen debiel. Er heeft nooit een Waterman bestaan die ook maar iets voorstelde. De meesten worden vermoord.

Ik moest een telefoon zien te vinden. Er waren er twee achter me, allebei in gebruik. Ik liep eromheen, zuchtte, trommelde met mijn vuile vingers op metalen oppervlakken, wipte op en neer, probeerde oogcontact te maken. Een van de mannen praatte in een vreemde taal, mogelijk Oekraïens, en de ander zei negen keer achter elkaar: 'Echt?' Hang op, idioot. Ja, echt. Ga naar je vliegtuig, zak. Ik heb bemoediging nodig; ik heb steun nodig en begrip.

'Wáár ga je heen?' schreeuwde Arielle in de telefoon. '*Es-tu fou?* Ben je helemaal besuikerd?'

'Zo zeg je dat tegenwoordig niet meer.'

'Je moet helemaal nergens heen gaan, *bordel de merde.* Ik probeer je al drie uur te bellen. Ik heb net mijn zusje gesproken die net Sabrine had gesproken die zegt dat een vriend van Max zegt dat Vile zegt dat haar zusje zegt dat ze over een week of twee terugkomt. Of zo. Ze had gebeld.'

'Ik snap er niets van.'

'Milena komt half januari terug. Ze heeft Vile gebeld. Vile moest het tegen jou zeggen.'

'Tegen mij? Echt? Wanneer?'

'Gisteravond, eergisteren.'

'Ze belde zeker uit Oekraïne? Uit Shakhtyorsk, in Oekraïne?'

'Uit Praag.'

'Verdomme.'

Ik hing op en rende naar de balie van LOT. Mijn vader was net aan zwartwaterkoorts bezweken en ik moest mijn beide longen afstaan voor transplantatie bij mijn kleine zusje. Kon ik mijn ticket inwisselen? Ik had alleen handbagage en geen ingecheckte koffers, dus dat moest toch kunnen. (Maar nee.)

'Vliegt u toevallig ook op Engeland?' zuchtte ik.

'Niet vanuit Canada.'

'Nee, ik bedoel vanuit Warschau.'

'Eenmaal per dag – naar Londen Heathrow.'

'Goed. Dan houd ik mijn ticket naar Warschau, zeg het retour af en ruil het in voor een vlucht van Warschau naar Londen. Kan dat wel? Ja, ik heb het nog steeds tegen u. Begrijpt u wat ik zeg?'

'Ja. Maar ik weet het niet.' Hij haalde zijn schouders op en keek naar zijn bureau.

'Hoe bedoelt u, u weet het niet?'

Hij begon met zijn pen te spelen. 'Ik weet het niet. Ik denk het niet.' Hij keek over mijn schouder naar een nerveuze klant achter me.

'Mijn tas is zoek geraakt in de buurt van de carrousel en...'

'Ogenblikje,' zei ik tegen de klant. 'Moment. Mag ik even? Ik was nog bezig; ik word nog geholpen. Dank u wel.' Je lijkt zelf wel een zoek geraakte tas. 'Hoe bedoelt u, u denkt het niet? Hebt u een chef? Ja neem me niet kwalijk, ik ben nog bezig. Kunt u uw chef even roepen? Ja, u.'

De 'chef', een zwetende man met een hoofd als een gebutste kanonskogel, gehuld in een breed zilverkleurig pak, kwam uiteindelijk opdagen. Hij zag eruit als iemand met ongezonde seksuele voorkeuren. Terwijl hij met zijn vuisten een torentje maakte onder zijn neus moest ik de situatie drie keer uitleggen voordat hij zijn (waarschijnlijk geïmproviseerde) uitspraak deed: 'Nee.'

Ik kocht nog een ticket met een twijfelachtige creditcard en rende weer naar de telefoon. Even York bellen. Niemand thuis. Ik rende door de tollende corridors naar mijn vliegtuig, dat begon te taxiën zodra ik mijn gordel vastmaakte.

Vanaf de eerste telefoon die ik op Heathrow zag, belde ik Gerard collect. Nog steeds niemand thuis. Wat nu? In de taxfreeshop proefde ik herhaaldelijk van de whisky van het eiland Skye, in een souvenirwinkel kocht ik voor mijn huisbazin een vingerhoed met St. Paul's erop, voor Arielle een eigentijds idioomboek en voor Milena een kaart van de Big Ben. Voor mezelf kocht ik een groene telefoonkaart en belde toen weer naar de kathedraalstad. Uitgeput liep ik naar een rij taxi's.

'Waar zou u heen gaan,' zei ik terwijl ik instapte, 'als u net was aangekomen?'

'In Londen bedoelt u?'

'Ja.'

Hij nam me op in zijn achteruitkijkspiegel. 'Soho, Greek Street. Dat bedoelt u toch?'

'Ik wil een hotel, geen prostituee.'

'Mayfair.'

'Doe maar Bloomsbury,' zei ik.

In de dikke mist van mijn jetlag stapte ik in Cartwright Gardens uit en nam een kamer in een hotel met een tennisbaan zonder net. Een spraakzame man met een kromme rug en dunnend haar, dat vanaf de slapen omhoog was gekamd en over zijn schedel vastgeplakt, ging me voor naar mijn kamer. Terwijl we door de gangen liepen, hoorde ik telkens een sissend geluid. 'Douches in de gang (psss, psss), ontbijt tussen zeven (psss) en negen (psss). Sleutel bij de balie afgeven als u (psss) uitgaat.' Bij de laatste sis zag ik een omgekeerd blikje Glade in zijn mouw. In mijn kamer niesde ik een paar keer snel achter elkaar en viel toen in de diepste slaap van mijn leven.

Een uur of drie later kwam ik uit mijn droomloze coma en strompelde naar beneden, naar de telefoon in de lobby, waar ik weer poogde mijn stem noordwaarts te zenden. Vergeefs. Ik ging weer naar bed en toen ik de volgende ochtend wakker werd, wist ik niet waar ik was, of wanneer.

In de eetzaal in het souterrain zat ik in mijn eentje, want ik was de laatste, versuft naar een met dartelende nimfen en saters behangen muur te kijken terwijl Andy Williams op een primitieve radio 'Chestnuts Roasting' zong. Ik nam een slok koffie die ze waarschijnlijk uit de Theems hadden geschept en vluchtte toen ik mijn eieren met worstjes in de olie zag drijven.

Misselijk en vaag depressief kwam ik op Tavistock Square terecht (een 'Hondvrije Zone'). Ik had geen idee wat ik met mezelf aanmoest. Bij een standbeeld van Gandhi bekeek ik de morbide, in cellofaan gewikkelde boeketten en kreeg een flashback van mezelf, mijn verloren kleine ik die gladiolen op het graf van mijn moeder legde. Ik zag haar camee, haar dubbele rij parels, haar lange donkere haar dat als een waaier op de witlinnen kussens uitgespreid lag, haar wangen met een kleur als van cement... Ik liet mijn vingers langs haar gepolijste zwartglazen grafsteen glijden... Ze was niet op slag dood, ze heeft nog weken op het randje gezweefd... Ik wilde in het graf springen, de kist weer omhoogsleuren, het deksel openmaken, zeggen: 'Van jou, mama. Ik hield het allermeest van jóu.'

Afgezien van de stank van het asfalt en de uitlaatgassen herinner ik me van mijn blinde dwaaltocht alleen het British Museum, waar ik op de trap glazig naar de naar binnen en naar buiten lopende drommen mensen heb zitten kijken. Dat werkte slaapverwekkend, net als schaapjes tellen, en mijn ogen vielen langzaam dicht. Toen ze een paar minuten later weer opengingen, keek ik in de verblindende zon tussen de cirruswolken en rustte mijn hoofd op het koude beton. Plotseling, op bevel van een in mijn droom gehoorde stem, sprong ik overeind en rende de zalen van het museum door, recht naar het beeld van Shakespeare. Als in trance keek ik in zijn leigrijze ogen en dacht niet aan hem maar aan zijn geheimzinnige Dark Lady. Voor de zoveelste keer probeerde ik me haar voor te stellen. Ze had donkere ogen, een donkere teint, haar onder haar oksels – dat weten we in elk geval. Ze was afstandelijk, niet gelukkig in de liefde, een goede musicienne, en ze heette (volgens de meeste geleerden) Emilia Bassano, de onwettige dochter van een Italiaanse musicus. Emilia – een anagram van Milena! O nee, toch niet.

Muziek, Indiase muziek, drong geleidelijk mijn overpeinzingen binnen. Op weg ernaartoe, onverklaarbaar naar de bron gelokt, kwam ik langs een rij grote posters, allemaal dezelfde, voor een tentoonstelling die was gewijd aan DE SHAKESPEARE VAN INDIA: KALIDASA. De muziek werd luider. Ik liep gehypnotiseerd door, en wie zag ik daar op een bank aan de andere kant van de zaal zitten – een donkerharige dame! Ja, het is voorbeschikt, ze is hier, ze moet hier zijn, we vieren samen kerst, wat onvoorstelbaar romantisch! Mijn hart bonkte als een tabla terwijl ik naar Milena toe liep.

Het was Milena natuurlijk niet. Hoe had dat ook gekund? Het was een mooie jonge Indiase, elegant gekleed en bejuweeld, die me negeerde toen ik om haar heen bleef hangen en deed alsof ik verdwaald was. Toen ik vroeg of ze niet het vage gevoel had dat er iemand naar haar keek, kwam er een glimlach op haar gezicht. Ik kon er niets aan doen, legde ik uit, ik werd naar haar toe getrokken als ijzervijlsel naar een magneet (met dat ijzervijlsel bedoelde ik mezelf, voegde ik eraan toe). Ze bleef zwijgen, met neergeslagen ogen en een heel vage glimlach. Ik mompelde iets verontschuldigends, dat ik maar een onschuldige slaapwandelaar was, en liep verder, naar de mummies en de sarcofagen.

'Een blik uitwisselen is niet onschuldig.'

Ik stond stokstijf stil en draaide me snel om. 'Wat zegt u?'

'Een blik uitwisselen is niet onschuldig. De visuele relatie brengt energie over. Dat noemen wij *darshan*.'

Ik wist niet goed wat ik daarop terug moest zeggen. 'Toen ik u zag, dacht ik aan de Dark Lady van Shakespeare. De Engelse Shakespeare. Bespeelt u toevallig een muziekinstrument?'

'Bespeelde de Dark Lady een instrument? Ik bespeel een slaginstrument – de tabla.'

'Beschouwt u dat als een muziekinstrument?'

'Ja, natuurlijk. Percussie is de hartslag van de muziek. Luister maar, dat is er eentje.'

Ik luisterde. 'Ja, heel mooi,' zei ik. 'Percussie is inderdaad belangrijk, hè? Maar ik begrijp eigenlijk nooit wat er gebeurt in Indiase muziek. Het lijkt wel alsof die geen… toonsoort heeft. Alles lijkt maar zo'n beetje rond te meanderen.'

'Er is ook geen toonsoort, en ook geen harmonie. De muziek is gebaseerd op complexen van noten, de *rags*. Het is de kunst om met heel veel nuances en versieringen het hele scala van toonrelaties te laten zien dat mogelijk is binnen de structuur van de gekozen rag. Die *rags* worden ondergebracht in tien *thats*. Alle *thats* omvatten een groot aantal rags, en bij elke that wordt een bepaalde rag gekozen die kenmerkend is voor die that… Maar ik ben u even kwijt, vrees ik.'

'Nee, u bent heel goed te volgen. Werkt u hier?'

'Ja.' Ze glimlachte weer. 'Maar nu nog niet. Ik begin over een maand.'

'Ga verder.'

'Goed, alle rags hebben hun eigen emotionele karakter en worden geassocieerd met een bepaald moment van de dag. De rag die u nu hoort is bijvoorbeeld een rag voor de middag.'

'Wat gebeurt er als een rag op het verkeerde moment van de dag wordt gespeeld?'

'Er bestaat een bekend verhaal over Tan Sen, hofmusicus van de zestiende-eeuwse keizer Akbar, die op het middaguur een rag voor de nacht zong, zo krachtig dat het donker werd op de plek waar hij stond.'

'Echt?' Ik luisterde. 'En welke emotie geeft deze weer?'

'Nieuwsgierigheid, met een mengeling van vreugde en genegenheid.'

We luisterden samen. 'Ja, ik geloof dat u gelijk hebt,' zei ik. 'Nieuwsgierig, beslist – en toch vol genegenheid.'

Ze glimlachte. We keken elkaar zwijgend aan. 'Bent u van plan volgende maand naar de Kalidasa-expositie te gaan?' vroeg ze en ze wendde haar blik af. 'Kent u Kalidasa?'

'Ja. Shakuntala, in de hindoemythologie de dochter van Visvamitra en Menaka en hoofdpersoon van Kalidasa's erotische Sanskritische drama *Shakuntala* (rond 400 na Christus). In dit geïdealiseerde verhaal over verloren en hervonden liefde wordt Shakuntala als zuigeling aan de rivier de Malini achtergelaten en door de kluizenaar Kanva opgevoed. Tijdens de jacht slaat koning Dushyanta de jonge maagd gade van achter een boom en hij wordt hopeloos verliefd op haar. Na dagen van besluiteloosheid en zielenpijn verleidt hij haar, vraagt haar ten huwelijk en geeft haar een ring als onderpand alvorens terug te keren op zijn troon. Uit hun verbintenis wordt een zoon geboren, en moeder en kind gaan op zoek naar de koning. Bij het baden verliest Shakuntala de ring, en koning Dushyanta, die behekst is, herkent haar niet. De ring wordt.'

'Wat een eruditie! Ga door, heel indrukwekkend. De ring wordt...?'

'Dat was alles, helaas. Tennist u?'

'Helaas niet.'

We gingen naar mijn hotel om te tennissen. We stonden op de verwaarloosde baan en keken naar de wuivende bomen en de violetroze avondhemel. Omdat Purinima enkellaarsjes en een strakke broek aanhad en we geen racket, bal of net hadden, stelde zij ten slotte voor naar mijn kamer te gaan. 'Het wordt koud,' zei ze, 'en het is al bijna donker.'

Ik was haar tweede minnaar. De eerste was haar man, die haar vaak had bedrogen. Ik begreep dat ze uit wraak met me naar bed ging; ook ik biechtte op dat ik iemand bedroog.

'We lijken net de bergeenden uit de Indiase mythologie,' zei Purinima zacht toen ik haar lopend naar de flat van haar nicht aan Bedford Square bracht. 'Een vogelpaar dat gedoemd is bij het vallen van de nacht te worden gescheiden.'

'Kunnen we elkaar morgen niet zien?'

'Morgen vertrek ik naar Hastinápura. Als ik terugkom, zit jij alweer in Montreal. Geef me je adres. Ik zal je schrijven.'

Die nacht zag ik Purinima smeken tegen haar man, zag ik verschrikkelijke vlammen, zag ik haar kronkelen in het vuur van het zelfoffer. Ik voelde de hitte – ik was bij haar! – en werd badend in het doodszweet wakker. Ik dacht niet dat ik nog zou kunnen slapen, dus kleedde ik me aan en liep op mijn tenen de trap af, waar mijn neus werd getroffen door de botsende geuren van Glade en ontsmettingsmiddelen.

Aan Bedford Square stond ik om kwart over zes onder Purinima's balkon – ik dacht althans dat het haar balkon zou kunnen zijn – en keek als Romeo omhoog. Ze zou dadelijk naar het vliegveld moeten – zou ik meegaan? Doe niet zo gek; zij is getrouwd en ik ben praktisch verloofd. Voor het huis ernaast stopte een zwarte taxi, waar een op wandelstokken leunend echtpaar uit stapte. Ik rende erheen om hun plaats in te nemen en zei tegen de chauffeur dat ik naar Eastcheap wilde, waar Falstaff had rondgedenderd, en daarna naar Cripplegate, waar Shakespeare had gewoond. De chauffeur leek het niet helemaal te begrijpen, dus zei ik dat hij zelf maar moest zien waar hij heen reed. Ik sloot mijn ogen, misselijk door de aanblik van Londen in de flakkerende omlijsting van het taxiraam, en deed ze alleen open om naar de tikkende meter te kijken. Toen die op acht pond stond, in de buurt van Lancaster Gate, stapte ik uit.

Het begon te regenen, heel zachtjes. Vanuit een rode telefooncel keek ik naar de fijne nevel die over de bomen van Hyde Park kroop en vond dat Londen nog nooit zo mooi was geweest als nu – romantisch, meeslepend, onbeschrijflijk. Verdwaasd liet ik mijn aandacht afdwalen naar de glazen wanden van de telefooncel, waarop fluorescerende oranje, rozerode en groengele stickers een lieflijk, kinderlijk mozaïek vormden. Op alle stickers stond een mededeling:

SLAAN EN GESLAGEN WORDEN 344 0337
BRUTALE MEID VERDIENT PAK VOOR HAAR BILLEN 629 9913
SCHOOLMEISJE HEEFT HARDE HAND NODIG 742 8847
FRANSE LES 937 3300
BOUW JE EIGEN DOODSKIST 629 0375

Ik belde weer naar York. In gesprek. Een goed teken. Ik probeerde het opnieuw. Nog steeds in gesprek. Hebben ze in Engeland geen wisselgesprek? Ik telde tot zestig en draaide het nummer weer. Er meldde zich een oudere stem.

'Mag ik Gerard even, alstublieft?' vroeg ik.

'Krijg de kolere,' antwoordde de dame met een stem als een schuddende vuist. Klik.

Ik stak mijn telefoonkaart weer in de gleuf en draaide opnieuw, maar vroeg nu naar óóm Gerard. Het bleef even stil aan de andere kant. 'Met wie spreek ik dan? En geen geintjes, hè?'

'Zijn neef uit Canada. En met wie spreek ik?'

'Ben jij dan Julian?'

'Nee, Jeremy. Bent u dat, mevrouw Hunt?' Dolly Hunt (of Dolle Hond, zoals wij haar noemden) stamde uit een familie van melkveehouders in de buurt van Richmond en woonde op de eerste verdieping. Ze was Gerards hospita, of werkster, of maîtresse, dat weet ik niet precies.

'Gommenikkie! Jeremy! Waar zit jij tegenwoordig, jongen? Amerika?'

'Nee, mevrouw Hunt, niet in Amerika. Wat leuk om u weer eens te spreken. Is mijn oom toevallig thuis?'

'Die ouwe schurk? Die is weer aan de boemel. Die zit in het zuiden, jongen.'

'In Londen?'

'Ja.'

'Weet u toevallig waar?'

'Die zal wel weer in de een of andere hoerenkast zitten.'

Ik lachte. 'Zit hij in een hotel?'

'Misschien zit-ie in de Pilgrim.'

'De Pilgrim. Weet u misschien waar dat is, mevrouw Hunt?'

'Nee, geen flauw idee.'

'Dank u wel, mevrouw Hunt. Tot binnenkort, hoop ik.'

De regen begon te vallen, harder en harder. Er had een school vissen door de lucht kunnen zwemmen. 'Gommenikkie, wat 'n takkeweer!' riep ik à la mevrouw Hunt terwijl ik het beduimelde telefoonboek doorbladerde. Er was in heel Londen geen hotel dat de Pilgrim heette. Misschien stond er nog iets voor of achter. 'Passionate' of zo. Ja, er was een Passionate Pilgrim bij Cromwell Road, aan de andere kant van het park.

De wandeling door Hyde Park was schitterend. En ik had het hele park voor mezelf alleen, of bijna. Ondanks de stromende regen nam ik allerlei omwegen, langs de fonteinen, de Serpentine, een paar zwanen onder het baldakijn van een boom. Zou Shelleys zwangere tienervrouwtje zich hier verdronken hebben? Bij de ronde vijver stond ik stil om een onderwaterkrant te lezen en naar een eenzaam jongetje met een zinkend zeilbootje te kijken. Toen langs Rotten Row, de Flower Walk, High Street Kensington over, Gloucester Road af, naar Cromwell Road.

Mijn schoenen sopten als de schoenen van een klein kind toen ik het bordes van het hotel op liep, dat groter was dan ik had verwacht en er nogal haveloos uitzag. In de lobby stonden drommen giechelende schoolmeisjes met marineblauwe jurken en baretten te midden van bergen bagage. Ik schudde me uit als een hond en baande me toen een weg door het oerwoud van koffers en uniformen.

De receptioniste, die Oost-Europees klonk, was buitengewoon weinig behulpzaam. Omdat ik eruitzag als een moerasrat, als een ontsnapte misdadiger? 'Kamer 44,' zei ze na een tijd, misschien wel tegen mij. Ik keek naar het sleutelbord: de sleutel hing aan het haakje. 'Kunt u hem even bellen?' vroeg ik. Geen reactie. 'Mevrouw! Kunt u even naar kamer 44 bellen?' Een keten van gelach verspreidde zich van schoolmeisje naar schoolmeisje. 'Regent het soms buiten?' vroeg er een, tot gillende verrukking van allemaal.

De lift was kapot, dus rende ik vier trappen op, waarbij mijn hartslag verdriedubbelde, en dwaalde toen over de draadversleten vloerbedekking door een labyrint van gangen die stuk voor stuk doodliepen. Ik vroeg de weg aan een jonge schoonmaakster die geen Engels, Frans of Latijn sprak. Ik stak tweemaal vier vingers op. Ze haalde haar schouders op alsof ze wilde zeggen: 'Ik werk hier niet', en liep toen weg. Was zij misschien de dochter van die receptioniste? Na een paar verkeerde afslagen vond ik kamer 43 en 45, met een ongenummerde deur ertussenin. Daar klopte ik op. En toen nog eens. De schoonmaakster verscheen aan de andere kant van de gang. Ik floot nonchalant en hoopte maar dat ik niet op een kastdeur stond te kloppen. Toen ze weer weg was, probeerde ik de deur open te duwen en hij gaf mee.

De kamer stond vol damp en ik hoorde iemand in de douche

zachtjes neuriën. Op het bed, met in haar hand een spiegel waarvan het koord losjes om haar pols lag, zat een heel erg zwarte, heel erg aantrekkelijke vrouw. Een feloranje sari bedekte haar onderste regionen, maar niet haar bovenste. Ze nam me taxerend op, zonder de minste gêne of schrik.

'Neem me niet kwalijk,' mompelde ik en ik bleef nog even staan voordat ik de deur weer dichtdeed. Met een strak gevoel in mijn kruis en beelden van donkere tepels op mijn netvlies rende ik de trap weer af en verifieerde het nummer bij de receptie. Het was inderdaad 44.

'Is het mogelijk dat het nummer op de deur ontbreekt?' vroeg ik hijgend. Ik moest mijn vraag herhalen.

'In deze hotel álles mogelijk.' Weer brak er een storm van gelach los onder de schoolmeisjes.

'Kunt u hem bellen? Mevrouw, kunt u hem bellen?'

De fronsende receptioniste zette haar bril af en zuchtte. Iedere klant, iedere vraag nam ze op als een persoonlijke belediging. Maar uiteindelijk deed ze wat ik vroeg en knalde een antieke hoorn op de balie, die ik opnam en vijf, zes keer hoorde overgaan.

'Ja?'

'Oom Gerard, ben jij dat?'

'Jeremy? Ben jij dat, jongen?'

'Ja!' schreeuwde ik, alsof de telefoon uit twee blikjes en een touwtje bestond.

'Krijg nou wat, zeg. Hoe gaat het met onze briljante bardofiel, onze zoon van York? Waar bel je vandaan? Canada? Nee? Hoe kom je hier – per vliegend tapijt? Hoe heb je me in godsherejezusnaam gevonden?'

'Ik sta bij de receptie! Dolle Hond zei dat je hier zat!'

Gerard lachte. 'Ach, die goeie Dolly. Jeremy, heb je heel even, ik moet nog... even een paar dingetjes regelen. Ik kom er zo aan. Eens kijken... aan de overkant is wel iets waar je even kunt gaan zitten, zo'n vreselijke wijntent. Porseleinblauw uithangbord. Zullen we daar afspreken, over een halfuurtje? Is dat goed?'

'Prima!'

'Hoewel, bij nader inzien kunnen we beter... ik heb me daar gisteravond nogal misdragen, geloof ik. Ja – zo'n achthonderd meter naar het oosten, aan Cromwell Road, vlak bij het metrostation, links. De Phoenix and Turtle.'

'Dat vind ik wel!'

'Om half?'

'Ja!'

'Goed je stem weer eens te horen, Jeremy.'

'Vind ik ook!'

'We zullen de bloemetjes eens buiten zetten, jongen!'

De Phoenix and Turtle was zo groot als een hooischuur en had ook de charme van een hooischuur. In de ene hoek stond een dartsteam met rood-witte shirts en dikke bierbuiken, in de andere een antieke kleurentelevisie met een bijzonder onstabiel beeld. De kijkers, drie slaperige oude mannen met potten donker bier, die ze dicht bij hun lippen hielden, leken zich er niet aan te storen. Aan de bar bestelde ik geen bier maar wijn, nam de literfles en de twee glazen mee naar een tafeltje bij een open raam en begon met grote slokken te drinken, terwijl ik de flatus van een karavaan stationair draaiende dubbeldekkers inademde.

'Prachtige stoot,' zei de commentator op de televisie. Ik keek op. Snooker. Een teamkampioenschap: Noord-Ierland tegen Canada. Canada stond voor. Na een lange serie van een van de Ieren ging er een zestiger met staalgrijs haar voor de tv staan om het beeld stabiel te zetten. Gerard.

In een kilt. Dat verbaasde me niet – op onze zaterdagen had hij er vaak een aan. 'Dat zit lekker,' zei hij. Hij zei ook dat alle vrouwen op mannen in kilt vielen. Allemaal. Ik vraag me af of dat ook voor Milena geldt. Ik ging staan en wenkte hem. We omhelsden elkaar en klopten elkaar op de rug, waarna hij een stap naar achteren deed om me taxerend op te nemen. Toen barstte hij in lachen uit.

'Een echte Davenant – een gezicht als een engel, onberispelijk in de kleren en zo mager als een lat. Maar je leeft bepaald niet magertjes, wil ik wedden. In de rouw, zie ik. Ja, er gaat altijd wel iemand dood – een mens moet op alles voorbereid zijn, niet? Of rouw je om jezelf? Zozo, en wat drinken we, Château Ausone '59?'

'Nee, volgens mij is dit een Britse cru.' Ik schonk hem een glas in, niet zijn eerste van die dag, en hij hief het met bevende hand.

'Alcohol is de anesthesie waardoor we de operatie des levens kunnen verdragen – Shaw.' Hij nam een slok, trok een gezicht en vroeg aan de ober om 'iets beters, met een etiket, zo vlug mogelijk'. Tegen mij zei hij: 'En wat voert jou in godsnaam naar Londen?'

Terwijl ik het verhaal van Milena uit de doeken deed, haar verdwijning, Shakhtyorsk en de Dark Lady, ging Gerards vage glimlach en zachte lachen over in een benauwde hoestbui. Hij kreeg haast geen lucht. Toen stond hij op om een soort kozakkendansje te doen, wat er met die McLeod-tartan heel grappig uitzag. Maar ik kon er moeilijk om lachen, want ik zag ook hoe traag en moeizaam zijn bewegingen waren geworden.

'Neem me niet kwalijk hoor, maar Oekraïne? Je moet het wel erg te pakken hebben, dat je de halve wereld voor haar afreist. Ze heeft je maanziek gemaakt. Net als dat mooie Ierse meisje in York – weet je nog? Bernadette heette ze toch? Toen je twee weken niet kon eten? Ach ja, *semel insanivimus omnes*. Hoe heette jouw Dark Lady ook weer?'

'Milena Sarakali Modjeska.'

'Wat prachtig exotisch. Slavisch? Indiaas? En hoe lang ken je die Milena al?'

'Vijf maanden, drie weken en een dag.'

'O, juist. Ze heeft je nog geen tijd gegund om af te knappen. Of om te ontdekken dat hartstocht nooit blijvend is en het net zomin lang volhoudt als een paard dat de eerste minuten alles al geeft...'

Met een zucht verlegde ik mijn aandacht naar de televisie, die weer was gaan flakkeren. Ik probeerde te glimlachen, maar er kwam geen glimlach.

'Nou, mooi,' veranderde Gerard van toon toen hij mijn gezicht zag. 'Wat maakt het uit, je bent gek op haar.' Hij legde zijn hand op mijn schouder. 'Wat maakt het uit, hè? Ik hoop haar eens te leren kennen. Aantrekkelijk, zeker?'

'Verschrikkelijk.'

'Ja, dat zal best. En slim is ze waarschijnlijk ook.'

'Jazeker, je vindt haar vast aardig. Ze is kunstenaar – schilder. Tenminste, dat zou ze zijn als ze geld had voor de kunstacademie of als ze materiaal van me zou willen aannemen. Ik weet zeker dat ze goed is, ze heeft genoeg meegemaakt.'

'Dan moet ze hier in Londen naar de academie gaan. Of in York. Ik zal eens kijken wat ik kan doen, ik heb toevallig wat invloed bij de...'

'Ze wil hier ook wonen. Dat willen we allebei.'

'Waarom doen jullie dat dan niet?'

'Nou, we zijn eigenlijk niet... Milena heeft geen geld. En ik ook niet als ik mijn baan opzeg. Maar waarschijnlijk wil ze toch niet met me samenwonen. Ze is een beetje... sapfisch.'

Gerard lachte. 'Sapfisch? Dus de Dark Lady is lesbisch? Wat heerlijk, wat spannend. En jij probeert haar te bekeren? Ach ja, zelfs Sappho was getrouwd, en verliefd op een andere man...'

'Nee, nee, ik... Nou, misschien ook wel, min of meer. Ik ben erg dol op haar – dat zou jij ook zijn.'

'Ik ben nu al dol op haar. Tenslotte is het aan haar te danken dat je hierheen bent gekomen – om de kerstdagen op recht losbandige wijze met mij door te brengen. Ik zei toch dat de Bladzijde je zou leiden? Daardoor ben je toch ook bij je oom teruggekomen? Zo is het toch, mijn jongen?' Hij lachte en maakte mijn haar in de war alsof het een zaterdag in York was. Ik lachte, dit keer echt, en kon de grijns niet meer van mijn gezicht af krijgen. Ik grijnsde en grinnikte maar terwijl hij praatte en praatte. 'Je bent precies je moeder, jongen, dezelfde neus, dezelfde ogen. Je doet me aan vroeger denken. Aan je moeder...'

Terwijl de wijn zijn werk deed, borrelde de lach bij de geringste aanleiding al uit mijn buik omhoog: toen hij mijn Canadese accent imiteerde, toen hij Cockney sprak met de Cockney-ober; toen hij een wellustig veroveringsverhaal besloot met: 'Wat is uw huis zonder Plumtree's Potje Paté?' Ik was een jongetje dat van de trapleuning gleed en Gerard gleed mee. Hij gedroeg zich net zo jong als hij zich voelde – een jaar of dertien, denk ik.

Na een paar glazen warme whisky met kruidnagel en citroen, nadat we op de gezondheid van alle aanwezigen in de pub hadden gedronken, één voor één, riep Gerard boven het lawaai uit: 'Hoe voel je je nou, jongen?'

'Als een vis in het water.'

'Als een aal in een emmer snot. Ja. En morgen wordt het nog leuker – dan gaan we wat geld winnen voor die arme Milena.'

25

'Laat ons gaan zitten, en die nijvere huisvrouw met dat wiel,
Fortuin, door spot ervanaf jagen.'

– *Elk wat wils*

De receptioniste gaf me later die avond een kamer op Gerards verdieping. Ik keek uit op een blinde muur. Ik had een laag speelgoedwastafeltje dat duidelijk voor een kleiner mensenras was ontworpen, er stond een gevangenisbrits bij wijze van bed en het behang vertoonde het soort patroon dat je ziet als je te hard in je ogen wrijft. De douche, een verdieping lager, in een gemeenschappelijke badkamer waar ik het lichtknopje niet kon vinden, spoot een ongerichte waterstraal tegen het gordijn en op de kleren die je aan de deur had opgehangen. Dat werd echter ruimschoots goedgemaakt door een prachtig oud bidet, waarvan de waterstraal niet alleen heel gericht, maar zelfs bepaald furieus was. Ik heb er menig duizelingwekkend ogenblik op doorgebracht.

De volgende drie dagen, van de 24ste tot de 26ste, brachten we samen door, Gerard en ik. De plannen die hij misschien al had gemaakt stelde hij bij, behalve op de kerstdag zelf, want dan wilde hij naar een evenement dat de Peter Pan Cup heette, een zwemwedstrijd in het ijskoude water van de Serpentine. 'Die heb ik ooit nog eens gewonnen, jongen, toen ik zo oud was als jij nu.' Daarna zou er een bezoek aan een ver familielid van hem worden gebracht – een oudtante of achternicht die mevrouw K. of mevrouw Kay heette, oud was, verder geen familie had en een flink huis in de buurt van Cadogan Gardens bezat. Ik kreeg de instructie mijn 'tweedehands Camden Lock-rouwpak' aan te trekken, want dat bracht geluk. 'Duim maar vast, jongen – misschien mogen we voor het eind van het jaar het doodsklokje luiden. Wat is volgens het anagram het enig mogelijke nadeel van "een begrafenis"? "Ba, geen erfenis". Maar dat zal ons bij haar niet overkomen.' Uiteindelijk waren we te laat voor de zwemwedstrijd – die begon om negen uur en we werden pas om twaalf uur wakker – maar het bezoek aan mevrouw Kay ging wel door. Haar optrekje, aan een rustige straat met smeedijzeren hekken en Victoriaanse huizen van rode baksteen, was iets hoger dan die van de buren en stond er fier en tevreden bij. Gerard was niet de enige die het bewonderde: toen we binnenkwamen, zagen we een kamer vol gasten die mevrouw Kay als een zwerm aasvogels omringden. We moesten dringen om bij haar te komen.

Op een grote bandrecorder uit de jaren zestig, die mogelijk op de verkeerde snelheid stond, jammerde klaaglijk een barokorgel. De muren en plafonds leken hitte af te geven, als in een steenoven. En nergens alcohol te bekennen. Toen ik eindelijk aan mevrouw K. of Kay werd voorgesteld, zei ze dat ze het enig vond me weer eens te zien, zoals ieder jaar, natuurlijk. Wilde ik het album met foto's van de vorige kerstpartijtjes zien? 'Ja, dat lijkt me erg leuk,' zei ik. 'En een borrel lijkt me nog veel leuker,' zei Gerard achter zijn hand. Ze leek ons geen van beiden te hebben verstaan, want ze begon een gesprek over porseleinkasten met een zekere Alistair, een slijmbal die de hele tijd naar haar toe gebogen stond en met zijn aansteker onder haar sigarettenpijpje knipte. Omdat hij alleen vonken produceerde, hield Gerard haar een lucifer voor, die hij aan het achterwerk van Alistair afstreek. Tenminste, zo leek het – Gerard had de lucifer gewoon aangestoken en daarna zijn nagel over Alistairs kont gehaald. Terwijl Alistair snoof en proestte, schaterde mevrouw Kay van het lachen, zodat haar enorme boezem, die wel opblaasbaar leek, schudde en trilde. Ze pakte Gerards pols en knipoogde naar mij, en in dat korte ogenblik werd me duidelijk dat ze er niet over peinsde binnen afzienbare tijd het tijdelijke voor het eeuwige te verwisselen.

Ik had reusachtige kalkoenen, eindeloze hoeveelheden taart, pasteitjes en plumpudding verwacht – en de kersttoespraak van de koningin om drie uur. Maar het mocht niet zo zijn. Toen er een bleke vogelverschrikker van een kerel met bakkebaarden en een opzichtige das binnenkwam (die om zich heen keek alsof hij het tafelzilver kwam jatten), liep Gerard op zijn tenen de kamer uit en wenkte mij. Onderweg naar het hotel legde hij uit waarom.

'Nicky Greville. Zo'n hardnekkig... iets waar je nooit van afkomt, een soort paparazzo.'

'Zit hij ook achter het geld van mevrouw K. aan?'

'Nee, achter mij. Ik ben er met zijn winst vandoor gegaan – of eigenlijk de winst van zijn baas – van de Breeder's Cup, en dat is een van de redenen dat ik hier zit. In York werd de grond me wat te heet onder de voeten.'

'De Breeder's Cup? Die race op Long Island?'

'Precies.'

'Heb je het geld nog gekregen dat ik je had gestuurd? Heeft die tip nog wat opgeleverd?'

'Ja, dat heb ik gekregen. Heel erg bedankt, jongen, dat had ik natuurlijk eerder moeten zeggen. Je krijgt nog geld van me, hè?'

'Heeft ons paard gewonnen? Hoe heette hij ook alweer?'

'Zij. Roan Barbery. Nee, we hebben niet gewonnen, verre van dat.'

'Dan krijg ik toch geen geld van je?'

'Je bent geweldig. Je had me meer gestuurd dan je inzet.'

'Ben je me daarom niet komen opzoeken in Quebec – omdat je alles had verloren bij de rennen?'

'Dat was een tragische dag op de renbaan, Jeremy, een echte... tragedie. En niet alleen voor mij – o nee, niet alleen voor mij.' Hij schudde zijn hoofd en slaakte een overdreven zucht.

'Wat is er dan gebeurd?'

Gerard schraapte zijn keel en haalde een metalen heupflesje uit zijn binnenzak. Hij schudde het heen en weer, en toen nog een keer. Hij vertrok zijn gezicht en stak het weer in zijn zak. 'Ik weet niet eens waar ik moet beginnen. Bij de allereerste race, de Sprint, had ik op Mister Quince ingezet – wíj hadden op Mister Quince ingezet. Ze komen bij de laatste bocht en alles gaat goed, het ziet er gunstig uit, kon niet beter. Maar je raadt nooit wat er toen gebeurde.'

'Het paard ging dood.'

'Dus je hebt het gelezen...'

'Nee, ik...'

'Een paar honderd meter voor de finish steigert Quincy en slaat tegen de grond.'

'Neergeschoten?'

'Hartaanval.'

'Wat?'

'Mister Quince kreeg een hartaanval. Het paard waar we ons geld op hadden gezet kreeg verdomme een hartaanval. Midden in de race. Zoiets is toch niet te voorzien? De jockey – een vriendje van me uit Norfolk – ging ook tegen de grond en brak zijn sleutelbeen. Capilet en Doctor Butts vielen ook – de laatste brak zijn rug. Meteen afgemaakt, het arme beest.'

'Maar... ik begrijp het niet. Hoe kan zoiets...'

'Zoiets kan gebeuren, het is jammer, maar die dingen gebeuren – vooral de laatste tijd. Maar dat is nog niet alles. O nee, dat was alleen nog maar een slecht voorteken. Bij de derde race, de Distaff, de allermooiste, had ik een klein vermogen op Roan Barbery ingezet. Dat kon niet fout gaan. Dat paard – zo'n schoonheid, jongen, en die race ook – een absolute klassieker, een duel tussen haar en White Surrey. Ze gaan zij aan zij over het rechte stuk, zij aan zij, en Roan Barbery ligt een paar meter voor de finish op kop, en toen... Ik moet er niet meer aan denken.'

'Wat gebeurde er dan?'

'Ze struikelt – ze gaat over de kop, verschrikkelijk. De jockey komt met zijn gezicht in de modder terecht – nog geen tien meter bij me vandaan! Het arme beest komt overeind – voorbeen hangt erbij, gebroken – en strompelt op drie benen naar de finish. En valt dan weer! Het was verschrikkelijk, zo zielig. Ik stond er met mijn neus bovenop, jongen – iedereen hapte naar adem en huilde, vreselijk.'

'Grote god. Maar hoe kan een paard nu... zomaar vallen? Sabotage?'

'Nee, ik geloof niet dat iemand haar had laten struikelen. Tja, die dingen gebeuren. Ze ging door haar enkel, gewoon – kanonbeen, gewrichtsblessure. Meteen afgemaakt. Ach, het was zo'n schoonheid, jongen. Niet de enige schoonheid die me een vermogen heeft gekost trouwens.'

We liepen zwijgend verder. Hier en daar knipperden kerstlichtjes, mensen met pakjes ademden wolkjes uit in de koude lucht. Het was gaan 'sneeuwen' en de vlokken smolten zodra ze de grond raakten.

In Londen valt er zelden een dik, knerpend, gelijkmatig pak sneeuw.

Bij het beklimmen van het bordes van de Passionate Pilgrim en in de lobby viel me voor het eerst op hoe krom en moeizaam Gerard liep; misschien had hij aanvankelijk geprobeerd dat te verbergen. Gerard aarzelde voor de kapotte lift en zei dat hij weer uitging, zijn 'Zuid-Afrikaanse vriendin' opzoeken. Hij zag er oud uit. En zijn handdruk was niet meer wat hij geweest was. Ik werd overspoeld door een golf van ongerustheid.

'Gaat het, Gerard, met je gezondheid bedoel ik?'

'Ja hoor, uitstekend. Een tikje beverig zo nu en dan, maar verder best. Niets om je zorgen over te maken.'

Halverwege de trap draaide ik me om en ging de deur weer uit, te ontdaan om te kunnen slapen. Ik liep wat rond, stapte toen drie keer achter elkaar in een willekeurige dubbeldekker die onder andere langs de wit opdoemende zuilen van Selfridges aan Oxford Street, het speelgoedwarenhuis Hamleys aan Regent Street en de enorme Noorse kerstboom op Trafalgar Square reed. Daar nam ik weer een andere bus en bleef in mijn eentje op de bovenste verdieping zitten tot het eindpunt, Elephant & Castle.

Daar dwaalde ik door metrogangen met bruine muren, over modderige triplexvloeren, naar de liften die buiten dienst waren, al stond er een stel zombies voor te wachten. Op de trappen waren grote tegels uit de muren gerukt en er liepen stroompjes roestig water over de treden. Toen ik bijna helemaal in de ingewanden van de Elephant was afgedaald, werd ik staande gehouden door een Schot met een mottige baard, die me bij mijn revers pakte met de smerigste handen die ik ooit had gezien – alsof hij met zijn blote handen een tunnel had gegraven. 'Je ziet eruit als een Franse piratenprins,' merkte hij zakelijk op. 'Het enige wat eraan ontbreekt is een wit paard.' Ik gaf hem vijftig pence om me los te laten.

De trein, waarschijnlijk de laatste van die avond, stond met open deuren te wachten. Ik ging in een lege wagon zitten, de op een na laatste, en legde mijn voeten op het bankje tegenover me. Bij de volgende deur stonden twee mensen, een vriendelijke, oudere zwarte man met zachte ogen en een iets jongere blanke vrouw met gepermanent, roodgeverfd haar, een jaar of vijftig, benen als luciferhoutjes. Zij klemde zich aan hem vast met haar lange, klauwachtige nagels; hij verzekerde haar dat ze elkaar beslist weer zouden zien. De deuren gingen dicht en hij kon zich nog net op tijd losmaken. Met een zucht ging hij zitten. Zij rende snikkend naast zijn raampje mee totdat we in de kolkende zwarte tunnel verdwenen.

Ik ging terug naar het hotel en trok zonder me uit te kleden de dekens over me heen. Ik droomde, niet voor het eerst, over mijn eerste bezoek aan de kerstman, in een donkere, bedompte mijnschacht in de buurt van Wakefield. Alleen leek het dit keer meer op Elephant & Castle. Met trillende hand gaf de kerstman me een rood kinderboek, dat helemaal geen kinderboek was maar een verloren gegaan toneelstuk van Shakespeare. De broze bladzijden zaten onder het kolenstof en de dennennaalden. Op dat moment klonk er een griezelig bonkend geluid, alsof de mijn/het metrostation begon in te storten. Het was Gerard, die op de deur klopte.

'Zin in een wandeling door mist en regen?' vroeg hij. Hij stak zijn hoofd om de hoek en knipte het licht aan en uit. 'Je sliep toch nog niet?' Het was twee uur 's nachts. Terwijl ik mijn schoenen aantrok, haalde hij een inmiddels weer gevuld heupflesje uit zijn versleten tweed jasje en schonk het leeg in een wit uitgeslagen hotelglas. ''*t Werd de familie eventjes te veel*,' zong hij, '*toen freule Jeanne intrad in 't bordeel...*'

Toen we langs de niet-functionerende lift kwamen, gaf ik uit frustratie een klap op de omlaagknop en de deur ging wonderbaarlijk genoeg open. We maakten een trage, schokkerige afdaling. 'De service hier is niet meer wat die geweest is, Jeremy, op geen stukken na.' Op de stoep van het hotel stonden we stil, niet wetend waar we heen zouden gaan. De sneeuw vormde inmiddels een dun wit laagje en ik merkte op hoe mooi het eruitzag. 'Jaja, een mooie nacht,' zei Gerard in noordelijk dialect en hij keek naar de vrieslucht. We staken over op een zebrapad, waar een in het zwart geklede motorrijder vanachter getint plastic naar ons keek en ongeduldig gas gaf. We sloegen rechts af en gingen toen naar links, naar Hyde Park. We liepen wel een kilometer zonder iets te zeggen.

'Gerard, weet je nog die keer dat we naar Pontefract waren geweest? Naar de rennen?'

'Jaja, een mooi uitstapje,' zei hij en hij snoot zijn neus in een zakdoek met het monogram van iemand anders.

'Ja, ik weet nog dat we wat geld hadden gewonnen. Maar weet je nog dat we na de rennen naar een spookhuis in de buurt gingen? Was dat de plek waar *A Yorkshire Tragedy* zich had afgespeeld?'

'De Calverley-moorden. Als jongen heb ik daar nog in de buurt gewerkt, bij de renbaan...'

'Ja, weet ik. Wat zongen we toen ook alweer?'

'Eens kijken. "Gemene ouwe Calverley, ik heb je in de tang, je moet nu wel verschijnen, ik ben voor jou niet bang."'

'Ja, dat weet ik nog wel, maar er was nog een andere tekst.'

'O ja? Dit is het enige wat ik nog weet.'

'Nou, dan moet het in het Castle Museum zijn geweest.'

'Zijn we dan naar het Castle Museum geweest? Dat wist ik niet meer... of wacht even.' Gerard stond stil en keek omhoog, zoekend, alsof de krochten van zijn herinnering zich in de hemel bevonden. 'Calverley is daar in de gevangenis terechtgesteld. Doodgeperst. "*Lig on, lig on Walter de Calverley.*" Bedoel je dat?'

'Ja, dat bedoel ik. Wat betekent dat?'

'*Peine forte et dure* heette dat. De gevangene werd helemaal uitgekleed en op zijn rug op een plank gelegd waar een scherpe steen of een punt op zat. Die drong dan in de ruggengraat, snap je, en er werden gewichten op het lichaam gelegd tot de ribben van de veroordeelde braken – tot het leven letterlijk uit hem werd geperst. Volgens de overlevering was er een oude dienaar bij Walter Calverley toen de stenen op zijn borst werden gelegd. Calverley smeekte die man hem uit zijn lijden te verlossen door op de stenen te gaan zitten. "*A pund o'more weight lig on, lig on...*"'

'Wat betekent dat, "lig on"?'

'Leg op.'

'Heeft die dienaar dat toen gedaan?'

'Ja, en later hebben ze hem opgehangen voor de moeite. Calverleys laatste woorden werden een soort kinderrijmpje. De dorpsjongens gingen in een kring in het portaal van de kerk van Calverley staan, gooiden hun pet in het midden en zongen: "*Lig 'em on, lig 'em on Walter de Calverley...*"'

'En hoe zat dat met die piramide van glasscherven die we toen maakten en zo? Waar kwam dat vandaan?'

'Nergens vandaan. Dat had ik ter plekke verzonnen. We moesten toch een of ander hocus-pocusritueel hebben?' Gerard gniffelde luid.

'Hij had twee van zijn kinderen vermoord...'

'Maar toen hij het derde wilde vermoorden, dat bij de min was, werd hij tegengehouden.'

'Hoe is het eigenlijk met dat derde kind afgelopen? Daar heb ik nooit achter kunnen komen.'

'Dat heeft nog meer dan vijftig jaar in datzelfde huis gewoond.'

We liepen door, zonder te praten, en bleven toen onder een hoge kastanjeboom staan tot de ijskoude regen ophield. Ik keek omhoog. De maan was een bleke nevel die tussen het donkere kantwerk van takken flakkerde.

'Had jij vroeger grond, die je hebt vergokt, oom?'

Gerard vertrok zijn gezicht van ergernis of afkeer. 'O god, toch niet weer dat oude verhaal, hè. Dat heeft die achterlijke boekhouder in de wereld gebracht, die Ralph Stilton, zo dom als het achtereind van een varken. Dat beetje grond dat ik had stelde niks voor. Het vermelden niet waard. We waren geen rijke landadel of zo. Ik heb niemand iets door de neus geboord, denk dat maar niet, jongen. Een stukje moeras met een gemakhuisje erop, meer niet.'

'Maar Ralph beweerde altijd... Zou mijn moeder bij je zijn gebleven als je niet alles vergokt had?'

'Tja, volgens mij... misschien... maar dat zullen we nooit weten, hè?'

Nee, dat zat er niet in. Ik keek weer naar de maan. 'Was er nog een andere reden waarom mijn moeder besloot met Ralph te trouwen? Tegen mij heeft ze eens gezegd dat ze op een bepaald moment bang voor je werd. En Ralph had het altijd over "vreselijke geruchten" over je verleden. Iets wat in Frankrijk was gebeurd.'

Gerard sloeg zijn ogen neer en begon onsamenhangend in zichzelf te mompelen. Toen keek hij me aan met iets in zijn ogen wat ik daar nooit eerder had gezien. Angst? Verdriet? 'Ja, er is in Frankrijk iets gebeurd. Ik heb een ellendige tijd doorgemaakt. Weet je nog dat jij altijd wilde dat ik met je moeder trouwde? Nou, ik ben niet met haar getrouwd omdat... omdat ik al getrouwd was.'

'Was jij getrouwd? Dat meen je niet. Ik dacht altijd dat je niet in het huwelijk geloofde.'

Gerard deed zijn mond open om iets te zeggen, maar aarzelde, alsof hij zijn tekst kwijt was. 'Het huwelijk: twee kannibalen die allebei zitten te wachten tot de ander in slaap valt.' Er verscheen een vermoeide glimlach, die meteen weer verdween. 'Dat was in een tijd dat... mijn vrouw geld had. Ik ben een gokker, weet je nog.'

'Wie is je vrouw? En waar is ze nu?'

'Ze heet Henriette Boyet; ze komt uit Normandië... Maar toen ik je moeder ontmoette, leefden we al gescheiden – wat ik een hele tijd voor haar verborgen heb gehouden, god mag weten waarom. Ik had mijn vrouw trouwens niet verlaten; zij wilde bij mij weg omdat ze... ja, ze dacht dat ik een verhouding met haar jongere zusje had.'

'Was dat ook zo?'

'En toen vroeg Ralph je moeder ten huwelijk, dus vroeg ik een scheiding aan en probeerde ik je moeder terug te krijgen en... en toen gebeurde er nog iets. Maar alles gebeurt altijd tegelijk.'

'Je hebt je vrouw vermoord.'

'Bijna. Mijn huis in Normandië brandde tot de grond toe af. Een attentie van Nicky Greville, de klootzak.'

'Nicky Greville? Die vogelverschrikker bij mevrouw Kay? Die je geld schuldig bent?'

'Ik ben hem helemaal niets schuldig. Hij treedt op namens... ontevreden klanten.' Gerard streek met gespreide vingers door zijn dikke grijze haar. 'Henriette was op dat moment niet thuis, goddank, en ik was in York, maar dat weerhield sommige mensen – mensen uit het dorp, de politie, Ralph – er niet van te denken dat ik van mijn vrouw af probeerde te komen. Ik werd in staat van beschuldiging gesteld en vrijgesproken, al is Ralph altijd blijven proberen het mij in de schoenen te schuiven. Of geruchten te verspreiden over mijn... mijn relatie met Henriettes dochter. Ik bedoel zusje. Ik weet niet wat je moeder precies geloofde, maar ik ben gescheiden om met haar te kunnen trouwen en jou op te voeden, maar het was al te laat, het duurde te lang, de advocaten... nou ja, het was te laat.' Gerard wreef in zijn ogen en over zijn voorhoofd, forceerde een lachje, sloeg me op mijn schouder. 'Jij gelooft me, hè Jeremy? Ik zal het allemaal goedmaken, dat zul je zien.'

Gerard zat nooit lang in zak en as en op tweede kerstdag was hij een stuk opgewekter, net als ik. Zijn onthulling/bekentenis had ons allebei goedgedaan, denk ik, hoewel we het er nooit meer over hadden. Die ochtend begroette hij me met een knipoog en een steviger hand, plus het voorstel naar Oxford te gaan om een amateurproductie van *Veel gemin, geen gewin* te zien – de ironie liep te sterk in het oog om er lang bij stil te staan.

In onze coupé, want hij had erop gestaan eersteklas te reizen ('om de voetbalhooligans te ontlopen'), vergastte Gerard me op verhalen uit de tijd dat hij 'op de planken stond' bij de Lord Strange Amateur Dramatic Society, waar hij mijn moeder had leren kennen. Hij had het over *Macbeth* en *Hendrik VI* en *Timon van Athene* en hoe hij onderaan was begonnen en uiteindelijk in alle stukken de hoofdrol had gespeeld. (Op de originele programma's die ik van mijn moeder had gekregen, stond hij respectievelijk als Derde Moordenaar, Bode en Een Bediende vermeld.)

'O, voor ik het vergeet,' zei hij plotseling, 'ik heb een prachtige brief voor jou geschreven. Op briefpapier van North Shrewsbury. Alles is geregeld.'

'Wat is geregeld?'

'Ik had een brief uit Zuid-Afrika gekregen – via mijn associé – met een verzoek om inlichtingen over jouw "werk in uitvoering".'

'Mijn wat? Van wie?'

'De directeur van jouw instituut, Haxby. Gewoon om iets te verifiëren, jongen. Heeft niets om het lijf.'

'Haxby? Dat is mijn directeur helemaal niet.' Die klootzak, die bemoeial. 'Wat wilde hij precies?' Wraak, dat was duidelijk.

'Alles is geregeld. Maak je maar geen zorgen.'

Op de een of andere manier deed ik dat ook niet. In januari begon mijn sabbatical – misschien maakte ik het wel permanent.

'Ik weet een leuk anagram van "William Shakespeare",' zei Gerard die met zijn vulpen op bladzij 3 van de *Sun* zat te krabbelen. Ik boog me naar hem toe en verwachtte iets schunnigs. In beverige blokletters stond er WILLIAM SHAKESPEARE en daarnaast: 'IK WAS SPELER – AI, MAL HÈ?'

'Aardig. Zitten alle letters erin?'

'Natuurlijk.'

'Maar waarom is dat mal?'

'Mmm, wat vind je van deze?' Hij scheurde een stukje van de krant af en gaf het me aan. 'MA, HELAAS PREES IK WIL' werd gevolgd door 'HEE, WIE LAMP IS, 'S KLAAR'.

Ik controleerde de letters. 'Deze zijn leuk – als je ze zelf hebt bedacht. Zijn ze echt van jou?'

'Natuurlijk.' Hij knipoogde en verzonk even in gedachten. 'We prijzen hem allemaal, althans zijn tragedies. Helaas heeft hij wat veel blijspelen geschreven.'

'Veel mensen vinden ze ontzettend geestig,' antwoordde ik.

'Mensen die om een blijspel van Shakespeare lachen, willen óf etaleren dat zij weten wat vroeger geestig of slim gevonden werd, of ze reageren op iets slapstickachtigs wat de regisseur heeft toegevoegd. Straks zetten ze er nog ingeblikt gelach achter. En hoe kun je trouwens geestig zijn als je syfilis hebt?'

'Had Shakespeare dan syfilis? Ik weet wel dat hij misschien parkinson had, naar de handtekening onder zijn testament te oordelen...'

'Wist je dat niet? Natuurlijk had hij syfilis. Lees de *Sonnetten*, jongen. Lees *Timon van Athene* en *Troilus en Cressida*.'

In de trein terug naar Londen, na een voorstelling waarbij het publiek zowat het gangpad in rolde en Gerard en ik geen spier vertrokken, begon ik over de Bladzijde te ratelen en hoe die alle aspecten van mijn leven bestreek sinds ik Milena kende.

'Ik weet wel dat jij het waarschijnlijk puur toeval vindt, Gerard, maar het afgelopen jaar was vol... eh, gebeurtenissen met een onderling verband. Bijna alles wat er is gebeurd sinds ik Milena heb ontmoet – ook die ontmoeting zelf – heeft op de een of andere manier met de Bladzijde te maken. Lach niet, het is echt zo. Ik weet ook wel dat het een spelletje was van jaren geleden, maar het is op de een of andere manier veel meer geworden. Het is echt uit de hand gelopen. En ik heb ook niets geforceerd. Ik denk dat het eerste teken, de eerste voorbode...'

Toen begon ik het net van gelukkige en ongelukkige toevalligheden te schetsen, de keten van symbolen en voortekenen waarvan Milena de laatste schakel was. '...Dus is Milena niet alleen de Dark Lady en Fair Em, en Indiaas, net als Shakuntala, en draagt ze een speld met een assegaai en heeft ze een boek over bantoeliteratuur en heet haar vader Walter, net als Walter Caverley uit de *Yorkshire Tragedy*, een gokker die zijn vrouw sloeg en dacht dat zijn kinderen niet echt van hem waren, net als Milena's vader, maar er is, nou ja, er is nog veel meer. De mood-ring, net als de ring die Shakuntala in de rivier de Malini had verloren en die Milena ook verloren heeft, net als in dat verhaal over liefde op het eerste gezicht...'

'Jeremy, volgens mij...'

'En de Bladzijde gaat van geweld en dood naar geluk en huwelijk – net als Milena en ik in de toekomst. En dan zijn er nog al die andere dingen, parkinson, en Oekraïne, en zo zou ik nog uren door kunnen gaan. Dus zie je nou, Gerard, het is niet zo onnozel als het lijkt – die Bladzijde was echt in zekere zin magisch, zoals jij...'

'Kletskoek.'

'...indertijd al zei. Maar wat zeg je nu?'

'Onzin. Ik heb nog nooit zulke flauwekul gehoord.'

'Nee, ik meen het.' Ik keek hem aan. Was hij dronken?

'Lariekoek, beste jongen. Er zijn helemaal geen magische symbolen of voortekenen. Jij hebt alles zelf uitgelokt. Als die bladzijde een advertentie voor wc-reiniger was geweest, had je hem ook met je eigen leven in verband gebracht.'

Was de man tegenover me een bedrieger? 'Ik weet wel dat het misschien onnozel of irrationeel klinkt, maar dit jaar zijn alle verbanden plotseling duidelijk geworden, alles is op zijn plaats gevallen of...'

'Op zijn plaats gevallen, mijn reet. Als je verliefd bent, valt alles altijd op zijn plaats, dan wordt alles symbolisch en voorbeschikt. De Bladzijde heeft je leven een patroon gegeven, een tekening waarbij je de punten met elkaar moet verbinden, een verklaring voor alle dingen in het leven waarvan je de zin niet inziet. De menselijke geest houdt niet van wanorde en willekeurigheden...'

'Ik zweer...'

'Bovendien heb ik ermee geknoeid.'

'...het bij God. Wat zeg je?'

'Ik heb de boeken verwisseld toen jij geblinddoekt was.'

Ik keek hem recht aan en wachtte tot hij in de lach zou schieten. Dit moest een grap zijn, hij hield me voor de gek. Maar zijn gezicht bleef strak. Wat was dit? Had iemand hem voor een andere oom omgewisseld?

'Dat is niet waar,' zei ik kalm.

'Nou en of.' Hij was bloedserieus.

'Niet waar.'

'Geloof maar wat jij wilt geloven.'

'Dat k-kan niet, niet waar, ik heb het boek gezien, je liegt! Dat is... onmogelijk!' Ik voelde dat het bloed naar mijn hoofd steeg.

'Ik moest je toch iets geven, beste jongen, een aandenken aan mij. Dus ik heb gepiekerd en gepiekerd en toen viel op een verlicht moment, of misschien wel een dronken moment, mijn keus op een soort 'Levenskaart' – zo beschreef Dr. Johnson de stukken van Shakespeare. Ik wilde je alleen maar de juiste richting op sturen, jongen, een heel klein duwtje, met een snufje magie.'

'Ja... maar... dat is onmogelijk! Dat zou je me jaren geleden al hebben verteld!'

'Ik durfde het niet eerder te zeggen – ik was bang dat ik je dan de Bard tegen zou maken, of nog erger, mijzelf.' Gerard hield zijn hoofd schuin, knipoogde naar me en ging op luchtiger toon verder, terwijl ik hem dom zat aan te gapen. 'Laten we het een experiment op langere termijn noemen, toeval versus determinisme. Of een soort voorstelling die we samen hebben gecreëerd, een levensgedicht dat in de loop der jaren vorm aanneemt? Laten we het "namaak-Tudor" noemen.'

'Plaatsbewijzen alstublieft!' riep de conducteur.

'En heeft het je kwaad gedaan?' ging hij verder. 'Afgezien van de manier waarop je je bij Milena voor gek hebt gezet dan. Kijk eens wat je door die Bladzijde hebt bereikt, kijk eens wat je in je vrije tijd hebt gedaan in plaats van stompzinnig voor de televisie te hangen. Ik kon je toch niet zomaar in het wilde weg iets laten kiezen? Stel dat je, weet ik veel, een bladzijde uit een handboek voor kaakchirurgen had gekozen, of uit een blotemeidenblad...'

'Klootzak!' riep ik. 'Je hebt die boeken niet verwisseld! Je liegt!'

'...of de zwarte bladzijde uit *Tristram Shandy*? Wind je niet zo op. Er is toch niets gebeurd. Het was het enige wat ik je kon geven, Jeremy. Het enige wat ik had. Het enige wat deze wereld heeft, de Bard is de enige religie die we hebben...'

'Shakespeare biedt geen religie, godverdomme.'

'In deze seculiere wereld is Shakespeare onze bijbel.'

'Maar al die andere dingen op die bladzij dan? Moest dat ook een leidraad voorstellen?'

'Bij al die andere flauwekul heb ik nooit stilgestaan – die zoeloekoning en die Indiase koningin en god weet wat nog meer.'

'Jij... oplichter! Door jou had ik... had ik bijna in Oekraïne gezeten!'

'Rustig, Jeremy, je hoeft niet zo te schreeuwen. Ja, dat weet ik – bijna – maar ik weet ook dat je door mij ieder woord van Shakespeare hebt gelezen. En dat je daar niet onaardig mee hebt verdiend.'

'Maar je hebt me gebruikt...'

'Doe niet zo melodramatisch.'

'Voor zo'n stom kutexperiment van je, zo'n... zo'n knoeierijtje. Lach niet, het is niet leuk, verdomme. Dat is die... w-walgelijke spelersmentaliteit van je...'

'Je lijkt Ralph wel...'

'Doodziek word ik ervan. En het is niet grappig! Ik haat je!'

Er volgden enige ogenblikken stilte. Ik staarde niets ziend en witheet door de stromende omlijsting van het raam. Kilometers donker landschap trokken voorbij.

'Maar ik dacht dat ik mijn lotsbestemming vervulde met die bladzij, godverdomme!' Zodra de woorden mijn mond uit waren, besefte ik hoe belachelijk ze waren, ook zonder Gerards opeengeklemde lippen te zien. 'Nou, en welk boek had ik dan zelf gekozen?'

'Iets over paarden, geloof ik.'

'Shit.'

'Het spijt me, Jeremy.'

Ik, trieste nar van een onttroonde koning uit het noorden, bleef de rest van de terugreis in stille gepeinzen verzonken. Mijn hele wereld begon zich voor mijn ogen opnieuw te formeren. Mijn leven, dat zag ik nu duidelijk, was een klucht, van begin tot eind – per ongeluk verwekt ('uit slordigheid', zei Ralph), bij wijze van practical joke geprogrammeerd en gericht op doelen die ik gedoemd was te missen. Gerard, uit zijn macht en goddelijke status ontzet, zat zijn voetbalpools en wedstrijduitslagen te bestuderen en liet me over aan mijn getob. Hij bood me een tosti met Danish blue en een augurk aan, die hij van mij allebei in zijn reet mocht steken. Hij zei dat dat met het laatste wel zou lukken, maar dat het hem met het eerste moeilijk leek. Ik weigerde te lachen.

Gerard vertrok de volgende dag naar York. Met een sluwe grijns zei hij dat hij een 'speciaal cadeau' voor Milena en mij had bedacht en dat hij hoopte in mei weer naar Amerika te gaan voor de 'Run for the Roses'. Maar ik zou hem nooit meer zien. Toen we op de stoep voor het hotel afscheid namen, vulden mijn ogen zich plotseling met hete tranen, die ik vergeefs probeerde te bedwingen. Met mijn ogen strak op de grond gericht deed ik mijn best om te lachen. De Bladzijde? Kindergedoe, allemaal onzin, een storm in een glas water.

'Dat meende ik niet, hoor, van die stomme bladzijde.'

'Natuurlijk niet, jongen.'

'Het geeft helemaal niets.'

'Natuurlijk niet.'

'Je gelooft toch niet dat ik dat echt meende?'

'Natuurlijk niet, jongen.'

26

'Ik ben een riet, door elken wind bewogen'
– *Een winteravondsprookje*

Toen er met veel misbaar een nieuw jaar aanbrak, zat ik in de lucht. Begraaf je dode dagen, laat de nieuwe binnen. Om het feestgedruis en de door de stewardessen opgedrongen vrolijkheid buiten te sluiten zette ik mijn discman harder en deed mijn ogen dicht.

Toen ik ze een paar minuten later weer opendeed, zag ik op een paar centimeter van mijn neus een plastic beker, tot de rand gevuld met iets wat eruitzag als champagne. Het werd me aangeboden door mijn bebrilde buurman, die van oor tot oor grijnsde en iets zei wat ik niet kon of wilde verstaan. Vermoeid deed ik mijn oordopjes uit. 'Ge-luk-kig Nieuw-jaar!' schreeuwde hij. Bla bla bla. Hij kwam uit Leeds, 'waar Yorkshire Television vandaan komt'. 'Weet ik,' zei ik. En hij was op weg naar een conferentie in Quebec over 'emporiatrie'. 'Weet je wat dat is?' Nee, maar dat zal niet lang meer duren. 'Dat is de leer van ziekten die met reizen samenhangen.' Zijn vrouw boog zich naar voren en lachte naar me; ze had een kotszakje op schoot. Ze gingen een week eerder omdat ze hadden gehoord dat Quebec de oudste en mooiste stad van Noord-Amerika was. Hij was waarschijnlijk wel aardig. Hij praatte nog door toen ik mijn dopjes alweer had ingedaan.

Terwijl hij doorkletste, en het jaar wisselde, dacht ik aan Shakespeare en aan Shaka. Die suggereerden allebei dat onze angsten en spanningen in het leven voortkomen uit het besef dat onze toekomst niet vaststaat, maar onze eigen vrije keuze moet zijn... Mijn batterijen waren bijna leeg en ik dommelde in.

Bij mijn voordeur, die ik met moeite open kreeg, had ik opeens een voorgevoel dat er een belangrijke brief lag te wachten. Ik duwde de deur open, die klemde doordat er een grote envelop achter lag. Mijn hart ging tekeer terwijl ik hem mee naar boven nam, naar mijn slaapkamer, en naar de letters keek, die rondtolden en veranderden in Milena's naar links hellende handschrift. Ik maakte hem open. Het was Victors artikel over bongodrummers.

Ik spoelde het antwoordapparaat terug, luisterde naar het hoge gesjirp en voelde dat het Milena's stem was, achterstevoren afgespeeld. Het was Jacques' stem, achterstevoren afgespeeld. Er stonden ook boodschappen van Arielle op, van de secretaresse van de directeur over een conferentie, en van Philippe, die me vroeg voor hem in te vallen omdat hij in Acapulco met een azteekse adonis ging rollebollen.

De maand januari, het begin van mijn onbetaalde verlof, was koud en lang. Het was zelfs een van de koudste maanden in de geschiedenis, en mijn verwarming, die uit een klein gaskacheltje bestond, was er niet tegen opgewassen. Ik woonde in een iglo. Ik rilde onder de dekens, kon niet slapen en waagde me alleen buiten om suiker en geneesmiddelen te halen. Ik slikte Morphodex en Sominex en Lethenex in een poging de tijd te doden met eetbare kogels, maar ik had net zo goed adrenaline kunnen innemen. Ik was verdwaald in Milenaland, een koud vorstinnendom waar slaap verboden was maar dromen toegestaan, waar de dagen donker waren en de tijd achterstevoren liep.

In mijn Boek der Zaterdagen maakte ik een lijst van de voors en tegens van onze 'relatie'. Ik trok een streep over de lengte van de pagina en inventariseerde links daarvan de pluspunten en rechts de minpunten.

Kwantitatief wonnen de minpunten, maar kwalitatief de plussen. Het belangrijkste pluspunt: 'verliefd'. Maar waarom verliefd? Wat had ik die eerste ogenblikken eigenlijk gezien? Een blik, een samenzweerderige glimlach? Een verwante ziel, iemand die ik al kende, iemand die net zo verdoold was als ikzelf? Zoiets had ik gezien toen ik Jacques voor het eerst ontmoette. Ja, dat had er ook mee te maken. En net als Jacques was Milena slimmer dan ik – voelde ik me daardoor soms aangetrokken? De domheid op zoek naar het licht? De zwakke op zoek naar de sterke? Liefde, zegt Plato in zijn *Symposion*, bevat een element van onvolmaaktheid op zoek naar volmaaktheid.

Was het liefde op het eerste gezicht? Dat bestaat niet. Een stoot adrenaline en testosteron, meer niet. Ik geloof niet dat vrouwen dat ooit voelen – althans niet zo sterk als mannen, die het elk uur wel een keer hebben als ze zich buiten de deur begeven. Marlowe overdrijft schromelijk. En *Romeo en Julia* is flauwekul. Het is onmogelijk verliefd te worden voordat er een woord is gewisseld – anders is het wellust, geen liefde. Of zijn die twee niet te scheiden? *Love* komt, zoals iedereen weet, van de Sanskritische stam *lubha* (begeren, in wellust ontbranden).

Wilde ik Milena omdat ik dacht dat ik haar kon helpen? Was ik de barmhartige Samaritaan of Florence Nightingale of Carl Jung? (Begeerte naar een vrouw is de begeerte haar te redden, zegt Updike.) Dat kwam er misschien ook bij. Ik zou haar kameraad zijn, haar crisisadviseur; ik zou de liefde bedrijven met mijn levensgezellin/patiënte en haar alles laten vergeten. Wat een gelul.

Milena was passief, Sabrine was passief: hier is sprake van een patroon. Word ik heet van koelheid? Is het mogelijk van seks te genieten in het besef dat de ander dat niet doet? Ja, ik vrees van wel. Milena was de passieve prostituee of het onschuldige kindbruidje; ik nam haar, zij zei: 'Doe met me wat je wilt...' Was dat het, de passie van de macht? Nee. Eerder het binnendringen van een onneembaar, door water omringd fort, alle tegenstand ten spijt. De sensatie een afgelegen, ondoordringbaar oord te bereiken waar het toeval je had gebracht of waar je niet komen mocht.

Jacques voerde andere redenen aan. 'Ten eerste behandelt ze je als stront. Jij ziet dat als een teken van superioriteit – en onbereikbaarheid. Ten tweede wordt een vrouw altijd begeerlijker als ze je heeft gedumpt – afwijzing werkt als een afrodisiacum. Of in de termen van Kierkegaard: liefde en aantrekkingskracht zijn alleen mogelijk als er ook weerstand is – en zij is lesbisch, wat wel de opperste vorm van weerstand is. Ten derde wil je met haar gezien worden, want je gelooft dat dat gunstig op jou afstraalt, dat het een goede indruk maakt als een feministe met je naar bed wil...'

Nadat ik had gezegd dat hij een zak was, kwam hij met een psychologische theorie aanzetten die hij ergens had gelezen of zelf had verzonnen, dat het allemaal terug te voeren was op een seksuele herinnering uit mijn vroegste jeugd. 'Kijk maar naar Nietzsche,' zei hij, de woorden van Tama Janowitz verdraaiend. 'Op zijn veertiende geslagen en misbruikt door een burggravin. En een paar jaar later? *Der Wille zur Macht* en de Übermensch. Kijk eens naar je verleden, naar je eerste seksuele ervaringen, zoek de etiologische correlatie, het *incitamentum*. Dat Ierse pubermeisje misschien, waar je ad nauseum over fantaseerde? En was je moeder ook niet slank en donker?'

Na eerst mijn ogen te hebben gesloten en nog iets beledigends te hebben gemompeld, ontkende ik met klem ieder verband tussen Milena en mijn verleden. 'Hoe sterker je iets ontkent,' antwoordde Jacques, 'hoe groter de waarschijnlijkheid dat het klopt.' Toen ik hem uitmaakte voor onwetenschappelijke pseudo-psycholoog, riposteerde hij: 'Bestaan er dan ook andere?'

Eind januari stond ik op een ijskoude middag in de keuken met het Zwitserse zakmes een overrijpe tomaat te snijden en me af te vragen of het eed'ler voor den geest was de slingerstenen en pijlen van het nijdig lot te dulden... met andere woorden, ik was in dubio of ik mijn polsen zou doorsnijden of niet. De telefoon ging en ik sneed bijna mijn duim af.

'Wat was je aan het doen?' vroeg Jacques.

'Zelfmoord aan het plegen.'

'Hoe?'

'Slagader doorsnijden met een Zwitsers zakmes.'

'Dat kun je het beste in een gloeiend heet bad doen.'

'Heb ik ook gehoord, ja.'

'Maar vergeet niet wat Brutus zei – zelfmoord is "laf en schandelijk".'

'Dat zei hij kort voordat hij zich van kant maakte.'

'Inderdaad. Waarom probeer je geen rituele *seppuku*?'

'Belde je met een speciale reden?'

'Ja, het gaat om je brandvertragende vriendin.'

'Mijn wat? Milena? Heb je haar gezien?'

'Ja.'

Ze is terug! Christus. Waarom heeft ze me niet gebeld? 'Waar?'

'Op de Boulevard.'

'Mooi. Tot ziens. Ik heb een wisselgesprek. Hallo? Prima, en jij? De Noctambule? Nu meteen? Ja, heel graag, maar... Is er iets... ernstigs? Goed, mooi, tot zo.'

Wat was er aan de hand? Het was Barbara Celerand.

Als een olympisch hardloper rende ik hijgend en zwetend naar de Noctambule. Wat had Barbara Celerand me te zeggen? Dat ik ontslagen word vanwege die poppenkast met North Shrewsbury? Om wat ik op dat feest heb uitgehaald? Waarom kon het niet telefonisch? Ik bestelde een cappuccino en ging met mijn vingers op het ronde metalen tafeltje zitten trommelen terwijl mijn knieën onder het tafelblad trilden, in afwachting van de hemel mocht weten wat.

Het leek wel een dag later toen Barbara onverstoorbaar als altijd binnenkwam, haar sneeuwwitte wollen muts afzette en haar haar met een hand naar achteren streek. 'Ik zat gisteravond aan hetzelfde tafeltje met een vriendin van je,' zei ze.

We kusten elkaar à la française en ik voelde de moed in mijn schoenen zinken. Christus, iedereen heeft Milena al gezien, behalve ik. Waar sta ik op haar lijstje, op nummer negentien? 'Ja, ik heb gehoord dat ze terug is.' Ik slaakte een zucht. Ik begin te begrijpen wat er aan de hand is. Barbara gaat me zo vertellen dat ze gaan samenwonen. 'En ze heeft me nog niet gebeld,' ging ik verder, 'dus het is waarschijnlijk uit tussen ons. Dat zal Milena je wel hebben verteld.'

'Nee. Waarom denk je dat het uit is?'

Ik zei iets vaags over tegengestelde richtingen en literatuur voor boven de achttien, waar ze wel iets over had gehoord. Om mezelf te rehabiliteren beschreef ik ook de episode met de barbecue, de verbranding van het zichtbare kwaad. Daarop schoot Barbara in de lach, ik weet niet waarom. 'Sorry,' zei ze en ze hield op met lachen. 'Heel goed van je.'

'Die video's waren van Jacques en de blaadjes waren van de vorige huurders. Ik had alleen wat historisch spul – oude sepiakunstfoto's.' Weer lag Barbara dubbel van het lachen, alsof ik een stand-up comedian was.

'En niet alle postfeministen zijn tegen... entertainment voor volwassenen, toch?'

'Nee. Ik niet. En Milena ook niet.'

'Maar zij zei... Ik dacht dat ze Cinéma La Chatte in brand had proberen te steken?'

'O ja? Dat hoor ik voor het eerst.'

Ik keek naar Barbara's lange zilveren haar, naar het assortiment armbanden om haar polsen. 'Heb jij iets met haar?'

De uitdrukking op Barbara's gezicht veranderde. 'Nee, Jeremy. Dat is niet zo. We... het heeft nooit goed aangevoeld. Ik vond het heel naar toen ik hoorde dat jij had ontdekt wat er die avond was gebeurd – en het stelde niets voor, echt niet. Het spijt me, ik wilde je geen verdriet doen.'

Ik keek Barbara recht aan, want in de ogen kun je altijd zien wat iemand werkelijk denkt. 'Ach, het was een heel open relatie; we hebben nooit afspraken gemaakt over... andere mensen, andere geliefden. We hadden eigenlijk niet eens een relatie.'

'Ik weet niet of Milena het daar wel mee eens zou zijn. Ze heeft me vaak om raad gevraagd over haar relatie met jou. Ze zit in de knoop, dat weet jij net zo goed als ik.'

'Wat voor raad heb je haar dan gegeven, als ik vragen mag?'

'Ik wil je niet beledigen, maar dat mag je niet vragen. Dat is iets tussen Milena en mij.'

Waarom begin je er dan over, verdomme? 'Ik begrijp het.'

'Jeremy, we zijn al heel lang bevriend. We hebben elkaar altijd gemogen. Je kunt je dus wel voorstellen wat ik... Het komt erop neer dat ik tegen Milena heb gezegd dat jij volgens mij heel geschikt voor haar zou zijn, zoals ik je ken.'

Ik sloeg mijn ogen neer en had het gevoel dat ik het mooiste compliment van mijn hele leven had gekregen.

'En ik wil je wel één ding over ons gesprek van gisteravond vertellen – het ging telkens over jou. Ze noemde jou zelfs een verwante geest. Wacht even.'

Een verwante geest. Dus het is niet uit! Dus daarom moest Barbara me spreken. Wat een goede vriendin! Wat lief! Wat had ik zonder haar en Arielle moeten beginnen! Barbara kwam terug met een stapel servetjes en veegde de cappuccino op die ik gemorst bleek te hebben.

'Is Milena nu thuis?' vroeg ik.

'Nee, ze zit in de Laurentians. Ze heeft haar appartement opgezegd.'

'De Laurentians? De Laurentian Mountains? Nu? Waarom? En waarom heeft ze me niet gebeld voordat ze wegging?'

'Daar werkt ze. Ik geloof dat ze heeft geprobeerd je te bereiken. Waarom bel je haar zelf niet – Victor heeft haar nummer.'

Victor Toddley, verdomme. 'Fijn.'

'Milena is een fantastische vrouw, een heerlijkheid, echt. Ze is eerlijk en intelligent en gecompliceerd en ik begrijp best dat je door haar geobsedeerd bent, ook al snappen anderen dat niet.' Barbara keek op haar horloge. 'Maar Milena is niet de enige reden dat ik je wilde spreken, Jeremy. Ik wilde je ook waarschuwen voor Clyde Haxby. Ik hoorde toevallig dat hij het met de directeur over je had. Hij zei hele lelijke dingen over je.'

'Zoals?'

'Tja, het zal allemaal wel door die grap komen die je met hem hebt uitgehaald, met Clydes onvoltooide deel...'

'Ik was straalbezopen, dat weet je toch wel.'

'En door die conferentie over West-Afrikaans toneel die je vorige week hebt gemist.'

'Vorige week? Maar Sobranet heeft er nooit meer contact over opgenomen!'

'Hij zei dat je niet bent komen opdagen bij een vergadering om tien uur.'

'Ik ben al sinds de middelbare school niet meer voor tienen opgestaan. Bovendien heb ik een sabbatical, godverdomme.'

'Weet ik, maar dat vindt onze dierbare directeur geen excuus. Uiteindelijk heeft Clyde de inleiding gehouden.'

'Wat zei hij nou over me?'

'Het kwam erop neer dat je een schande voor ons instituut bent, een subversief element, een trawant van die "onverlaat" Vauvenargues-Fezensac. Hij zei dat hij je nu ging aanpakken, dat hij je wel zou krijgen, dat soort taal. O ja, en hij zei ook dat hij "je doorhad", wat dat ook mag betekenen. Ik wil alleen maar zeggen dat je uit moet kijken. Misschien moet je eens met iemand gaan praten, iemand van het bestuur, een klacht indienen.'

'Ach, ik weet niet. Ik denk niet dat ik dat doe.'

Barbara keek weer op haar horloge. 'Ik word soms bang van Clyde. Hij wordt steeds... onvoorspelbaarder. Misschien laat hij je met rust als je een officiële klacht indient.'

'Of het wordt juist erger.'

'Je moet het zelf weten. Als je steun nodig hebt, iemand die voor je instaat, dan doe ik dat met alle plezier. Dat ben ik je wel verschuldigd, vind ik. Maar ik moet weg, ik kom te laat voor mijn college.'

Ik liep met Barbara mee naar haar auto, een oude Volkswagenkever. Door het raampje gaf ik haar een vluchtige afscheidszoen op haar lippen en bedankte haar voor alles wat ze had gezegd en gedaan.

'O, wat ik nog wilde vragen,' zei Barbara, 'schiet je al op met dat dromenboek van je? Hoe heet het ook alweer? *De stof*? Ja toch?'

'Ja,' zei ik somber.

Oké. *De stof* is een boek waar ík mee bezig ben, of was. Het is een dromenboek, in de tweede persoon. Met onirische metaforen. Allemaal gelul. Snap je nu waarom ik dit verhaal opschrijf? Ik ben een mislukte nachtboekanier die nu maar is overgestapt op memoires, een banaal genre dat elke idioot beheerst. Zeker met Milena als ghostwriter en redacteur. *De stof*: ik heb het Toddley in de schoenen geschoven omdat hij alles vertegenwoordigt waar ik op neerkijk. Nou ja, niet alles. Eén ding. Hij is me veel te dik met Milena – ze praten aan één stuk door over god mag weten wat; ze zijn gezworen kameraden. Ik heb Victor alleen maar met dat boek opgezadeld om een betere indruk te geven van wat een zot, wat een oplichter hij is. Soms moet je de waarheid een beetje aankleden om het gewenste effect te bereiken. Bovendien valt het niet mee om overal eerlijk over te zijn, echt niet.

Alleen door wat Barbara had gezegd, besloot ik het nog één keer met Milena te proberen, één laatste poging voordat ik me een dwangbuis liet aanmeten. Maar dan moest ik wel eerst weten waar ze zat.

Mijn eerste stap was Violet zoeken; in Hôtel Dieu was ze niet. Volgens de aluminium dame met de basketbalschoenen had ze zich ziek gemeld ('Voor de verandering,' zei ze). De tweede stap was Victor zoeken, wat veel gemakkelijker bleek: hij stond buiten met een rode plastic sneeuwschuiver sneeuw te ruimen, met een muts van namaakbont met neergeslagen oorkleppen op zijn hoofd en gehuld in een skipak waarin hij wel een astronaut leek. Na een poosje moeizaam om de hete brij te hebben gedraaid, kreeg ik te horen dat Milena inderdaad in de Laurentians zat, waar ze in een skioord werkte, wat nergens op sloeg. Milena skiet niet en gaat ook niet met sportievelingen om. 'Welk skioord?' vroeg ik. Victor haalde zijn met dons gevoerde schouders op.

Mijn derde stap was op de Bladzijde naar aanwijzingen zoeken, wat ik deed totdat ik alleen nog watten in mijn hoofd had en nog maar één woord zag staan: *doodgestoken*. De laatste stap was Help op de computer aanklikken en 'Milena' intikken: 'Markeringen – laten staan?' was blijkbaar het enige wat in de buurt kwam.

De volgende dag begon ik weer bij stap één en Hôtel Dieu. Vile, die slaperig in een gamel soep stond te roeren, vertelde een verhaal dat niet klopte met dat van Toddley: Milena zat wel in de Laurentians, maar niet in een skioord. Ze zat in een *maison de santé* – een inrichting, een gekkenhuis. Ze was doorgedraaid. En dat niet alleen. Haar vader ging haar opzoeken, hij was al onderweg. Ik wist dat dat niet veel goeds voorspelde. Ik had een voorgevoel dat meneer Modjeska zijn dochter ging vermoorden.

'Hoe kom je daarbij?' vroeg Jacques, die me onderweg naar huis vanuit een bar had gewenkt.

'Dat voel ik. En het gebeurde ook in *A Yorkshire Tragedy*, weet je nog? De jaloerse man slaat zijn vrouw en vermoordt twee van zijn kinderen? Milena's vader sloeg zijn vrouw en een van Milena's zusjes is al dood – door haar vader vermoord, dat is duidelijk. En nu is Milena aan de beurt.'

'En nu is Milena aan de beurt? Nou, tegen zo veel logica kan ik niet op. Volkomen waterdicht. Verkregen door middel van – van wat, een ouijabord? De ingewanden van dode dieren?'

'En – let op – hoe denk je dat Milena's vader heet?'

'Modjeska?'

'Nee, zijn voornaam.'

'Laat me eens versteld staan.'

'Walter. Net als Walter Calverley! En kijk hier eens.' Ik gaf hem een pagina uit *The Gazette* en wees. 'Lees voor.'

'Ik ga Sydney Omarr níet lezen, en zeker niet hardop.'

'"Voorgevoel blijkt profetisch" – luister naar "innerlijke stem". "Er is een Stier in het spel." Een Stier! Milena is een Stier – en Shakespeare en Calverley en Shaka ook!'

'Shaka? Dat zoeloestamhoofd?'

'Ja!'

'Jeremy, maak een afspraak, vanmiddag nog. Je moet echt sterkere medicijnen hebben.'

'"Dit leg ik uit als waarschuwing en voorspook, en dreigend onheil..."'

'Wat ben je nu, waarzegger? Ga je van baan veranderen?'

'Ik citeer uit *Julius Caesar*.'

Jacques sloot zijn ogen. 'Ga maar. Laat je opnemen. Ga naar het gesticht, naar het dolhuis, daar horen jullie, allebei.'

En hij bleek gelijk te hebben, of althans half gelijk. Het was ook waanzin om nu (of wanneer dan ook) de Bladzijde van Gerard als leidraad te gebruiken. Had hij niet zelf gezegd dat het doorgestoken kaart was, allemaal bedrog? Ja goed, maar wat dan nog? Het was *voorbeschikt* dat hij dit zo in elkaar zou zetten: de Bladzijde was ondanks alles toch een schatkaart. Er was niets veranderd. Het ging er gewoon om dat je de aanwijzingen juist interpreteerde.

En zo ging ik op pad, met al het vuur van mijn hernieuwde vastberadenheid. In een gehuurde witte Stallion (met op de glazen flank een sticker van een Disneybeest) spoedde ik me noordwaarts, de Laurentian Mountains in. De reis, op een ijzige wintermiddag die steeds ijziger werd, is nu, en was ook toen, een wit waas. Ik herinner me dat ik over het stuur gebogen zat met mijn voet op het gas, op en neer wippend om mijn ros tot groter snelheid aan te sporen. Huurauto's zijn fijn, want je kunt er als een beest in rijden. Ik schoot andere auto's en vrachtwagens voorbij, zelfs politieauto's, die dat geen punt leken te vinden. Ik vrat kilometer op kilometer, mijl na Mileense mijl. Ik neuriede vals mee met *The Indian Queen* en *The Tempest* van Purcell en spoelde de muziek vooruit en weer terug. Na een uur of twee naderde ik een steile, slingerende helling waarvan ik de indruk kreeg dat ik die al eens op gereden was, terwijl ik hem nu af reed. Bij twee benzinestations werd ik tegenovergestelde richtingen in gestuurd. Toen ik bij het tweede wegreed, hield de verwarming ermee op. Al snel werd mijn adem zichtbaar en de voorruit wit. Omdat ik nergens een krabbertje kon vinden, klauwde ik met mijn nagels de ijsafzetting weg.

Het begon al donker te worden en de winterhemel kleurde rood toen ik het terrein van de inrichting op reed, een troep beige gebouwen in neovandalistische stijl die de naam 'Belleforêt' droegen. Bij de hoofdingang stonden een paar achtergebleven demonstranten op borden met leuzen geleund en de poort zat onder de veelkleurige vakbondsstickers. Een bordje VISITEURS met een pijl verwees me naar de receptie, die volhing met tekeningen, of liever gezegd platen uit een kleurboek, net als een kleuterklas. Op een ervan was de baard van de kerstman groen gekleurd en staken er blauwe duivelshoorntjes door zijn muts.

'*Je peux vous aider?*' vroeg de receptioniste met een Haïtiaans accent. Ik vroeg naar het kamernummer van Milena Modjeska. '*Chambre cent soixante-six dans l'annexe sud deux*,' antwoordde ze rad zonder op te kijken van de computeruitdraai die ze aan het bestuderen was. Terwijl ik haar bedankte, schoot er een verpleeghulp in witte jas voorbij, die duidelijk ergens chloroform en een vangnet ging halen. '*Suivez-le*,' zei de receptioniste. Ik volgde de staart van deze komeet door een lange gang en kwam toen op onverklaarbare wijze in een ander gebouw terecht. En toen weer in een ander gebouw. Ik ging rechtsaf, linksaf, een trap op, een trap af, de ene afdeling op en de andere af. Ik glipte nog net door een deur met een digitaal slot voordat die dichtviel, en verdwaalde in een doolhof van verdwaasden.

'Stop!' riep er een, een verfomfaaide man in een gestreepte kamerjas, die zijn hand opstak als een verkeersagent. 'Hij bergt de troubadour. Gaat al zijns peer.'

Ik knikte.

'Raketpakket,' voegde hij eraan toe. Ik knikte weer. 'Ra-ket-pakket,' herhaalde hij luider en met opeengeklemde tanden.

'Jeremy Davenant,' antwoordde ik en ik stak aarzelend mijn hand uit.

'In orde!' riep hij. Hij deed een stap opzij en negeerde mijn hand.

Ik liep snel door, in de richting van een dame met een grote hoed op, die iets in haar armen wiegde onder het toonloos zingen van: '*One two three four five six seven, Lucy Ann Morgan goes to heaven, one two three four five six seven...*' Toen ik dichterbij kwam, zag ik dat ze een plastic pop in slaap wiegde, een pop met lippenstift tot ver buiten de randen van haar mond en gewikkeld in een soort netachtige lijkenzak. Ik slaagde er in het voorbijgaan in een gespannen lachje op mijn gezicht te toveren; zij stak haar tong uit. Tegen mij of tegen iemand achter me, een elegante, voornaam uitziende dame in een vergeet-mij-nietjesblauwe jurk die door de gangen dwaalde en tegen niemand in het bijzonder praatte: 'Vieze vuile kutscheet van een smerige koeienneuker, ik zet je gore kleine lulletje in een bankschroef...'

En voort liep ik, door een smalle, neerwaarts lopende gang. Het leven is een lange gang, zegt men, en aan het einde wacht de dood. Aan het eind van deze gang bevond zich een grote ruimte met een biljarttafel, waar het naar ontsmettingsmiddelen en incontinentie rook en een tiental felliniaanse falies me aankeek. Terwijl ik aarzelend om me heen keek, werd de lucht verscheurd door een kreet die niets menselijks had, een soort krijgsgehuil waar ik me wezenloos van schrok. Hij bleek afkomstig van een man van onbestemde leeftijd in een Schots geruite kamerjas, zo te zien een leeftijdgenoot van koning Duncan I. Iets verderop huppelde een vrouw in haar eentje hups heen en weer en spreidde af en toe haar armen voor applaus.

De man in tartan was minder kwiek en schuifelde met glaciale passen op me af. Hij hield een biljartbal met het nummer 8 met twee handen vast. Toen ik mijn hand uitstak om hem aan te nemen, liet hij hem op de grond vallen. De bal rolde weg en wij keken hem na, hij nam mijn arm, ik paste me aan zijn tempo aan en zo liepen we voetje voor voetje naar een lang smal raam met ijzeren tralies onderaan. Ik had het gevoel dat iedereen in het vertrek naar ons keek en wachtte.

De oude man wees met een grote, blauw dooraderde hand. 'Maken ze... je weet wel... maken ze... soep van... van die... die...'

Ik keek naar de donker wordende lucht, waar verse condensstrepen doorheen liepen. Toen keek ik weer naar hem. Zijn gelooide gezicht, gerimpeld als een walnoot, was helemaal vertrokken in opperste concentratie terwijl hij naar woorden zocht.

'Bedoelt u die condensstrepen, dat ze daar soep van maken?' probeerde ik.

Hij knikte en keek me indringend aan met zijn jeugdige, stralend blauwe ogen (die dingen zagen die ik misschien ooit ook zal zien). Ik keek weer naar de anderen, die ook op een antwoord leken te wachten, sommigen glimlachend, anderen knikkend, alsof ze wilden zeggen: 'Ja, goede vraag.'

'Het is inderdaad zo,' zei ik na een lange stilte, 'dat ze daar... soep van maken.' Ik glimlachte en hoopte dat iedereen het een bevredigend antwoord vond. 'Merkwaardig genoeg.' Ik wilde doorlopen, maar werd tegengehouden door mijn ondervrager, die met zijn bevende handen mijn mouw vastpakte.

'Is het een grote...'

Een grote wat? 'Industrie?' raadde ik.

Hij knikte weer en zijn ogen boorden zich in de mijne. 'Ze zijn aan het afslanken,' antwoordde ik.

Hij gniffelde wetend, alsof dit de bevestiging was van vertrouwelijke informatie waarover hijzelf beschikte. Er begon nog iemand anders te gniffelen, een zacht geluid dat besmettelijk bleek en zich snel verspreidde, totdat ze allemaal zaten te lachen als duivels in de hel.

Ik liep snel door, een andere gang in, waar een man met ontbloot bovenlijf voorovergebogen wankelend met een kledingstuk stond te worstelen. Hij deed een niet onverdeeld succesvolle poging zijn pyjamajasje als broek aan te trekken: zijn beide benen zaten in de mouwen, wat hem het lopen nogal bemoeilijkte. Het was komisch en triest tegelijk. Ik lachte. Niet iets om grappen over te maken, afkloppen. Ik hielp hem zo goed ik kon.

Kamer 164... 165... 166! Ik haalde diep adem en klopte zwakjes op de deur. En wachtte, luisterend of ik binnen iets hoorde. Ik klopte luider. 'O god, ga me nu niet vertellen dat ik dat hele eind heb gereden...' Ik keek links, rechts en bukte toen om door het sleutelgat te kijken. Er was geen sleutelgat. Er was ook geen deurknop – die was weggehaald, zo te zien met geweld. Ik duwde tegen de deur, die op zijn beurt iets wegduwde wat aan de andere kant lag. Ik keek om het hoekje. 'Hal-looo? Milena? Ben je daar? O shit...'

Ik werd in een maalstroom van déjà vu gestort bij het zien van het rampgebied. Zelfs voor Milena's doen was het een puinhoop. Kleren, schoenen, boeken, bestek, eten, alles lag over de vloer en het bed verspreid, samen met de inhoud van bureauladen, manilla enveloppen, archiefmappen, afvalemmers en opengesneden verhuisdozen. Tegen de muur stond een met gescheurde lakens gedrapeerde matras. Terwijl ik een paar stappen dichterbij ging staan om te kijken of het Milena's spullen waren (inderdaad), hoorde ik een vertrouwd geluid waar ik niettemin van schrok: het doortrekken van een wc. 'Milena?' kwaakte ik. Ik stond als aan de grond genageld en wachtte af wie er had doorgetrokken.

De deur zwaaide open en voor me stond een donkere, forsgebouwde man wiens ogen een ogenblik lang even verbaasd stonden als de mijne voordat ze zich versmalden tot spleetjes vol haat. We stonden elkaar verstomd aan te gapen. Hij had een zwartleren jas aan die komisch lang en strak was, en zijn haar was duidelijk geverfd en achterover geplakt als bij een oude filmster, een charmeur op zijn retour. Híj was het. De voordringer in de rij bij de dépanneur, de man met de hoed achter de boom, de Man met de Zeis die naar mijn raam had staan kijken, Walter Calverley...

Milena's vader kwam nu met grote stappen op me af terwijl al die associaties door mijn hoofd flitsten. Ik zette me schrap en balde mijn vuisten. 'Ik ben voor jou niet bang!' riep ik. Hij bleef abrupt staan, verdwaasd, en nam toen een vechthouding aan, met zijn vinger onder zijn jas alsof hij daar een vuurwapen had. Ik had doodsbang moeten zijn – tot op de huidige dag begrijp ik niet waarom ik dat niet was, of waarom ik deed wat ik toen deed. Misschien kwam het doordat hij er te belachelijk uitzag, het goedkope clichébeeld van de kleine crimineel, om normaal op hem te kunnen reageren – of misschien kwam het doordat ik zag dat hij mijn (bij de inbraak gestolen) leren jas aanhad. Hoe dan ook, wat ik toen deed was kalm naar hem toe lopen, de hand met het neppistool wegslaan, hem bij zijn revers, míjn revers, pakken en hem heen en weer schudden, steeds weer, als een schuimbekkende krankzinnige. Zelfs al had ik begrepen wat hij tegen me brulde, zelfs al hadden de Mounties me bevolen hem los te laten, dan had ik het nog niet gedaan of gekund. Ik was buiten mezelf, ik was onbereikbaar. Er was geloof ik maar één stem die tot me zou zijn doorgedrongen te midden van het gevecht en geschreeuw dat losbrak.

'Jeremy, wat is dit in godsnaam...'

Ik liet los. Ik lag op de grond en hield de revers van mijn jas nog steeds in mijn handen, maar daar zat niemand meer in. Ik keek op, naar de plek waar de stem vandaan kwam. Milena stond bij de deur en nam met stomheid geslagen het schouwspel op dat zich voor haar ogen afspeelde. Haar vader slaagde erin overeind te komen. '*Gadje!*' spoog hij me toe en hij begon toen tegen Milena in het Romani of Tsjechisch of West-Boheems te sissen en te grommen. Hij griste een leren zak van het bed en beende naar haar toe, langs haar heen. '*Gadje si dilo!*' spoog hij nog eens tegen mij voordat hij de deur opensmeet, die met een knal tegen de muur sloeg. '*Pampuritsa! Kurva!!*' Buiten weergalmde de gang van de klikkende voetstappen, alsof hij ijzertjes onder zijn schoenen had.

'Jeremy, gaat het? Je oog... Heeft mijn vader dit allemaal gedaan?' Milena stond met een hand tegen haar voorhoofd om zich heen te kijken. 'Ja, hè? Shit. Net als in jouw huis toen. Godverdomme... Niet te geloven...'

Ik kwam overeind en strompelde naar de badkamer, waar ik een stroompje bloed van mijn wenkbrauw en wang veegde. Milena kwam me helpen; het huilen stond haar nader dan ik ooit bij haar had gezien. Ze vroeg of hij me had geslagen met de kolf van zijn pistool, dat naast mijn leren jas op de grond lag.

Als er ooit een goed moment was geweest om Milena ten huwelijk te vragen, dacht ik terwijl ik op haar boxspring lag te wachten tot ze terugkwam, dan was het nu wel. Maar zoals gewoonlijk had ik haar stemming verkeerd uitgelegd. Toen ze weer binnenkwam met de verbandspullen keek ze alsof ze me het liefst met het verbandgaas en de leukoplast wilde wurgen.

'Waarom hij zo doet?' zei Milena nadat ze me met prikkende alcohol had schoongemaakt en een pleister op mijn wenkbrauw had geplakt. 'Waarom? Omdat hij geen geld heeft, omdat hij ziek is, omdat hij geld schuldig is aan mensen die hem kwaad kunnen doen, daarom. Hij wil spullen van mijn moeder hebben. Hij vindt dat ze van hem zijn, of liever gezegd, hij denkt dat ze kostbaar zijn – vooral een broche en deze ring. Die zaten in zijn jaszak, ik bedoel jouw jaszak.'

Ze deed het deksel van een klein zwart juwelenkistje omhoog en liet me de voorwerpen in kwestie zien. 'Bedankt dat je hem hebt tegengehouden, ik... ik vind het echt heel goed van je.'

De broche had een mandala-achtige vorm, met een groene bliksemflits in het midden. De ring was bezet met een diep indigoblauwe steen en twee diamanten. 'Prachtig,' zei ik. 'Ongelooflijk. Is dat een saffier?'

Milena haalde haar schouders op zonder haar blik van de ring af te wenden. 'Ik heb gehoord van wel. Maar mij maakt het niet uit. Hij is van mijn moeder geweest. Ik heb hem van haar gekregen en zij heeft hem weer van haar grootmoeder. Hij komt uit India.' Ze deed het kistje dicht, en toen ook haar ogen.

Ik keek naar mijn leren jas, die nu aan het voeteneind van het bed lag. 'Wat riep je vader tegen me?'

Milena haalde haar schouders weer op. 'Wat maakt het uit? Hij... zette gewoon uiteen dat je een domme niet-zigeuner en een homo bent. En dat ik een snol ben.'

'Is hij... labiel?'

Milena deed haar ogen open. 'Hij heeft problemen.'

'Hebben ze hem daarom uit de gemeenschap gezet?'

'Waarschijnlijk wel. En ook omdat hij heeft gestolen. Ik zeg het niet graag, maar in zijn geval gaat het vooroordeel over zigeuners wel op. Alleen heeft hij ook nog van zijn eigen mensen gestolen.'

'Heeft hij je moeder gestoken? En je zusje vermoord? En heeft hij geprobeerd jou en Violet ook te vermoorden?'

'Nee! Mijn zusje... Wie zegt dat? Violet? Mijn zusje is verdronken.'

'Is je zusje verdronken? Meen je dat? Calverley heeft ook geprobeerd een van zijn kinderen te verdrinken!'

'Jeremy, waar heb je het... waarom schreeuw je zo? En wie is Calverley in godsnaam? Waarom zit je altijd in mijn verleden te graven? En wat kwam je hier eigenlijk doen?'

Is dat dan niet duidelijk? 'Ik had gehoord dat je vader onderweg was en ik dacht... Ik ben soms een beetje bijgelovig en irrationeel.' Ik schudde mijn hoofd en probeerde die Calverley-onzin uit mijn gedachten weg te schudden. 'Sorry. Barbara zei dat je... Ik weet eigenlijk niet wat ik kwam doen.'

'Nee, ík zou sorry moeten zeggen. Ik moet je juist bedanken in plaats van te vragen wat je hier komt doen.' Ze kuste me op mijn voorhoofd, sloeg even haar armen om me heen en begon toen alles terug te zetten waar het hoorde, een langdurig proces.

Ik zat rechtop in bed de schade te overzien en mijn blik rustte op de muur aan de andere kant van de kamer. Ik zat er al minuten naar te staren voordat tot me doordrong dat hij felrood was, dezelfde kleur als haar huiskamer en trap. De kleur die bij heftige emoties voor je ogen komt.

'Heb jij die muur geverfd, Milena? Waarom schilder je alles rood?'

Milena was papieren en foto's in een manilla map aan het terugstoppen. 'Wie zegt dat? Dat heb ik toch al eens uitgelegd – op de een of andere manier voel ik me beter als ik de kleur rood zie.'

'Maar waarom? Wat voor associaties heb je ermee? Waarom rood?'

'Wie weet? Misschien omdat het de lievelingskleur van mijn moeder was, of door de rode sari die ik van haar had gekregen toen ik klein was en die ik nooit uit wilde doen. Ik weet het echt niet.' Milena pakte een gebutste waterkoker die op de grond lag, vulde hem en stak de stekker in het stopcontact. 'Wil je koffie?'

'Wist je dat rood Shakespeares lievelingskleur was? Dat die in zijn werk vaker voorkomt dan welke andere kleur dan ook?'

'Ja, omdat het de kleur van bloed is.'

Ik stond op en liep naar de matras, die nog steeds tegen de muur stond. 'Hoe was je reis, trouwens? Dat was ik bijna vergeten. Heb je je familie opgezocht?'

'Prima. Het was fijn om mijn tante weer eens te zien. Geweldig mens, ze is *phuri dai*, de belangrijkste vrouw van haar gemeenschap. We kunnen heel goed met elkaar opschieten – ze wilde dat ik bleef.'

'Maar toen zei jij dat je mij dan te erg zou missen.'

'Ik kan me erg goed vinden in hun opvatting van tijd. Het lijkt niemand ene reet te kunnen schelen als je te laat bent. En werk is niet zoiets existentieels als in deze kutmaatschappij. Zigeuners werken alleen voor hun behoeften van dat moment. Dat spreekt me aan. Alleen doen de vrouwen daar het meeste werk – de mannen doen haast niets, die zitten alleen de hele dag te kletsen.'

'Maar wat vind je van hun opvatting over... staat het toeval niet centraal in hun cultuur? Dat alles door het lot wordt beschikt?'

Milena zuchtte. 'Ja.'

Ik sleepte de matras naar het bed en gooide hem er weer op. 'Heb je Madame Zoum nog kunnen vinden, die waarzegster?'

Milena glimlachte even. 'Hoe weet je dat? Van Sabrine? Vile? Ja, ik heb een nachtje bij haar gelogeerd, en langer had ik het ook niet uitgehouden. Ze bleef maar beweren dat ik een Weegschaal was. En dat ik koffie met thee moest drinken, half om half, door elkaar. Dat mens is zo gek als een deur.'

'Heeft ze je ook over die profetie van haar verteld – dat ik jou zou ombrengen?'

'Nee, ze zei juist dat ik jou zou ombrengen.'

'En ben je dat van plan?'

'Als je niet ophoudt met dat gevraag wel, ja. Wil je nou koffie of niet?'

'Heb je niets sterkers?'

'Ik dacht dat er nog ergens een fles wijn stond. Bijna vol. Dat was hij tenminste. Wil je dat?'

'Ja.' Ik keek hoe Milena naar een miniatuurijskastje gleed en erin begon te rommelen. 'Hoe lang willen ze je hier houden, Milena?'

'Hoe lang ze me willen houden? Niemand houdt me hier – ik werk hier. Dit is gewoon de kamer waar ik momenteel woon.'

'Werk je hier? Wat doe je dan?'

'Ik werk in de kantine. Dat heeft Violet voor me geregeld – Siberië noemen ze dit hier in Montreal.'

'Maar... waarom wilde je naar Siberië?'

Milena gaf me de fles wijn aan, zonder glas, en stak toen haar vinger in een asbak naast het bed. 'Ik moest weg... van alles. Ik moest er even uit, frisse lucht, een veilig heenkomen. Ik stond op instorten.' Ze viste een peuk uit de asbak en stak hem aan.

'En hier werken, in een gekkenhuis, zou dat helpen? Stort je dan niet juist helemaal in?' Ik nam een slok witte wijn.

'Dit is geen "gekkenhuis", zoals jij het zo smaakvol uitdrukt. Dat is in het complex hiernaast – hoe ben je hier trouwens binnengekomen? Alles is vandaag voor bezoek gesloten – het personeel staakt. En ja, hier werken helpt. Ik hou van oude mensen. Ik heb affiniteit met ze.'

'Affiniteit? Met die gestoorde ouwe lijken? Je had moeten zien wat ik allemaal tegenkwam op weg hierheen.'

Ik beschreef enkele van mijn ontmoetingen en toen ik klaar was, keek Milena me kil aan en fronste. 'Jij trapt graag alles en iedereen de grond in, hè?' zei ze.

'Wat?'

'Je maakt grappen over serieuze dingen, over duistere dingen.'

'Mensen lachen op begrafenissen en huilen op bruiloften.'

'Jij maakt altijd grappen ten koste van iemand anders, je doet overal sarcastisch over.'

'Ja, zoals op die docentenborrel, dat zei je al.'

'Grappen zijn een verkapte vorm van agressie.'

'Welnee. Niet altijd. Ze zijn soms ook gewoon grappig.'

'En je doet aan leeftijdsdiscriminatie.'

'Leeftijdsdiscriminatie? O kut.' Ik liep naar het enige raam dat de kamer rijk was, hoofdschuddend, met de fles in mijn hand. Door de ijsbloemen heen zwommen zwarte bomen voor mijn ogen tegen de bewolkte lucht. 'Ben je ook hierheen gegaan om van mij af te zijn?' vroeg ik ten slotte.

Milena zuchtte en stopte tubes zwarte verf terug in een kapotte schoenendoos. 'Van alles. Jou ken ik niet goed genoeg om van je af te willen.'

Zulke dingen zei Milena nu altijd. Ze had ook eens gezegd dat je niet van 'onderbrekingen' in onze relatie kon spreken omdat je er dan nogal voorbarig van uitging dat we een relatie hadden. Toen ik haar eens vroeg of we uit elkaar aan het groeien waren, vroeg zij of we dan ooit naar elkaar toe waren gegroeid. Milena was nooit bang me de naakte waarheid te zeggen – ze wist dat ik die zelf later wel zou aankleden.

'Dus je hebt gewoon de pest aan mijn politieke overtuigingen – of mijn gebrek daaraan – en aan mijn *particeps criminis*?'

'Aan je wat?' Milena vertrok haar gezicht tot een spottende grijns.

Ik goot nog wat wijn naar binnen. 'Mijn partner in de misdaad, mijn voornaamste bondgenoot. Jacques.'

'Waarom zeg je dat dan niet gewoon? Ik ben toch geen student van je, godverdomme. Jij moet er altijd zo nodig een Latijnse uitdrukking tussendoor gooien, je citeert altijd iemand – meestal Shakespeare. Waarom? Wat wil je daarmee bereiken? Slimmer lijken door met andermans veren te pronken? Indruk maken met een dode taal of met de geestigheid van iemand anders?'

Ik hield de fles tegen het licht en keek erdoorheen, naar een vervormde Milena. 'Is daar iets mis mee? Soms kan ik er niets aan doen – soms lijkt het alsof de Bard me vanuit het souffleurshok iets influistert. En waarschijnlijk heb ik het ook gedeeltelijk van Gerard, die altijd...'

'Ik wil helemaal niet over die kloteoom van je horen of wat hij altijd zei of hoe hij je heeft "beïnvloed". Zo te horen is het trouwens een misselijke macho. En het is een gokker, godverdomme, je weet hoe ik daarover denk. Hij heeft vast een hoop mensen ongelukkig gemaakt. Misschien zelfs jou.'

Ik keek naar het raam en mijn hart bonkte als een trom in de jungle, maar ik zag alleen mijn spiegelbeeld. Ik goot de rest van de wijn naar binnen. 'Je hebt het recht niet hem te bekritiseren.' Ik veegde mijn gezicht af met mijn mouw en draaide me naar haar om. 'Je weet er de ballen van.'

'Jij misschien ook.'

'En jij dan?'

'Ik, wat?'

'Jij...' Onder Milena's uitdrukkingsloze blik aarzelde ik. Jij bent onbetrouwbaar, je denkt nooit aan anderen, je bent schijnheilig, ondankbaar. 'Jij zegt nooit wat je voelt.'

'Jawel, daarnet nog.'

Je bent hypocriet – je komt op voor minderheden, maar je vrienden laat je zakken. 'Jij vindt dat je nooit iemand een verklaring schuldig bent.'

'Ga door. Dit is interessant.'

'Als iemand van je houdt, voel je je bedreigd – dan word je kil en overkritisch of je loopt weg en verstopt je.'

'Dank u, dokter Davenant. Ik sta versteld hoeveel u weet van mijn persoonlijke...'

'Je valt alleen op mensen die niet op jou vallen.'

Milena trok haar wenkbrauwen op. 'Weet je zeker dat je het niet over jezelf hebt?'

'Ik?'

'Maar wat heeft dit te maken met waar we het over hadden?'

'Waar hadden we het dan over?'

'Over Jacques.'

'Precies, nog zo iemand die je als stront behandelt, mijn particeps criminis,' siste ik haar toe.

Milena zond me een blik toe – vaag, onverstoorbaar – die moeilijk te interpreteren was. Woede was het niet. Ze keek weg. 'Ik zal niet zeggen dat ik Jacques graag mag, maar ik heb ook geen hekel aan hem. Hij is gewoon een sarcastische cultuursnob, betrekkelijk onschadelijk. Victor zegt dat hij een schaap in wolfskleren is, dat hij zelfs af en toe iets voor zijn medemensen doet.'

'Nee hoor.'

'Hij geeft enorme bedragen aan goede doelen waar Victor geld voor inzamelt.'

Ik was niet in de stemming om over Jacques de loftrompet te horen steken. 'Hij geeft nooit aan bedelaars of aan Greenpeace, want die geven geen afschriften voor de belasting. En hij zegt dat zijn donaties alleen, en ik citeer, "zwijggeld voor mijn geweten" zijn.'

Milena lachte. 'Nou en?'

'Jacques gelooft dat jij iets met de moord op Denny te maken hebt. Ik bedoel met zijn zelfmoord. Is dat soms de reden dat hij je niet mag?'

'Misschien. Gedeeltelijk.'

'Heeft hij ooit geprobeerd je te versieren?'

'Ja.'

'Die klootzak. Ik wist het wel. Wanneer?'

'Jaren geleden.'

'En?'

'En niets. Hij zei dat het liefde op het eerste gezicht was. Nodigde me uit om zijn collectie zeldzame boeken te komen bekijken, na zijn hand onder mijn rok te hebben geschoven.'

'Ja, wat een collectie, hè?'

'Heel geestig.'

'Maar wat deed jij toen?'

'Ik pakte zijn hand, drukte mijn sigaret erop uit en besproeide hem met bier.'

'Christus. Goed zeg. Dus daarom heeft hij iets tegen je.'

'Het lijkt me niet waarschijnlijk dat hij dat nog weet, gezien zijn toestand op dat moment. Nee, hij moet me niet omdat ik met jou ben.'

'Bedoel je dat hij verliefd op je is?'

'Nee, slimpie, hij is verliefd op jou.'

Daar moest ik even van slikken, dat geef ik toe. 'Kom op zeg, doe niet zo... Ik geloof niet...' Kon het waar zijn? 'En Victor?'

'Wat is daarmee?'

'Die is toch verliefd op jou? Ben je met hem naar bed geweest?'

'Dat gaat je niets aan.'

Ik staarde naar de grond en mijn hoofd voelde tegelijk zwaar en licht aan, alsof ik op het punt stond flauw te vallen.

'Gaat het?' vroeg Milena.

'Ja hoor.' Ik ging op het bed zitten en zag iets op het nachtkastje liggen. De verloren ring. *Shakuntala*. 'Milena! De mood ring – je hebt hem gevonden! Uitstekend. Dat is een goed teken, geloof me, een heel goed teken.'

Milena keek me aan met de uitdrukking die altijd op haar gezicht komt als ze tv-kijkt.

'Wat is dat daarachter?' vroeg ik.

'Wat dacht je?'

Ik dacht een foto van een blote vrouw. 'Hoe kom je daaraan?'

'Van de kerstman gekregen, nou goed. Je lijkt wel een officier van justitie.'

'Ik dacht dat jij niet van bloot hield.'

Milena zuchtte. 'Ik heb niets tegen bloot – ik ben niet preuts of zo. En het kan me ook geen reet schelen dat je polaroids van mijn zusje hebt.'

'Van je zusje? Ja. Maar die waren eigenlijk niet van mij, zie je, ik had ze alleen in bewaring... ik heb ze verbrand.'

'Kan me niet schelen. En ik denk ook niet dat je slecht bent of een viezerik – want Barbara zei dat jij dacht dat ik dat dacht. Ik heb genoeg respect voor je om te weten dat porno bij jou waarschijnlijk geen kwaad kan. Ik hoop alleen dat je beseft wat het met vrouwen doet – en met de houding van mannen tegenover vrouwen. Misschien wist je het niet, maar de meeste vrouwen die ervoor poseren, zijn als kind misbruikt.'

Terwijl Milena praatte, lag ik op mijn rug nietsziend naar de plafondtegels te staren en aan een velletje aan mijn duim te pulken tot het begon te bloeden. Milena roerde in haar tweede of derde kop oploskoffie terwijl ik weer naar het raam liep. De vorst begon palmbomen op het glas te schilderen. Ik probeerde erdoorheen te kijken, maar zag alleen duisternis. Milena zei iets wat ik niet verstond. Ik vroeg of ze het wilde herhalen.

'Ik vroeg of je was afgevallen.'

Dat was ik inderdaad. Jacques had het ook al opgemerkt. Hij zei dat ik wel een eendagsvlieg leek, die maar een paar uur leeft, zonder mond of maag en met maar één wanhopig doel in zijn korte leven: een partner vinden. Ik keek toe terwijl Milena uit haar zwarte rok stapte. 'Heeft het wel zin dat ik je almaar achternaloop?' vroeg ik.

'Dat hangt ervan af wat je van me wilt.'

Kom bij mij wonen, wees mijn lief. 'Kom bij mij wonen.'

'Doe niet zo gek.'

'Je mag de logeerkamer hebben. Bedenk eens wat een geld je dan uitspaart.'

Er stroomde een dubbele sliert rook uit Milena's neusgaten. 'Zet dat maar uit je hoofd, geen schijn van kans dat dat gebeurt. Zolang ik leef zal ik niet met een man samenwonen.'

Ik voelde mijn bloeddruk omhooggaan. 'Nou goed, dan laat ik je met rust, verdomme. Is dat wat je wilt?'

Het duurde even voordat Milena antwoord gaf. Ze stond naast een ladekastje met haar koffiemok in de ene hand terwijl ze met de andere een filter uitdrukte in een volle asbak. Ik keek naar haar ouderwetse katoenen onderbroek en haar sport-bh, die eens wit was geweest maar nu leigrijs was (wit en bont apart wassen was niets voor Milena), en toen naar het raam. Mijn handen waren vochtig, mijn hersenen functioneerden op halve kracht. Milena zou zich rot hebben gelachen als ze wist wat ik werkelijk voelde – dat ik een huisje buiten wilde, met haar als mijn vrouw.

'Ja,' zei ze van de andere kant van de kamer. 'Ik wil met rust gelaten worden. Ik moet met rust gelaten worden. Ik geloof niet dat ik zoiets kan – met jou of met welke man dan ook.'

Ik zocht steun met mijn handen op de vensterbank. Ik keek naar de donkere winterlucht en er joeg een koude windvlaag door me heen.

'Ik moet aan het werk,' zei Milena. 'Ik ben al te laat.'

Ik probeerde kalm te worden, maar dat lukte niet, probeerde te glimlachen, maar er kwam geen glimlach. 'Je meent het.' Ik draaide me om en keek haar aan. 'Godallemachtig, het is toch niet waar, jij, te laat?' Ik ging steeds hoger en harder praten; ik voelde zweet op mijn voorhoofd. 'Jij bent godverdomme *altijd* te laat. En weet je waarom? Omdat je geen reet om andere mensen geeft, alleen om jezelf. Ik kwam je helpen, godbetert.'

Milena haalde haar schouders op en rommelde wat in een la. Ik liet me in een plastic stoel vallen. 'Ik loop wel even mee naar het parkeerterrein,' zei ze kalm terwijl ze zich in een mottige bontjas hees. 'Dat is toch de kortste weg naar het gebouw waar ik moet zijn.'

'Doe voor mij vooral geen moeite.'

Op weg naar buiten kwamen we een gast tegen, zo'n nadrukkelijke hetero met een sikje en een koperen ringetje in zijn oor, een collega van Milena. Roch heette hij. Ze leken nogal goed met elkaar op te kunnen schieten (Roch draagt een oorbel, Victor draagt een oorbel – hier is sprake van een patroon). Terwijl zij liepen te kletsen, schonk ik hun af en toe een geforceerd lachje, een Shakalachje. Roch, de trots van het een of andere gat in de buurt, zei dat hij zo meteen het parkeerterrein met een sneeuwploeg sneeuwvrij ging maken. Hij kon het vast ook met zijn blote handen. Hij had de armen van een dorpssmid. En dijen als Yorkse hammen.

Buiten was het zo koud als een eskimograf, dertig graden onder nul met een gevoelstemperatuur van drieduizend graden vorst. Ik had een met dons gevoerde parka met capuchon aan, een lamswollen sjaal als een strop om mijn hals, snowboots van Scott-of-the-Arctic en handschoenen als ovenwanten; Roch liep in een kort, openhangend leren jack en zwarte sportschoenen. Hij had zijn spieren en zijn sigaret om hem warm te houden. We baggerden naar het enige paadje door de sneeuw, dat breed genoeg was om met zijn tweeën naast elkaar te lopen. We liepen met ons drieën naast elkaar: Milena in het midden, die praatte met Mr. Cool die rechts van haar liep, en ik links, naast het pad, door de sneeuw, waar ik bij elke stap in wegzakte; ik moest me de benen uit m'n gat lopen om hen bij te houden en ondertussen te doen alsof er niets aan de hand was.

Er is ook niets aan de hand, zei ik tegen mezelf terwijl ik afscheid nam en achterstevoren tegen de wind in naar mijn vale paard liep. Ik ben weer vrij. Ik heb een schoongeveegde baan voor me. Ik keek naar Milena en de spierbundel, die naar mij keken en het duidelijk over mij hadden. Het spiegelgladde stuk in de verte bracht me op een idee: ik ging glijden, luid lachend om te laten zien hoe zorgeloos ik was. Ik rende er als een gek op af. Het bleek gewoon beton te zijn.

Ik stond zo snel weer op dat ze me waarschijnlijk niet eens hadden zien vallen. De grond trilde van het ingehouden lachen en de bevroren bomen keken spottend op me neer terwijl ik het ijs van de voorruit klauwde en achter het stuur ging zitten. De motor sloeg bij de eerste poging al aan. Spinnend als een poesje. Ik gaf gas en liet de banden draaien. En draaien en draaien. In de achteruitkijkspiegel zag ik Roch steeds groter en groter worden en zijn grijns groeien. Hij duwde me met zijn blote handen de weg op.

Zonder rode achterlichten om op te navigeren was de terugreis net een val door de zwarte lucht; ik voelde de naald van mijn hoogtemeter rond en rond tollen, naar de nul. Ik reed dertig kilometer met een snelheid van dertig kilometer per uur, ik zag geen hand voor ogen. Het lag niet aan het ijs op mijn voorruit, of aan de duisternis die me verblindde, nee, dat was het niet. Het kwam door dat prikken in mijn ogen. Ik stopte bij een motel dat Le Doux Paradis heette en lag op het tweepersoonsbed wakker tot het weer licht werd.

De verbintenis is voorbeschikt. Milena, het lot uit de loterij dat in de goot ligt, wordt gevonden door Jeremy, de schlemiel die het gescheurde vodje opraapt en als een kleuter droomt dat hij kans maakt op de grote prijs. Milena is het gekkengoud, het alchimistengoud, de schitterende zigeunersirene; Jeremy is de gek, de dwaas, de onnozele hals die holt, helt, valt... O, ik had het verdiend, ik had het kunnen weten. Ze had me gewaarschuwd, anderen hadden me gewaarschuwd, maar ik wilde niet luisteren. Want ik was verliefd, blind, waanzinnig verliefd. En als je blind en waanzinnig bent, gaat er wel eens wat mis, nietwaar. Toeval valt tegen, levens vergaan, maar onze liefde kon nimmer bestaan.

27

'De roos heeft doornen, slijk de zilv'ren bron...'

– *Sonnet 35*

Die desolate februarimaand deed ik niets dan wachten op god mag weten wat, op brieven die nooit kwamen, op de telefoon die nooit ging. Mijn gedwongen vrijgezellenbestaan was één langdurig wachten, mijn huis was de grimmige stationswachtkamer aan de spookspoorlijn. Het begon terug te vallen in de toestand waarin ik het had aangetroffen; het was één grote kutzooi, net als ikzelf. Zelfs mijn huishoudelijke apparaten, mijn dienaren, lieten me een voor een in de steek.

De maand februari brak aan zonder dat iemand over mijn verjaardag was begonnen – dat was tenminste iets. Verjaardagen zijn vreselijk; mijlpalen langs de weg naar het graf. Als kind vond ik het al niet leuk dat ik op de laatste dag van januari was geboren, ik weet niet meer waarom. Misschien omdat het te dicht bij Kerstmis lag of omdat het te koud was, of, zoals Gerard me graag in herinnering bracht, omdat het de dag was dat Guy Fawkes, die ook uit Yorkshire kwam, was opgehangen. Toen ik naar North York verhuisde, veranderde ik mijn verjaardag in 23 april, de geboortedag van Shakespeare, en kreeg op die dag zelfs cadeautjes, hoewel nooit van mijn ouders. Later ben ik gaan beweren dat ik op Shakespeares geboortedag ben verwekt. Dat is mogelijk.

Mijn conceptie. Ik heb me vaak afgevraagd wat er die dag of nacht is gebeurd. Doet niet iedereen dat wel eens? Als mijn vader, mijn brute fantoomvader, mijn moeder nu eens heeft verkracht? Dat kan best – als ik hem ter sprake bracht, begon mijn moeder altijd te huilen. Hij is er in elk geval vandoor gegaan, de laffe klootzak. Ik denk zelden aan hem. Ik had Gerard immers. En nu...

Afwezigheid vulde de ruimte in mijn huis. Lezen of onderzoek doen was onmogelijk – de woorden dansten en vervaagden en hadden geen betekenis. Mijn weinige krabbels lagen in een graf van dode rouwletters; de inkt van Milena's boodschappen verbleekte; mijn Boek der Zaterdagen bleef gesloten in de la liggen. Ik wist wel dat de tijd alle wonden heelt en me uiteindelijk zou genezen, maar dat zou ik zelf waarschijnlijk niet meer meemaken.

De zeldzame keren dat ik mijn laksheid of de gevolgen van mijn lusteloze gezuip wist te overwinnen, maakte ik een vagabondage door Fleur de Lysistrate of over de begraafplaats Mount Royal. Een keer zag ik bij Fleur de Lysistrate de volumineuze Victor, die zich overgaf aan enig lustopwekkend geblader op de afdeling homoporno, tussen de *Aussie Boys,* de *EndGame* en de *Power Tools.* In zijn immer gedreven streven naar nieuwe dieptepunten in smakeloosheid had hij zich gehuld in...

Maar daar zou ik mee ophouden. Victor was er die dag helemaal niet – het was iemand die vaag op hem leek. En nu we het er toch over hebben, Victor is helemaal niet bijzonder dik of dom, en ook niet de meester van het open deuren intrappen, de clown die ik van hem heb gemaakt. En zijn kleren? Niets mis mee, beter dan de mijne.

Het schijnsel van de sterren en de verlichte kruisen bestraalt mijn eenzaamheid. Op Mount Royal loop ik rond middernacht over de begraafplaats en de onbetreden sneeuwvelden; de grafstenen tekenen zich vreemd af in het maanlicht, de doden om me heen – levens die ooit vol waren met evenveel zorgen en verlangen en eigen belangrijkheid als het mijne – liggen onder de sneeuw en de klei. Bij Wolodko's steen, mijn memento mori, stond ik altijd even stil om me af te vragen wat de Oekraïense inscriptie betekende en te proberen de geheimen van het graf te lezen. God is eigenlijk alle doden, dacht ik, alle dode organismen van de aarde. Als je bidt, vraag je de doden je te helpen leven. Daarom roep ik ook het dode Engeland, India, zoeloeland en Oekraïne aan. Maar genoeg. Mijn problemen zijn microscopisch klein. Waarom zou iemand daarnaar luisteren? Wat ik doe is niet normaal, ik hoor niet zo diep aangetast te zijn. Er is iets mis; het gaat niet goed met me.

Op Valentijnsdag schreef ik met mijn voetstappen in een maagdelijk sneeuwveld dat glinsterde als veldspaat MILENA, in vijftien meter hoge letters. Waarom? Dacht ik dat zij dat vanuit haar toren in het gekkenhuis zou zien? Wilde ik het de doden in de hemel makkelijker maken te zien waar ik aan leed? Op de dwarsbalk van de A ging ik op mijn rug op de koude grond naar de glinsterende hemel liggen kijken. Toen ik vroeger samen met Gerard door zijn telescoop keek, had hij me eens uitgelegd dat een wens die je doet op het moment dat je een ster ziet vallen, altijd uitkomt. Hij vertelde toen ook over de Donkere Ster, die deel uitmaakt van een binair sterrenstelsel en zelf onzichtbaar is. Die is daar wel ergens, zei hij, en hij straalt wel, maar niet voor jou en mij.

In februari zag ik Milena niet. In maart ook niet. En toen gebeurde ineens alles tegelijk. Op 1 april, de dag van grap en wederopstanding, kreeg ik een telefoontje uit York. Mevrouw Hunt deelde me kalm mee dat Gerard dood was.

'Vorige week of misschien de week daarvoor... een ongeluk... De arme ziel heeft z'n laatste adem uitgeblazen...'

Ik hang op en de telefoon gaat opnieuw. Ik zie de rode rinkelringen opstijgen, spiraalsgewijs, en de lucht wordt gekleurd en geglazuurd. Mijn antwoordapparaat reageert niet. Ik luister naar de telefoon die steeds maar overgaat. Het lijkt wel zo'n telefoon die je wekt uit een droom, maar ik kan hem niet in het scenario inpassen. Ik weet dat ik iets moet doen, maar wat? Ik neem op. Een bekende stem, de stem van een geliefde, zegt iets wat ik niet begrijp. Ik heb het misschien over Gerard, of ik huil als een kind. Dan klinkt er een kiestoon, en dan, seconden of uren later, een ander dwingend geluid. Weer wordt er een reactie van me verwacht. Is het speelkwartier afgelopen? Moet ik naar binnen? Ik denk aan Jacques en aan het belletje van Pavlov. Ik neem de telefoon op en zeg 'ja', maar de lijn is dood. Het geluid wordt herhaald. Het trekt in heftige golven door de lucht. Ik zeg 'hallo' tegen de lucht. 'Hallo!' schreeuw ik. Ik ga op de grond zitten. Het komt van beneden. Ik loop de trap af en doe de deur open en kijk naar mijn blote witte voeten terwijl Milena me in haar armen neemt.

28

‘O, roep den tijd terug, roep ’t gistren weêr…’

– *Koning Richard* II

We vlogen de volgende dag naar Heathrow, kwamen met de zon aan en gingen mijn andere tijdzone binnen. Een taxi worstelde zich door de stinkende chaos om ons naar King’s Cross te brengen, waar we op de sneltrein naar York stapten.

‘Londen is afzichtelijk,’ zei ik terwijl we noordwaarts denderden.

‘In het vliegtuig zei je dat het prachtig was,’ antwoordde Milena.

‘Het is één groot walgelijk gekkenhuis. De nieuwe gebouwen zijn zo lelijk dat je verstand erbij stilstaat. Kut, wat deprimerend. De IRA zou ze allemaal moeten opblazen. Of de architecten op een rij zetten, de klootzakken doodschieten en ze in het graf van Mies van der Rohe gooien.’

‘Zeg je dat vanwege je oom? Dacht die er zo over?’

‘En die auto’s! Allemaal koppen dicht en hup, in je dwangbuis van rubber en staal! Iedereen kan toch zien dat de auto de stad, nee, de hele wereld om zeep heeft gebracht. Waarom laten we dat nog toe?’

‘Zeg je dat vanwege het ongeluk van je moeder?’

‘Dat heeft er niets mee te maken.’

Milena viel al snel in slaap. Terwijl ik me in allerlei gymnastische bochten wrong om het open dagboek op haar schoot te lezen, te zien wat ze allemaal over mij had geschreven (want waar moest ze anders over schrijven?), voelde ik een hand op mijn schouder waarvan ik bijna uit mijn stoel vloog. Milena schrok wakker. Een man aan de andere kant van het gangpad met een gezicht dat net zo veel lijntjes vertoonde als een landkaart en ogen waarmee moeilijk contact te maken viel, bood aan onze kranten uit te wisselen. Ik stemde toe, al was ik nog niet eens in de mijne begonnen. De gedachten schoten razendsnel door mijn hoofd terwijl Milena haar dagboek weer in haar rugzak stopte en ik de *Yorkshire Post* van de man doorbladerde, bijna zonder dat er een woord van tot me doordrong. Ik dacht aan wat ik in Milena's dagboek had gezien. Onder een mooie schets van een brandende sigaret had ik een paar losse woorden ontcijferd: '*...naar zijn kant... leven... samen te doden...*'

Ik bladerde verder. *Naar zijn kant? Samen te doden?* Toen de man iets over India zei en over een nieuwe uitbraak van gekkekoeienziekte, zei ik: 'Mag ik iets uit uw krant scheuren?'

'Ja hoor,' zei hij met een knipoog. 'Dat meisje in die ondergoedreclame?'

'Nee,' antwoordde ik. 'Een overlijdensadvertentie.'

Het was koud en winderig in York en dat vond ik best. Ik klopte eerst zachtjes op de deur van mevrouw Hunt en moest ten slotte luid bonken voordat ze eindelijk te voorschijn kwam met een sleutelring in haar hand. Ze was veel kleiner dan ik me herinnerde, want ze torste nu ook het gewicht van de twintig tussenliggende jaren op haar rug, terwijl haar hoofd veel groter was – een zware taak voor haar nek. Haar gezicht was bloedeloos en haar haar was zo dun dat je haar hoofdhuid erdoorheen zag. Alleen haar ogen waren niet veranderd: in hun diepe kassen glinsterden ze net als vroeger, rusteloos als de ogen van een konijn.

'Kom binnen,' zei ze opgewonden, met haar noordelijke tongval. 'Fijn je weer 's te zien. Het valt tegenwoordig niet mee voor een ziek oud mens. Ja! D'r staat een koude wind, ik denk dat 't vannacht gaat vriezen... Nou, ik moet zeggen, jullie zijn een mooi jong stel. Ja. Voordat we de zaak bespreken die ons allemaal zwaar op het hart ligt, zullen we eerst 's een kopje thee drinken.'

Ik stelde Milena aan haar voor. 'Jij komt niet uit Yorkshire, Milena, dat maak je mij niet wijs. Daar verwed ik m'n zondagse laarzen om...'

'Ik wilde eigenlijk eerst naar boven, mevrouw Hunt,' zei ik. 'Als u het niet erg vindt. Dan drinken we straks samen thee.'

Met onze zware bagage sjokten we de trap op, die weergalmde

van het gefluister van oude herinneringen. Ik maakte de krakende kerkerdeur open, waar ik geen sleutel voor nodig had, en klapte in elkaar – van verdriet, uitputting en martelende nostalgie. De herinneringen welden omhoog in een tranenvloed die ik niet meer kon stelpen. Milena liet me even alleen en ging in de ijzige regen staan roken.

De etage, waar het ijskoud was en nog net zo vol als vroeger, leek nauwelijks veranderd – het rook er nog steeds muf, de vloer kraakte nog steeds en er zaten nog steeds donkere plekken rond de deurknoppen, de muren en vloeren liepen schuin en de afbladderende verf hing in stalactieten omlaag. Al waren de toekans gevlogen, het speelgoed, het hobbelpaard en de boeken stonden nog op hun plaats. Ik zocht snel het deel van de encyclopedie waar een bladzijde uit was gescheurd en vond het moeiteloos. Had Gerard geweten dat ik zou komen? Zo liep *Shakuntala* dus af:

> uiteindelijk door een visser in de maag van een vis gevonden. Als de koning de ring ziet, herkent hij zijn vrouw en roept haar uit tot koningin.

De koude slagregen begon tegen het raam te striemen. Ik zette het helemaal open om het water binnen te laten. Ik pakte de telescoop die in de vensterbank lag en keek door de beslagen lens.

'Maar alles is heel wazig, oom Gerard.' 'Je moet het wieltje naar rechts draaien, mijn jongen, ja, goed zo.' 'Nu zie ik alles heel dichtbij, oom!' 'Kijk eens naar rechts, boven de drogist – daar heeft het hoofd van Richard van York op een staak gestaan.' 'Heb jij dat hoofd gezien, oom?' 'Nee, dat heb ik helaas net gemist.' 'Heb je er een foto van?' 'Kijk eens naar Shambles, Jeremy, naast Smith? Daar smeedde Guy Fawkes zijn complot.' 'Waarom zijn er zo veel mensen die Smith heten, oom?' 'Omdat vroeger de vrouwen een kuisheidsgordel droegen en iedereen smid wilde worden – sleutelsmid.' 'Wat is een kuisheidsgordel?' 'Zie je daar de snoepwinkel, jongen? Daar in die straat, links, is W.H. Auden geboren… Wystie was een goede vriend van me.' 'Oom Gerard, ik heb besloten dat ik niet meer naar school ga.' 'Uitstekend idee, jongen.' 'Het was een moeilijk besluit, maar ik weet het nu echt zeker.' 'Zo mag ik het horen. Zie je die toren, mijn jongen? Daar werden vroeger alle

zeurende vrouwen opgesloten.' 'Is zeuren dan een misdaad, oom?' 'Een van de ergste die er bestaan.' 'Wil je daarom niet met mama trouwen?' 'Tjee, moet je die prammen zien!' 'Maar wil je daarom niet met mama trouwen?' 'Geef die kijker eens hier, Jeremy, snel.' 'Wat zijn prammen?' 'Daar kom je gauw genoeg achter, jongen...'

Ik deed het raam weer dicht en zakte op Gerards op een na beste bed in elkaar. In de nevel van mijn schemerslaap voelde ik de zachte druk van Milena's borsten tegen mijn rug; ze had zich als een lepeltje tegen me aan gevlijd. In het Frans betekent het werkwoord *lover* 'opvouwen, zich kronkelen'.

Verdoofd fluisterde ik: 'Milena, waarom ben je meegegaan naar York?'

'Dat heb ik toch al gezegd.'

'Zeg het nog eens.'

'Ik ben meegegaan omdat je me dat vroeg. En omdat je mijn ticket hebt betaald.'

'Dat heb ik niet betaald – het was een airmilesticket. Dus anders was je niet meegegaan, dat was de enige reden...'

'Zit je te vissen? Natuurlijk was dat niet de enige reden.'

'Wat het vanwege Barbara?'

'Barbara? Wat heeft Barbara ermee te maken? Wat heeft ze dan gezegd?'

'Niets, eigenlijk.'

'Ik ben meegegaan omdat ik dat wilde, goed?'

'Ja, ik geloof je wel. Maar ik dacht dat jij zei dat je niet met een man kon leven, met een man kon vrijen, dat dat met mij een terugval was, dat je het even niet wist.'

'Vrijen was sowieso een terugval, met wie dan ook, man of vrouw. Ik vrij haast nooit. En ik weet het nog steeds even niet. Maar misschien neig ik nu wat meer naar jouw kant.'

Naar mijn kant. 'Dus dat... dus je bent meegegaan omdat...'

'Het was vlak na Belleforêt, geloof het of niet, dat ik... dat het wat duidelijker werd. Ik weet wel dat ik niet zo aardig, vriendelijk, dankbaar of wat ook tegen je was. Die periode was één groot donker gat, een van de ergste die ik ooit heb meegemaakt. Nadat jij weg was gegaan, had ik wat tijd om na te denken. Over jouw pogingen mij te begrijpen, over dingen die ik over jou had ontdekt... Ach, wat maakt het ook uit, laat ik het maar gewoon zeggen. Ik heb je dagboek gelezen of wat het ook is.'

Ik kwam met een ruk overeind. 'Heb jij mijn Boek der Zaterdagen gelezen? Heb jij godverdomme in mijn Boek der Zaterdagen zitten lezen? Hoe durf je! Wanneer? Wat heb je gelezen? Alles wat ik over jou geschreven heb?'

'Ik heb er stukjes in gelezen, op een avond toen je les moest geven. Je had het op tafel laten liggen. Het spijt me, echt. Ik wist eerst niet wat het was. Maar toen... kon ik niet meer ophouden met lezen.'

'Shit. Niet te geloven. Dat is... misdadig. Ongelooflijk.'

'Er zat een opgevouwen bladzijde in. Helemaal gekreukt en versleten...'

'Heb je die gelezen?'

'Ik heb er even naar gekeken,' loog ze.

'Dus jij hebt de Bladzijde gezien? Niet te geloven.'

'Hoezo, wat is dat dan?'

Ik aarzelde. 'Eh, dat is iets wat Gerard... Dat is een lang verhaal. Het is zoiets als een schatkaart, je doet er jaren over om hem te lezen. Waar het op neerkomt is dat wij gaan trouwen en dat we nog lang en gelukkig leven – net als in *Shakuntala*, net als in een blijspel van Shakespeare. Ik ben er nog niet helemaal uit waar dat lang-en-gelukkig zich precies gaat afspelen – Engeland, India, Zuid-Afrika of Oekraïne. Maar het gaat gebeuren, vertrouw daar maar op, het is het lot, onze lotsbestemming. De teerling is al jaren geleden geworpen – het is gewoon een kwestie van afwachten hoe hij valt en dat goed interpreteren.'

Wat ik aanvankelijk aanzag voor een glimlach die op Milena's lippen verscheen, leek bij nader inzien meer op een grimas. 'Jeremy, soms weet ik echt niet of je nou een grap maakt of niet. Dit is toch wel een grap, hè?'

'Nou, min of meer... ik weet het niet meer.'

Milena schudde haar hoofd. 'Het lot bestaat helemaal niet, niets is voorbeschikt – dat zijn gewoon slappe smoesjes voor lamlendigheid, meer niet. Daar hebben we het toch al uitentreuren over gehad.'

Ik zuchtte. 'Ik geloof toch dat er meer achter zit, Milena. Meer dan alleen lamlendigheid, zoals jij het noemt. Er is ook nog zoiets als het noodlot, stomme pech...' Toen zweeg ik, want Milena's woorden hadden me in een keten van vragen gewikkeld die ik niet kon beantwoorden. Lamlendigheid. Wat Milena als kind was overkomen, kwam dat door lamlendigheid van haar vader en zijn vriend? Of wat mij als kind was overkomen, of mijn moeder toen ze al volwassen was... Worden succes en mislukking niet door je gesternte bepaald? Kan een mens niet soms gewoon tragische pech hebben? Haar vader, Denny, Milena zelf, Violet? Het verraderlijke rad van fortuin? Ik bedoel, als de goden nee zeggen, wat kan een mens dan nog?

'Die dingen,' ging Milena door, 'wreedheid, geweld, gebeuren niet door het lot of omdat ze zijn voorbeschikt, maar door toedoen van anderen, ja? En door situaties die door anderen zijn gecreëerd. Het is niet zomaar pech in een wereld die van toevalligheden aan elkaar hangt.'

Ik zweeg weer, met neergeslagen ogen. 'Daar zou je wel eens gelijk in kunnen hebben,' zei ik, tot mijn eigen en Milena's verbazing. 'Ik weet wel dat ik mijn leven door het toeval, door bijgeloof heb laten bepalen.'

'Je bent de enige niet, geloof me.'

'Ik kan er echt niets aan doen.'

'Ik heb mijn leven ook door van alles laten bepalen. Maar ik probeer verder te komen. Dat is ook een van de redenen dat ik met je mee naar Engeland ben gegaan.'

'Wat zijn de andere redenen dan?'

Milena glimlachte. 'De redenen die met jou te maken hebben? Ik denk dat er een heleboel kleine dingetjes waren, steeds meer. Eerst dacht ik dat je gewoon een klein jongetje was – bijgelovig, onzeker, dwaas – en nu... denk ik er nog steeds zo over. Eens kijken, wat vind ik leuk aan je? Dat, misschien. O ja, en de manier waarop je met je hospita omgaat, zoals je haar hebt geholpen en bij haar ging eten, ook al verstond je geen woord van wat ze zei. En wat nog meer? Ik was onder de indruk van – of zeg maar gerust geschokt door – de manier waarop je in het ziekenhuis je mannetje stond tegenover mijn vader. Van je moed, of je gekte, dat weet ik niet. Ik heb nog nooit iemand meegemaakt die zich niet bang liet maken door hem. Ik dacht dat hij je zou vermoorden.'

'Me vermoorden?'

'En ik moet toegeven... nee, laat maar.'

'Zeg het dan.'

'Nou, ik moet toegeven dat ik een beetje jaloers was.'

'Jaloers? Jij?' Ik dacht dat dat mijn terrein was. 'Op wie was je dan jaloers?'

'Op Arielle. Jullie leken zo goed met elkaar op te schieten dat ik ervan uitging...'

'Arielle! Dacht je dat echt? Ik was geïnteresseerd in jouw zusje!'

Milena stompte me tegen mijn schouder, speels geloof ik (ik hield er wel een blauwe plek aan over) en ik pakte haar om haar middel en tilde haar op. Ze stompte me weer, hard, tegen mijn schouderblad, terwijl we op Gerards bed vielen en ik met mijn achterhoofd tegen de muur sloeg. Terwijl ik daar roerloos lag te sterven, stak Milena een sigaret op.

De volgende ochtend ging ik navraag doen. Gerard had inderdaad een ongeluk gehad: volgens het Franse consulaat was hij in de Atlantische Oceaan verdronken, een paar kilometer uit de Normandische kust, in de buurt van Saint-Aubin-sur-Mer. Het schijnt dat hij in een geleende zeilboot de zee op was gegaan en nooit meer teruggekomen. De boot was teruggevonden, het lichaam niet. Getuigen hadden de boot zien kapseizen.

Dit was vast weer zo'n truc van Gerard, zijn beste tot dusver, de kroon op zijn werk – om de verzekering op te lichten, alimentatieverplichtingen te ontlopen, wie zal het zeggen? Ik verwachtte half en half dat hij ieder moment weer kon opduiken.

Die nacht zwaaide een jarenveertigachtige Parijse gendarme met een witte *képi* naar me met een bekeuring die een aangetekende brief bleek te zijn. Met typisch Franse gewichtigheid verbrak hij drie zegels en verzocht hij me drie verschillende documenten te paraferen, allemaal met dikke pakken doorslagpapier eronder. Terwijl de auto's en mobylettes aan weerskanten voorbijraasden, gaf hij me vervolgens een brief, getypt met de keiharde mokerslagen van Gerards schrijfmachine.

Beste Jer.,
Vijf vadem diep ligt thans uw oom.
In je speelgoedkist ligt een indigo das.
In de voering van die das... Stuur, als de kust veilig is, de helft naar C.P.55, Saint-Crispin-sur-mer. Het spijt me dat ik je zo heb laten schrikken.
Liefs, Ger

Ik was blij, opgelucht – en kwaad. Die klootzak, hoe kon hij me dit allemaal aandoen. De rest van de droom is onduidelijk, behalve het moment dat ik de speelgoedkist opendeed, de das eruit haalde en ontdekte dat er geen geld of verzekeringspolissen, maar Moon Traveller-vuurwerk in zat. Toen moet ik iets geroepen hebben, want Milena werd wakker en zoals je weet slaapt niemand ter wereld zo vast als zij. 'Is er iets?' vroeg ze met een stem als schuurpapier.

Ik vroeg haar of er een brief van oom Gerard was gekomen. 'Gerard is dood,' antwoordde ze en ze draaide zich om om verder te slapen. Maar ik liet haar niet met rust, ik stond erop mijn droom te vertellen. Nog voordat ik klaar was, zei ze: 'Een wensdroom. Maar misschien ook voorspellend. Welterusten.' 'Ja, verdomd – dat is echt iets voor hem, hè?' zei ik. 'Die geweldige oplichter!' Ik was plotseling opgetogen en rende in onderbroek naar beneden om de ochtendpost te bekijken. Er waren drie brieven, allemaal geadresseerd aan Gerard, allemaal rekeningen zo te zien. Ik sjokte weer naar bed en sliep droomloos tot drie uur 's middags. Milena sliep nog toen ik mijn ogen opendeed. Ik maakte haar wakker door met haar te vrijen – ik verraste haar, maar ze was blij verrast.

Uren later, toen we Indiaas van het afhaalrestaurant zaten te eten, Milena met haar lange benen gekruist op de grond, zei ze dat ze in York wilde wonen. 'Ik wil hier wonen,' zei ze eenvoudig.

Ik probeerde kalm te blijven bij die aardbeving. 'Wat... bedoel je precies?'

'Welk woord begrijp je niet?'

'Bedoel je hier wonen? Híer? Bij mij?'

'Ja, tenzij je dat niet wilt.'

'Natuurlijk wil ik dat je hier blijft wonen. Dat wíj hier blijven wonen. Maar hoe... ik bedoel, waarom nu... waarom hier?'

'Ik kan niet terug, ik kan daar niet gelukkig zijn, dat begrijp ik nu wel. Ik had allang weg moeten gaan, ik weet niet, ik ben hier gewoon gelukkiger, veel... rustiger. Bovendien word ik stapelgek van de politie.'

Ik keek strak naar mijn bord, speelde met mijn papadum en mijn mango chutney. Je wordt gek van de *politie*? 'Zijn ze... nog met Denny's zelfmoord bezig?'

Milena nam een trek van haar Silk Cut. 'Dat kan je wel zeggen.'

Ik staarde naar de grond. 'Heeft je vader het gedaan, Milena?'

'Wat?'

'Heeft hij Denny vermoord?'

Milena boog haar hoofd. 'Dat weet ik niet. De politie heeft met hem gepraat, ze hebben hem zelfs meegenomen, maar nooit in staat van beschuldiging gesteld. Ze verdachten mij ook. Nog steeds. Ze weten wat Denny met mij en mijn zusje heeft gedaan.'

'Heb jij ze dat verteld?'

'Mijn vader heeft het verteld.'

'En héb je Denny vermoord?'

Milena zuchtte. 'Nee.'

'Natuurlijk niet. Sorry dat ik dat vroeg.' Ik stak een sigaret aan de verkeerde kant aan en liep naar het raam. De hemel was interstellair zwart en de torens van de Minster waren niet te zien. 'Milena, was het... kan het zijn dat je vader uit schuldgevoel, of uit wraak, Denny heeft vermoord? Om jou te laten zien dat hij berouw had, dat hij zich schaamde voor wat hij zijn eigen dochters had aangedaan?'

'Dat betwijfel ik. Als hij Denny Tyrell inderdaad heeft vermoord, heeft hij meer lef dan ik dacht. Bovendien had Denny een hoop vreemde vrienden – ook vrouwen – die hem misschien dood wilden hebben.'

'Dus nu wil je alles achter je laten en hier in York komen wonen... permanent?'

'Wat betekent permanent?'

Permanent betekent heel lang. 'Niets,' zei ik. 'Permanent betekent niets.'

We boekten een goedkope chartervlucht vanuit Belfast, uitgerekend Belfast, een rechtstreekse vlucht naar ons oude wereldje die samenviel – daar had ik wel voor gezorgd – met Gerards herdenkingsdienst (zonder stoffelijk overschot). Toen we weggingen zei mevrouw Hunt: 'Zo, dus je smeert 'm weer, net als je oom.'

'We blijven niet lang weg, mevrouw Hunt. We moeten alleen wat dingetjes afhandelen in Canada...'

'Precies je oom, je smeert 'm weer...'

'Was de Titanic niet in Belfast te water gelaten?' vroeg Milena, maar dat wisten we geen van allen.

Op het vliegveld, op de startbaan, in het vliegtuig, keek ik steeds achterdochtig naar Milena, bang dat ze alles zou ontkennen, bang dat ze er weer vandoor zou gaan zodra we geland waren. En ik had het akelige voorgevoel dat er een tragedie ging gebeuren – in Noord-Ierland, boven de Atlantische Oceaan, in Quebec. In de pendelbus, in de toiletruimte, bij de bagagecarrousel keek ik steeds schichtig om me heen of ik verborgen moordenaars zag; ik zag gedaanten achter de gordijnen, schaduwen die over ons heen vielen. '*Alle zwangere vrouwen werden afgeslacht...*' waarschuwde de Bladzijde. Was Milena zwanger?

In de taxi van Mirabel naar de stad vroeg Milena wat er was. 'Niets, helemaal niets,' zei ik. 'Hoezo?' 'Eerlijk zeggen,' zei ze. Ik vertelde wat me dwarszat. Milena zei dat ik me geen zorgen hoefde te maken – ze was niet zwanger en mijn onheilspellende voorgevoelens waren 'voor honderd procent onbetrouwbaar'. Ze bleek niet helemaal gelijk te hebben.

Op mijn antwoordapparaat stond een aantal berichten van de secretaresse van de directeur, Madame Plourde, en eentje van de grote man zelf. Hij zei dat ik 'dringend' contact met hem moest opnemen. Was ik ontmaskerd? Ontslagen? Er lag ook een grote envelop van mijn oude instituut, ook van de directeur, met daarin deze brief:

> *Geachte heer Davenant,*
> *Aangezien u niet reageert op de telefonische verzoeken van Mme Plourde en mijzelf, rest mij slechts de mogelijkheid u deze brief*

te schrijven, waarvan ik een kopie doe toekomen aan dr. J.C. Provost, de decaan. Deze betreft onder andere de evaluaties van uw studenten van het afgelopen semester (zie bijlage). Zoals u zelf zult zien, worden daarin uw colleges onder meer omschreven als 'geïmproviseerd', 'onsamenhangend' en 'volslagen warrig'. Bovendien is mij ter ore gekomen dat u zich geroepen hebt gevoeld een aantal, zo niet de meeste, colleges af te zeggen dan wel drastisch te bekorten...

Ik ging naar de laatste alinea:

Er is evenwel nog een ernstiger kwestie die bespreking behoeft, zoals u kunt lezen in bijgaande fotokopie van een formele klacht die wij een week geleden ontvingen en waarin dr. Clyde Vincent Haxby u ervan beschuldigt uw academische geloofsbrieven te hebben vervalst en een onprofessionele relatie met een van uw studentes (mw. Arielle Castonguay) te onderhouden. Voorts beschuldigt hij u van ongewenste intimiteiten jegens zijn persoon op 6 oktober jongstleden en van bedreigingen met brandweerapparatuur...

Ik verfrommelde de brief en toetste Philippes nummer in. 'Dat verbaast me niets,' zei hij in het Frans toen hij uitgeschaterd was. 'Volgens mij is hij helemaal de weg kwijt. Vorige week kwam hij zonder Hush Puppies en koffertje binnen, voor het eerst van zijn leven, op rubberlaarzen en in kleren waarmee hij in de tuin had gewerkt. Hij stonk als een composthoop. En hij is totaal geobsedeerd – hij houdt maar niet op over zijn "genitale vernedering".'

'Erg groot is hij niet, hè?'

'Zoals het hele instituut heeft kunnen zien. Hij noemt jou een "walgelijke gedegenereerde homoseksualist". Ik heb trouwens besloten mijn rol als medeplichtige bij het misdrijf niet op te biechten.'

'Als medeplichtige? Jij was het brein achter die hele toestand.'

'Maar het zijn jouw vingerafdrukken.'

Daar moest ik even over nadenken.

'Luister, Jeremy, ik hoop dat je niet van plan bent iets... drastisch te doen, hem ermee te confronteren of hetzelfde te doen als Jacques, of dat je hem je adres geeft of zo. Ik word een beetje bang van hem. Ik hoop maar dat hij je niet achternareist naar York – je weet dat hij in de zomer altijd door het Merendistrict gaat wandelen, in het voetspoor van Wordsworth.'

Ik grinnikte overdreven zorgeloos. 'Wees maar niet bang. Luister, zou jij mijn kamer op het instituut voor me willen uitruimen?'

'Ja hoor. En ik hou je op de hoogte. Ik praat wel met Sobranet en ik zal Haxby proberen te kalmeren.'

'Philippe, je bent geweldig. Dat heb ik altijd geweten.'

'En jij bent een ouwehoer.'

'Dat zeggen ze vaker, ja. Kom ons eens opzoeken in York – je bent altijd welkom.'

Ik pakte maar één koffer – ik herinner me niet dat ik het Zwitserse zakmes heb ingepakt, maar het bleek wel in de koffer te zitten – en gooide zakken- en zakkenvol rommel weg, de ballast van mijn verleden. Aan Arielle liet ik mijn etage en huisraad na, met de bepaling dat ze minstens eenmaal per week met mijn hospita moest eten. Arielle, dacht ik, zou mijn toevluchtsoord zijn (en mijn verzekering – je moet dat platonische gedoe niet te ver drijven) als er iets misging.

Toen ik mijn huisbazin voor de laatste keer ging opzoeken en haar uitlegde dat Arielle in mijn huis kwam wonen en dat ik wegging, leek ze alles al te weten zonder dat ik een woord had gezegd. Ze begon te trillen en toen te huilen; er biggelde een lange stroom tranen over haar wangen. Daar schrok ik natuurlijk van. Ik sloeg mijn armen om haar heen en ging toen iets halen wat ik helemaal vergeten was: de zilveren vingerhoed die ik op Heathrow had gekocht. Ik deed hem aan haar vinger. Met een droeve glimlach dribbelde ze weg om ook iets voor mij te pakken, iets oneindig veel mooiers: een *pysanka*, een paasei, beschilderd met een ingewikkeld patroon in felle kleuren, en Milena legde later uit dat dat zoiets was als een valentijnsgeschenk, recht uit het hart en speciaal voor mij gemaakt.

Ik belde Sabrine (en dochtertje) om afscheid te nemen, en toen Victor, en op een zwak moment zelfs Ralph in North York. Hij leek oprecht blij iets van me te horen, en (minder oprecht) bedroefd dat Gerard 'de grote oversteek had gemaakt'. Hij zei ook dat hij me geld zou sturen – besmet geld, van de verzekering van mijn moeder – waarvan ik zei dat ik er nog steeds niets mee te maken wilde hebben, maar hij drong aan; hopelijk dacht hij niet dat ik ernaar hengelde. 'Ja,' zei ik, 'ik weet wel dat haar dood een ongeluk was.'

Jacques belde ik niet; hij belde mij. 'En, hoe gaat het met de Ware Jacoba? Hoe verloopt het temmen van de feeks? Heb je mijn kaart gekregen?'

'Ach Dion, zoek toch een hol en kruip erin.'

'Dat kan ik dan mooi in York doen, daar ga ik toch volgende maand naartoe. Ik hoor trouwens alarmerende berichten over Milena en...'

Ik hing op. Milena, die helderziend is in dat soort dingen, wist wie er had gebeld. 'Wat wilde Jacques?' vroeg ze. 'Je ziet helemaal rood.'

'Ik weet niet wat hij wil.' Een wig tussen ons drijven? 'Hij zegt dat hij ons in York komt opzoeken.'

'Hoe komt hij aan ons adres?' *Ons* adres, zei ze.

'Dat weet ik niet. Maar ik wil hem niet meer zien.'

'Laat maar komen. Mij maakt het niets uit.'

29

'Ik breng u goed nieuws. U zult spoedig trouwen.'

– *Shakuntala*

In York zette ik me aan het saaie karwei van het uitzoeken van Gerards nalatenschap. Mevrouw Hunt zei: 'Je oom zat goed in de slappe was, hij was binnen, hij kan jullie allebei vooruithelpen.' En dat was blijkbaar ook zijn bedoeling: in een grote, aan 'Jeremy en Milena' geadresseerde envelop zat zijn testament, gedateerd op 31 januari van dat jaar, waarin ik tot belangrijkste erfgenaam werd benoemd (Milena kreeg Gerards schildersmateriaal, een cheque voor twee jaar kunstacademie en een vervalste aanbevelingsbrief). Ik vroeg me af of het allemaal wel rechtsgeldig was, want er waren anderen die meer aanspraak op de erfenis konden maken. Het huis waarin Gerard had gewoond, bleek zijn eigendom te zijn, waar ik van opkeek, maar afgezien daarvan leek hij weinig bezit te hebben gehad. Een advocatenkantoor in Peckitt Street deed schriftelijk enkele behoedzame uitspraken over de nalatenschap, maar refereerde ook vaak aan 'uitstaande verplichtingen' – gokschulden waarschijnlijk, en alimentaties ('achterstallig salaris' noemde Milena het). Gerards reisjes naar Frankrijk en Zuid-Afrika vielen volgens mevrouw Hunt toevallig samen met de bezoeken aan Engeland van roofzuchtige ex-vrouwen (Gerard was meerdere malen gescheiden of hij was een bigamist, of allebei, daar waren Ralph en mevrouw Hunt het over eens). Milena drong erop aan dat ik ervoor zorgde dat het achterstallige salaris werd uitbetaald.

Er bleek een levensverzekeringspolis te zijn, een geschenk vanuit het graf, met mij als begunstigde. Milena vond hem in mijn speelgoedkist. De neef van mevrouw Hunt, die bij de verzekeringsmaatschappij Great Northern Life werkte, bood aan het verzekeringsgedeelte op zich te nemen – tenminste, zij zei dat hij dat aanbood – en waarschuwde dat er commissies en successierechten betaald zouden moeten worden en dat de ex-vrouwen moeilijk zouden doen. In die tijd ging de telefoon vaak, maar degene die belde – de *lustige Witwen*? Jacques? Haxby? Milena's vader? – hing altijd op.

De dagen verstreken. Mijn aantekeningen uit die tijd zijn karig, waarschijnlijk omdat ik zo weinig te klagen had. Alles ging griezelig goed. Ik was onveranderlijk verliefd op Milena, al wachtte ik me er wel voor dat te zeggen; zij was duidelijk op mij gesteld, ook al zei zij het evenmin. Ze begon denk ik het gevoel te krijgen dat het leven met een man best uit te houden kon zijn, dat het geen feministische contradictie hoefde te zijn en geen mes dat telkens in haar verleden werd omgedraaid. Ze had het verleden overleefd, geloofde ik.

In seksueel opzicht ging het niet zoals in Canada, waar mijn voorkeur voor oraal voorspel en coitus interruptus botste met Milena's voorliefde voor onthouding. In Engeland waren we voortdurend aan het vrijen. En het ging ook niet altijd alleen van mij uit. Een illustratie: op een avond, nadat ik haar het stukje over cunnilingus in het *Feministisch Woordenboek* had laten zien, zei Milena: 'Jeremy, feministen zijn net mensen – ze zijn het niet allemaal met elkaar eens en ze hebben ook niet altijd gelijk.' Een paar minuten later, alsof ze wilde laten zien wat ze bedoelde, kwam ze voor me staan – ik zat in bed te lezen – en vroeg om een stukje van mijn *Yorkshire Evening Press*. Toen ik haar een katern aangaf, bleef ze naar me staan kijken. Misschien wilde ze een ander katern, dacht ik nog. Toen ik het vroeg, gaf ze geen antwoord, maar bleef ze me vreemd aankijken. 'Is er iets...' Mij werd het zwijgen opgelegd doordat Milena haar rok omhoog deed en schrijlings op mijn borst ging zitten. Ze boorde haar Cleopatra-ogen genadeloos in de mijne, strekte een arm naar achteren en begon mijn dij te strelen terwijl ik het volle zicht had op haar meest bijbelse regionen. Met haar andere hand, en daarna met beide handen, greep ze me bij mijn haar terwijl ze langzaam dichterbij kwam.

Milena ging niet langer op slot als we bij elkaar waren: deze keer trilde ze toen ik in haar was en slaakte ze voor het eerst een kreet, wild en ongearticuleerd, en ik overwoog even Jacques te bellen. Maar ik deed het niet, ik trok een wollen deken over ons heen en gleed spiraalsgewijs in een toestand die nog heerlijker was dan slaap.

Er was nog iets veranderd: Milena was niet meer afstandelijk of zwijgzaam. Toen we wakker werden, vertelde ze uitgebreid over haar verleden, haar gevoelens, het onrecht in de wereld: ik luisterde verrukt. Ze was onnatuurlijk uitgelaten. Ze had niet meer het gevoel dat ze 'wegzakte', dat ze 'de deur voor zichzelf afsloot'. 'Maar ik weet niet of ik de kracht heb om iets met mijn leven te doen,' voegde ze eraan toe. 'Ik ben er altijd heel goed in geweest alles maar over me heen te laten komen.'

'Dat verandert wel in York, dat weet ik gewoon. Dat voel ik.'

'Ik hoop dat je gelijk hebt.'

Ik keek haar zwijgend aan, verloren in haar onpeilbare ogen, en voelde weer die belachelijke drang om haar ten huwelijk te vragen. 'Milena, neem je mij tot je wettige...'

Ik werd onderbroken door een explosie van lucht. 'Zoals Mae West zei: het huwelijk is een prachtige instelling, maar ik ben nog niet rijp voor een instelling.'

'Je begint steeds meer te klinken zoals mijn oom.'

'Misschien moet ik wel met je trouwen – voor een verblijfsvergunning.'

Ons geluk dat voorjaar is moeilijk te omschrijven. We zaten samen langdurig zwijgend te lezen, ik haar lievelingsboeken en zij de mijne. Ze luisterde naar mijn verhalen over mijn oom ('wiens dood ons tot elkaar heeft gebracht,' merkte ze op) en vertelde mij verhalen over haar moeder ('ze vertrok uit haar dorp in zo'n bijbelse oude kar, de kar van een muziekinstrumentbouwer geloof ik, verstopt onder suikerriet en lege kokosnoten en staartharen van ezels en god mag weten wat nog meer, samen met twee grote hagedissen, goanna's noemen ze die'). Twee keer begaf Milena zich tot mijn verbazing buiten de stad, naar de paarse heide, in haar eentje, 'voor de frisse lucht, voor de stilte'. Ze bracht bloemen mee – hondsrozen en wilde seringen, vossebessen en wilde viooltjes – die ze nog in een vaas schikte ook.

Milena deed nog iets wat ik nooit van haar had verwacht: ze bood aan mijn haar te knippen. Ik liet mijn verbazing niet blijken en nam haar aanbod uiteraard aan. O ja. Te midden van boeketten wilde bloemen en de stoffige boeken van Gerard zat ik tevreden stil terwijl zij mijn ongekamde, niet natgemaakte haar knipte. Ik deed mijn ogen dicht en droomde weg. Milena was mijn haar aan het knippen, dacht ik, ze deed iets voor me, ze zei: 'Ik geef je dit uiterlijk, ik brandmerk je, ik voorzie je van mijn signatuur, je bent van mij.' Dat wilde ze er toch mee zeggen?

'Wat zeg je?' vroeg ik.

'Ik zei dat ik klaar ben. Ik hoop dat je het mooi vindt.'

In de spiegel keek ik naar het deskundig geknipte kapsel en voelde me onuitsprekelijk ontroerd. 'Hoe kwam je daar zo bij, om me dat schitterende aanbod te doen?' vroeg ik.

'Je haar zat om op te schieten.'

De mevrouw die in mijn kinderjaren op de onderste verdieping woonde, was volgens mevrouw Hunt op raadselachtige wijze verdwenen. De etage stond al maanden leeg, afgezien van wat achtergelaten rommel zoals schoonmaakmiddelen en cosmetica. Milena, die daar van meet af aan heel duidelijk in was geweest, zou daar gaan wonen. Dat was een van haar voorwaarden. Was ik dat vergeten te zeggen? (Ze zei ook dat ze daar misschien vriendinnen zou ontvangen.) Tot nu toe hadden we in elk geval altijd de nacht samen doorgebracht.

'Dat komt het dichtste bij samenwonen wat we ooit zullen bereiken,' zei ze toen ze het voorstelde.

'Net als Woody Allen en Mia Farrow in het begin? Ieder zijn eigen huis?'

'Ja, zoiets. Maar dan zonder al die kinderen. Beslist zonder kinderen… althans voorlopig.' Dat laatste fluisterde ze heel zacht, ik kan het verkeerd hebben verstaan.

Overdag was Milena beneden met de renovatie bezig, schuren en afstrippen en giftige loodverf inademen. Rode verf. Ik mocht niet binnenkomen. Met behulp van een lening die ik haar had opgedrongen (verzekeringsgeld) wilde ze van haar benedenverdieping een boekwinkel maken, een 'gespecialiseerde' winkel met boeken die niet door mannen waren geschreven. Achter de winkel zou ze een eigen kamer hebben om in te schilderen, met een eenpersoonsbed en een secretaire met laadjes die ze tussen Gerards spullen had gevonden. Ik stelde voor dat ze de winkel 'Shakespeares Moeder' zou noemen en Milena sloot dat niet formeel uit. Ze had me zelf op het idee gebracht. Toen ik een keer opperde dat ze Shakespeare niet las omdat hij een man was, had ze gezegd: 'Doe niet zo dom. Dat heeft er niets mee te maken. Vergeet niet dat hij de helft van zijn genen, de helft van zijn genialiteit, van zijn moeder had. Waarschijnlijk eerder negen tiende.'

Mevrouw Hunt bleef op de tussenverdieping wonen en alles in orde houden, of in wanorde, het was maar hoe je het bekeek. In dat opzicht waren Dolle Hond en Milena het roerend eens. Chaos alom. We werden uitgenodigd voor warrige maaltijden die bestonden uit vis, patat, witbrood, abrikozenjam, zompige erwten, peren uit blik en spuitslagroom, niet per se in die volgorde. We waren allebei erg op haar gesteld, al verstond Milena in het begin geen woord van wat ze zei. Toen Milena eenmaal aan het Yorkshirese dialect gewend was, zei ze tegen me dat ze het maar matig vond 'diertje', 'deerntje' of 'gratenpakhuis' te worden genoemd. Zelf vond ik het matig te worden betiteld als 'een mooi jochie, maar een kreng van een kerel'.

Dolly was nooit Gerards vriendin geweest, dat werd me al snel duidelijk. Op een dag vroeg ik om haar te plagen of Gerard haar ooit ten huwelijk had gevraagd. 'Loop heen, malle brasem!' antwoordde ze, 'daar moet ik niks van hebben – kom me niet aan met romantiek, Jeremy-me-jongen, want da's toch maar allemaal onzin. Mannen, daar heb je niks dan last van. Geef mij maar een lekker koppie thee. Die oom van je is een slimme piechem...' Ze leek nog iets te willen zeggen, maar dat hield ze voor zich. 'Bovendien zei hij altijd dat struikrovers je geld of je leven willen, maar dat je in een huwelijk allebei kwijtraakte.'

'Ja, dat weet ik...'

'En dat een huwelijk net zoiets is als de hele bioscoop kopen als je een film wilt zien.'

'O ja?' Die had ik nog niet gehoord.

Iets in de manier van doen van Dolle Hond zei me dat ze iets wist, dat ze wist dat Gerard ergens ondergedoken zat. Toen ik vroeg waarom ze Gerard zo'n slimme piechem vond, zei ze: 'Ik zeg maar wat hoor, maar als je oom verdronken is, dan was dat geen ongeluk, dan wist-ie wat-ie deed, als je begrijpt wat ik bedoel. Je oom was ongeneeslijk ziek, wist je dat? Hij had een hartkwaal – en parkinson ook.'

Dat had allemaal geen verrassing hoeven zijn – ik had de symptomen zelf gezien – maar toch vielen haar woorden me erg rauw op mijn dak. 'Ja, dat... dat wist ik,' zei ik moeilijk, met toegeknepen keel.

Toen ik het later die avond aan Milena vertelde, dat Gerard ongeneeslijk ziek was, dat hij een zeemansgraf had gekozen opdat wij het geld van de verzekering zouden krijgen, of dat hij misschien zijn dood in scène had gezet en dat hij nog in leven was, net als in mijn droom, zei ze dat het echt iets voor mij was om zo te denken, dat ik een onverbeterlijke dromer en een hopeloze fantast was. Of iets van die strekking.

Aan de grenzen van al dat geluk leken zich anti-Elysische krachten te verzamelen, gereed om toe te slaan. In de bibliotheek in Museum Street, waar ik de meeste tijd doorbracht als ik niet bij Milena was, vervulde ik mijn plicht als schildwacht en hield ik het noodlot in de gaten, voornamelijk door over van alles en nog wat te piekeren – vooral over Gerard en mijn moeder, die ik des te schrijnender miste nu ik in York terug was. Ik begon bang te worden dat ik Milena ook zou verliezen. Op een dag zat ik in een tijdschrift voor legerartsen en een *Trauma Journal* te bladeren die op een tafel waren blijven liggen, en daar zag ik dat mensen die links zijn, zoals Milena, significant oververtegenwoordigd zijn in de volgende groepen: alcoholisten, drugsverslaafden, manisch depressieven, schizofrenen, epileptici, verstandelijk gehandicapten, mensaleden, bedplassers, homoseksuelen en zelfmoordenaars. Ze hebben ook een kortere levensverwachting dan mensen die rechts zijn, deels doordat ze zes keer zo vaak bij een ongeluk om het leven komen.

Ook las ik de Graveyard Poets. Het afgelopen jaar had ik drie sterfgevallen meegemaakt, van twee mensen die ik minder goed kende en één die me erg na stond, en nu liet de gedachte me niet meer los dat me nog een vierde boven het hoofd hing – van mezelf of van Milena, de linker- of de rechteruitgang, daar was ik nog niet uit. Als ik over de Stadswallen liep en door de straten en stegen van de oude binnenstad wandelde, het lager gelegen deel van Back Swinegate en vooral door mijn eigen oude buurt – mijn oude school, de plek waar de inmiddels gesloopte Tower Cinema had gestaan, het huis van de inmiddels overleden Dragonetti, de snoepwinkel, waar je nog steeds Cathedral Rock en pepermuntjojo's kon krijgen – wilde ik me laten meevoeren door golven van nostalgie. Maar dat lukte me nooit helemaal. De wolken aan de hemel, bedrukkend dichtbij, hingen als lijkwaden boven mijn hoofd; van het water van de Ouse ging een morbide betovering uit, het lokte me naar zich toe. Ik zag Milena vanaf de Lendal Bridge, haar donkere kleren opbollend in de rivier, net als bij de waanzinnige Ophelia; ik zag hoe Calverley in de kerker van het Kasteel werd doodgeperst, ik zag hem zijn doodsbange kinderen doodsteken; ik zag Shaka, koning der zoeloes, die met zijn eigen rode assegaai werd doodgestoken. Ook mindere geesten zag ik: Clyde Haxby met een duelleerpistool in zijn hand op de campus van de Universiteit van York; Jacques met een fles dollekervelwijn op de treden van het Royal York Hotel; Milena's vader met een nieuwe .44 onder zijn jas, verdekt opgesteld onder de Skeldergate Bridge.

Ik had ook vlagen van schuldgevoel. Hoe gruwelijk het ook is, ik voelde af en toe een vluchtige blijdschap omdat Gerard, mijn gevallen idool, er niet meer was. Ik begon te denken dat Milena gelijk had en dat Gerard mij en anderen ongelukkig had gemaakt. Toch hield ik nog steeds van hem en ik kon zijn geest niet van me afschudden, zoals je zult zien. Misschien kwam het door die botsende hersengolven, maar ik kreeg af en toe last van black-outs – labyrintitis? migraine? – en kreeg soms het gevoel dat mijn geest langzaam doorboog en brak, dat ik gevangenzat in een donkere onderaardse doolhof zonder uitgang. Ik begon me te realiseren dat van ons tweeën ik de patiënt was, en dat Milena, afgezien van haar linkshandigheid, vrijwel normaal was.

Op weg van de bibliotheek naar huis maakte ik vaak een omweg naar St. Cuthbert's, de oudste kerk van York. Dat leek me een goede plek om met Milena te trouwen voordat zij of ik doodging. *Nu snel ik ter dood, gelijk een bruîgom, die zich spoedt naar 't bed der liefste.* Volgens een plaquette waren op een begraafplaats in de buurt vijfhonderdtwee twaalfde-eeuwse joodse skeletten opgegraven. Iets verderop was nog zo'n rituele tussenstop van me: een antiquariaat, J.G. Trundell & Zoon – handelaars in bijzondere boeken. Op een dag kocht ik daar net voor sluitingstijd een cadeau voor Milena: een vroege druk van de driedelige memoires van George Sand, de eerste Engelse vertaling, misschien wel het prijsstuk van Trundells collectie.

Thuis begroette Milena me met verfspatjes op haar gezicht en hals, waaronder ook een rode stip midden op haar voorhoofd, als de *bindhi* van een getrouwde hindoevrouw. 'Wat hou je daar achter je rug?' vroeg ze zonder me aan te kijken.

'O, niks… niks. Een paar boeken, ik laat ze je straks wel zien.'

Milena lachte. 'We hebben een kaart gekregen van Barbara en Philippe. Kijk maar – hij ligt op de keukentafel.'

'Aan ons allebei? Wat schrijven ze?'

'Onder andere dat je je over Clyde Haxby geen zorgen hoeft te maken. Hij is opgenomen in Belleforêt.'

In de schemering maakten we een lange wandeling, hand in hand. De grijze stadswallen van York waren omzoomd door zeeën gele narcissen en de rivieroever was bespikkeld met grote groene paraplu's van hengelaars. Uit de wolken dook een donkere vogel met een enorme spanwijdte omlaag en scheerde door de mist die van het water opsteeg. Eenden zwommen weg voor langsroeiende schooljongens en de avondster verscheen plotseling vlak boven de Lendal Bridge. Terwijl we het donker tegemoet liepen, wierp een stralende maan lijnen van glinsterend zilver op het water. De torenklok sloeg. Ik sloeg een arm om Milena heen, en zij om mij.

Toen we thuiskwamen, liet ik het licht uit en stak ik in de keuken een kaars aan. De stralen van de gigantische meimaan vielen door het raam naar binnen en verlichtten de voorwerpen in de kamer met een spookachtige glans. Ik vroeg aan Milena of ik haar mocht blinddoeken, of ze het spel wilde doen dat Gerard en ik jaren geleden hadden gespeeld. Ze zei nee. 'Een keertje maar – doe het voor mij,' smeekte ik. 'Alsjeblieft.' Milena zuchtte en ik bond een brede das van Gerard voor haar ogen. Na een plichtmatig rondje van tien seconden koos ze een zwaar boek dat helemaal onderin stond en gaf het aan mij; ze liet het bijna voor mijn voeten vallen. Ik vroeg haar een vinger tussen de bladzijden te steken terwijl ik ze omsloeg. Dat deed ze. Voordat ze de blinddoek afdeed, schoof ik haar boek opzij en legde er het laatste deel van George Sands memoires voor in de plaats. Bij het licht van de kaars lazen we de laatste zin van een met een leeslint gemarkeerde bladzijde:

> *We kunnen geen bladzijde uit het boek van ons leven scheuren, maar we kunnen wel het hele boek in het vuur werpen…*

'Voor jou, Milena. Voor je verjaardag, of voor je winkel.' Milena keek naar het omslag, schudde haar hoofd en zei met een duivelse schittering in haar donkere ogen: 'Oplichter. Ik wil scheiden. Ik ga terug naar het gekkenhuis.' Ze klauwde liefdevol naar mijn gezicht, sloeg toen haar armen om me heen en trok me tegen zich aan, zo dicht als ze nog nooit had gedaan.

30

'Goê nacht, Fortuin; o lach weer, draai uw wiel!'
– *Koning Lear*

Het ziet ernaar uit dat het verhaal hier eindigt, niet? Als het een onwaar verhaal was, zou ik het hier laten eindigen. Maar het is een waar verhaal, en er is nog een episode – over een moord – niet verteld.

Op de eerste zaterdag van de blijde junimaand sloop ik bij het krieken van de doem stilletjes naar buiten en liet Milena achter met haar slapende gezicht in mijn kussen – aan mijn kant van het bed, merkte ik met trots op. Op Gerards antieke Rudge trapte ik snel door het hart van York, een vage veeg middeleeuwse en georgeaanse gebouwen, en reed ik zigzaggend langs verdwaasde verdwaalde toeristen en pesterige puisterige puberpummels, langs Swinegate, Jubbergate, Shambles, St. Saviourgate, Pavement, Stonebow, en liet me op de gotische gronden van St. Cuthbert's van mijn fiets glijden, en daarna nog eens bij J.G. Trundell's, waar ik wat boeken van Gerard inruilde voor andere, die op Milena's shortlist voor de winkel stonden. Daarna stopte ik bij de markt, voor alle narcissen, tulpen en rozen die ik dragen kon.

Thuis hing er een briefje in Milena's naar links hellende krabbelschrift op de deur van haar etage: Om 6 uur terug. Ik probeerde de deur en keek op mijn horloge: tien over zeven. Tegen achten, toen ik beneden stemmen meende te horen, ging ik met mijn bloemen en boeken naar beneden. Het briefje hing er nog steeds. Ik drukte mijn oor tegen de deur. Doodse stilte. Ik stak mijn sleutel in het slot en duwde de deur langzaam open. 'Milena? Ben je daar, Milena?'

Binnen was het bijna donker. Met de scherpe stank van oplosmiddel in mijn neus stommelde ik naar de slaapkamer, waar een speer van zwak licht door de halfopen deur viel. Op mijn tenen sloop ik dichterbij, als een juwelendief, en glimlachte toen ik haar slapende lichaam in het bed meende te zien, het laken over haar hoofd getrokken. Hoe kon ze zo ademhalen?

Ik wilde net de bloemen neerleggen toen ik naast een bureaulamp op de grond een rode, zich uitbreidende rode cirkel zag, met een Zwitsers zakmes in het midden. O god. Nee! Ik wist dat dit zou gebeuren ze heeft zich van kant gemaakt! Ik wist dat ze dit zou doen ze heeft zich van kant gemaakt ze heeft haar polsen doorgesneden ik heb haar op het idee gebracht! Nee! Haar vader! Haar vader heeft haar vermoord! Calverley! Mijn hoofd stond in brand en de verzengende kleuren van de kamer begonnen te kloppen. De bloemen en boeken vielen op de grond, in de rode plas waar ik middenin stond.

Ik deinsde achteruit en zag open koffers, laden en plastic tasjes. Op de grond, naast de koperen bureaulamp, lagen witte lakens die de felrode verf opzogen die uit een omgevallen blikje droop. Ik pakte de lamp op en hield hem boven het bed. Milena lag er niet in.

Op Gerards secretaire lagen een vulpen en een vel papier, besmeurd met rode vingerafdrukken maar verrassend leesbaar, waarop Milena uitlegde dat haar vader was gearresteerd voor de moord op Denny. Ze moest terug, echt, nu meteen, niet alleen daarom maar ook vanwege haar zusje. En sorry voor de troep en zo. En alsjeblieft – kom me niet achterna. Het allerbeste. Milena.

Mijn hand trilde toen ik op de achterkant keek. Er moest nog iets zijn! In een PS had ze gekrabbeld: *Geloof me, Jeremy, er komen nog meer dagen om samen te beleven en nog meer tijd om samen te doden – dat staat ergens op de Bladzijde geschreven.*